Model Graphix

ガンダムアーカイヴス I♥RGM

月刊モデルグラフィックス編

'85年に創刊した模型専門雑誌『月刊モデルグラフィックス』には創刊当初より数々のガンプラ作例やスクラッチビルド作例が掲載され続けてきていますが、本書はその膨大な作例群のなかから近年の地球連邦軍量産機＝RGM系機体を題材とする作例をピックアップしまとめたものです。なお、本書内でのガンダム世界考証は模型を楽しむための独自のもので、公式設定を下敷きにしていますがサンライズ公式設定ではないことをお断りいたします。

＊本書では基本的に雑誌掲載当時の記事表記に準じるようにしています。そのため、「本誌」＝『月刊モデルグラフィックス』、「MG」＝マスターグレード、「PG」＝パーフェクトグレード、「センチネル」＝ガンダムセンチネルの略となっています。また、記事中にあるマテリアルやキットに関する表記は掲載当時のものになっているため、現在は販売が停止されていたり名称が変更になっていたり価格が改訂されていたりする場合がありますのでご了承ください（バンダイ ホビー事業部は'18年4月よりBANDAI SPIRITS ホビー事業部へと改編されています）

Contents;

EFSF
EFSF
008
EFSF
NA

ついに時代がRGMファンに追いついた!!
ガンプラ1/100 RGMフィーバー来る。

誠にお待たせいたしました！『RGM MODEL PICTORIAL BOOK』に続く「全国のジム好きのジム好きによるジム好きのための単行本」第二弾です。「ジムはガンダムの人気に隠れてマイナー」とか「所詮はやられメカ」……って、そこがいいんでしょ、ジムは!! わかりやすくカッコいいヒーロー機であるガンダムではなく続々と登場してはやられていく量産機としてのあり方に心惹かれ、そしてその膨大なバリエーション展開に心躍らせる――この愉しみはじゃなきゃ味わえません。だいたい、一年戦争だってRX-78一機で戦局の大勢が変わるわけもなく、実質的に地球連邦軍はジムのおかげで勝つことができたわけですし、その後だって地球圏の覇権を実際に握っていたのはRGM系MSなんです。それに、ゲームの世界でだって、使い勝手が良くむしろ重宝するのはRGM！ ホワイト・ディンゴ隊仕様のジム・スナイパーⅡなんて、一年戦争最高性能のジム＝「一年戦争最強のMS」ってことでしょ!? アーケードゲーム『戦場の絆』での陸戦型ジムの魅力といったら……（以下長くなるので略）。

溢れるRGM愛語りはこれくらいにさせていただいて本題に戻ると、本書のメインテーマはずばり1/100 RGM系MSのガンプラです。RGM系MSはガンダム系機体の人気に押されてマスターグレード（MG）ではなかなか発売されずにきましたが近年そんな状況が変わりました。昔はRGM系MSのガンプラなど５年にひとつも発売されれば御の字でしたが、'15年以降はMGジェスタキャノン、MGジム・キャノン、MGパワード・ジムが立て続けにリリースされ、そしてついにはジムⅡ、ジム・スナイパーⅡ、そしてジェガンまでもがMGに!! ついにRGMファンに時代が追いついたといっても過言ではありません。

ここにきてMGでRGM系MSの発売ラッシュが起きた要因はふたつ。ひとつは『機動戦士ガンダムUC』で確立されたプレミアムバンダイ限定販売の恩恵、そしてもうひとつはMG ガンダム／ジム Ver.2.0フレームの活用です。ジムやザクのような量産機によくあるこまかな差異によるバリエーション製品化は、プレミアムバンダイにはうってつけの題材。インターネットで受注限定生産をすることで、昔なら製品化されなかったであろうマイナー機体が続々とバリエーションキットとして販売されるようになりました。いっぽうのMG Ver.2.0ガンダム／ジムフレームを活用したバリエーション展開では、ジム・スナイパーⅡの製品化などがRGM系バリエーション展開の可能性を一気に拡げました。「ここまで外形が異なる機体が製品化できるのであればあの機体だってMGになる可能性があるのでは……」と、夢が一気に拡がったRGMファンは多いのではないでしょうか？

そして、これらの流れが結実したのが'18年のMGジェガンの発売です。1/100ジェガン発売はRGMファンの悲願でしたが、単体として見ても非常に完成度が高く、なによりすべてのバリエーションがあらかじめ想定されているところにRGMファンは歓喜の涙を流しました。

さあ、全国のRGMファンの皆さん、ついに刻は満ちました。魅惑のRGMガンプラの世界へようこそ!!

1/100
MASTER-GRADE
Ver.3.0

やっぱりジムが好き♥

三者三様のMGで作る“RGMの元祖”ジム
アナタはどんなRGM-79がお好みですか？

「ジム」とひと口にいってもそのイメージはさまざまで、スタンダードなだけに幅が広いのがジムの良いところ
ガンプラでも初代MGとMG Ver.2.0ではアレンジの方向性がまったく異なっています
というわけで、まずはいろいろなキットを元に1/100ジムの可能性を探っていくことにしましょう
RX-78-2しか発売されていないMG Ver.3.0は、RX-78-2を元に「仮想」Ver.3.0ジムを作っちゃうぞ！

1/100
MASTER-GRADE

1/100
MASTER-GRADE
Ver.2.0

EF

アレンジが異彩を放つ、MGRGMの「起点」

●アレンジが強めの初代MGジムだが、この強そうでスマートイメージのほうが好きというジムファンも少なからずいるはず。そこであえて初代MGジムのフォルムや意匠を活かして作るという方針で、作例で流用パーツとして使ってよいのは「MG RX-78 ガンダムVer1.5まで」ということにした。なお、Ver1.5の脚フレームをまるごと移植してしまうのはナシだ

アニメ設定画とは別の魅力を放つ初代MGジムをいまこそ"再評価"する。

MGジム Ver.2.0が「弱そうなジム」の代表格とすれば、「強そうなジム」アレンジの代表がこの初代MG。初代MG RX-78-2ガンダムの金型を共用して作られた力強くスマートなプロポーションはアニメ設定画とはかなり異なるアレンジだが、むしろこれこそがカッコいい！　という意見も根強くある。あえてキットのフォルムを活かして製作することで初代MGの魅力を再発見してみよう。

RGM-79 ジム
BANDAI SPIRITS　1/100
マスターグレードシリーズ
インジェクションプラスチックキット
発売中　税込2700円
出典／『機動戦士ガンダム』
製作・文／**小林祐介**

Model Graphix
2017年3月号
掲載

MASTER GRADE RGM-79
GM "Ver.1.0"

「強そうなRGM」のマイルストーン、初代MGジム

◆頭部

初代MGの顔は、ジムらしからぬと言いますか、初代MG RX-78のスマートなフォルムに合わせ非常にイケメン顔に作られています。これはこれでカッコいいのですが、アニメ設定画とは別方向にキャラ立ちし過ぎているので、バイザーの面積と角度、そしてアゴ~エラまわりを削ったりプラ板を貼ったりしてオーソドックスなイメージのジムらしい顔にします。耳の丸い部品の内側にはプラ板を貼り、正面から見た際に横方向にボリュームが出るようにしました。

◆胴体

まず、上半身フレームの腕の取り付け軸を1・5㎜ほど下に移動しています。これは、肩アーマーの位置を下げることでガンダムよりも力の抜けた感じを出したかったのと、腕を長く見せるためです。

胸部前面はMG RX-78 Ver 1・5（以下Ver 1・5）のものを使用。これは、初代MGでジムとして新規に作られた部品の、モールドが抑え気味なところとのバランスを取るため。首元の襟のパーツ形状をVer 1・5の形にしたかったからというのもあります。初代MGの襟パーツは立体感があってよいのですが、下側に長く鋭角的です。PG RX-78準拠の形状のVer 1・5の形状のほうがジムには合っていると思い換えることにしました。ただし、胸のダクトパーツはルーバーが1枚ずつ別になっているVer 1・5ではなく、一体パーツの初代MGを使っています。

それから、お腹の段差部分が初代MGではハの字状になっています。ガンダムであればマッシヴに見えてよいと思うのですが、ジムっぽく見えなくなる一因になっていると思ったので、横のラインが一直線になるようにプラ板で修整しました。

初代MGでは、ランドセル右側のサーベルラックをバズーカマウントに転用できるように空けてあり、通常は外付けの閉鎖機を取り付けるようになっていますが、これは元々の機体設定にはないものでした。作例では潔くランドセルカバーにフタをしてフラットな形状にしました。さらにランドセル中央部のシールドラッチとバーニア可動部の上部もプラ板で塞ぎ、少しでもアニメ設定画寄りになるように変更しています。

◆肩、腕

肩アーマーはバージョンが進むごとに大型化していく傾向があるようですが、アニメ設定画だと思った以上に肩は小さいです。そこで今回は、初代MGのパーツを使いつつ下側のラインが天面と平行になるように削り込み小型化してみました。上腕はこの時期のキットの特徴として横ロールがヒジの近くについています。作例では、軸可動は残しつつ、上腕の上側にもスジ彫りを加えて可動部があるかのように見せています。

手首は、次元ビルドナックルズ（丸）の大型手首を一部改造して使用しました。

◆脚

初代MGの脚まわりは、パーツ数が非常に少なく作りやすいですが、開発時期の古さもあってヒザ関節が少々貧弱です。しかし、脚自体を作り直してしまうと作例の意味がなくなってしまうので、ヒザ側面のいわゆるマルイチディテールだけをひと回り大きいVer 1・5のものと交換し、関節を目立たなくするという方法を採りました。

初代MGのふくらはぎは、大きなカバーを開くと小さなバーニアが入っているという構造になっていますが、下部に切り欠きを作りつつカバーは固定とし、丸く浅いバーニアが1個外に露出するようにしました（ここだけは完全に「オレ解釈」です）。

くるぶしガードは、ヒジやヒザと同じくVer 1・5のものを使ってマルイチに変更し、足首アーマープレートは上下のラインを平行に削り込んでいます。

かかとが一段高くなっている初代MGのソール形状は、RGのデザインに引き継がれすでに一般的になっているのですが、個人的には、RX-78やジムのソールは平たいイメージがあります。そこで、カカト部分にスジ彫りを追加して、塗り分けラインをまっすぐに変更しました。■

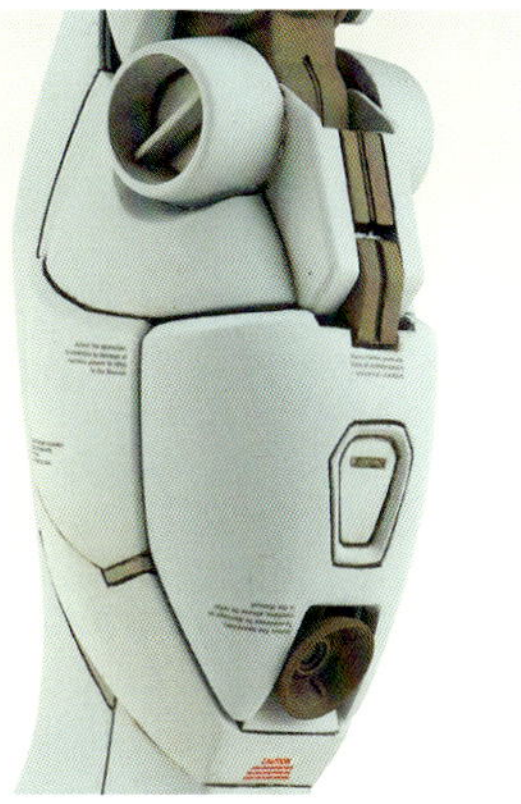

アニメ設定よりの形に寄せるとさらに化けるキットです

●いちばんのポイントは胴をMG RX-78 Ver.1.5に換えたところ。初代MG RX-78のメリハリが効いた鋭角的な造形を、ぱっと見違いがわからないかもしれないほど少しずつニュートラルな造形に戻している。こまかなライン変更の積み重ねだが、できあがってみると量産機としての「ジムらしさ」が倍増しており、そのミニマムかつ行き届いた着眼点に小林氏のジム愛の深さを感じさせられる。頭部も、基本フォルムはそのままに、こまかい形状修整の積み重ねだけで見事にアニメ設定イメージを盛り込むことに成功している

素のジムを
作るなら大本命!!
MGジム
Ver.2.0!

アニメ設定画テイストのなかに可動とディテールを内包する傑作。

Model Graphix
2017年3月号
掲載

RGM-79 ジム Ver.2.0
BANDAI SPIRITS　1/100
マスターグレードシリーズ
インジェクションプラスチックキット
発売中　税込3780円
出典／『機動戦士ガンダム』
製作・文／**岡 正信**

MG RGM-79 GM "Version 2.0"

「ジムらしさ」を高次元で実現した傑作キットを活かしてブラッシュアップしてみよう

「強いRX-78に相対する弱い量産機」というジムのキャラクター性を非常にうまく出しているMG Ver.2.0。可動範囲が広くシャープでメカニカルなディテール、しかも非常に拡張性が高いフレームを内蔵した傑作キットだ。本作例では、キットの基本構成は活かしつつ外装のエッジや面構成を構成し直すことで傑作キットの持つポテンシャルをさらに引き出す。

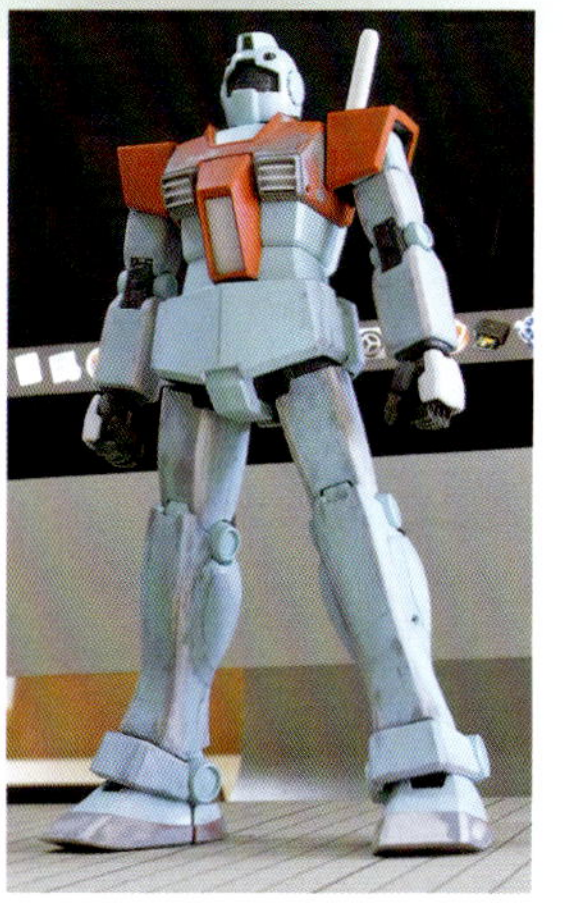

●キットの内部構造とプロポーションは活かしつつ、フレームのシャープでメカニカルな印象を外装にさらに"盛り足す"ことで、立体映えと統一感がある外観を目指した

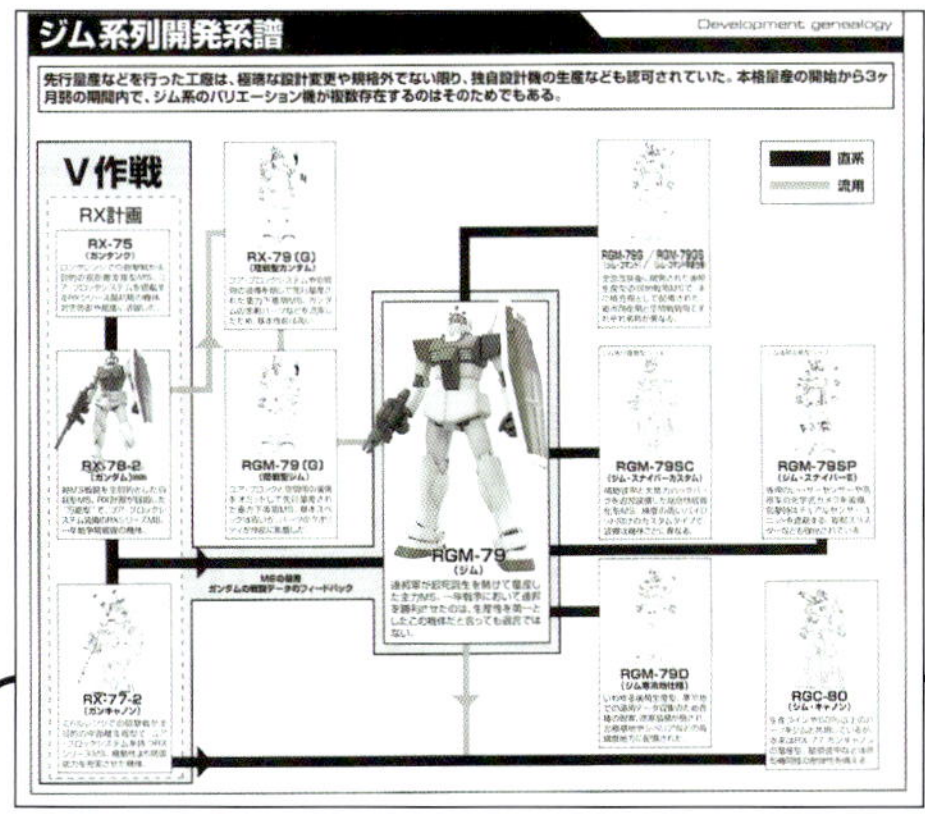

▲インストラクションに掲載されている系譜図。MG Ver.2.0では開発の時点ですでにバリエーション展開が視野に入れられている

▼MG RX-78 Ver.2.0と共用の内蔵フレーム。可動範囲が広くディテールもリアリティーのあるメカ表現となっている

結果的にもっとも「ジムらしい」キットとなったVer2.0

MG Ver2・0の最大の特徴はフレームにある。あらかじめバリエーション機と共用する前提で開発されたフレーム構造は、ザクやジムのようなバリエーションの豊富な量産機のためにあるフォーマットと言っても過言ではない。とくにMG Ver2・0ジムはその恩恵を大きく受け、ジムとして非常に完成度の高い製品となった。

別項でも述べているが、ジムのキットは、RX-78の副産物的なものになりやすい。カッコよくスマートなRX-78として最適化された造形をそのままジムに引き写すと違和感が出てしまうことがあるが、MG Ver2・0では、あらかじめRX-78とジムの最大公約数的な造形がなされていて、そこがジムのキットとしては画期的だった(そのぶんRX-78 Ver2・0の造形については好みが分かれるところだろう)。

Ver2・0では、それまでのガンプラ特有のRX-78像をリセットしアニメ設定画よりの造形に引き戻したこともあって、RX-78と基本デザインが共通でありながらちょっと弱そうという、なかなか塩梅が難しい「ジムらしさ」を見事に出している。アニメっぽいイメージのジムがお好みなら、鉄板の傑作キットだ。

(文/森 慎二)

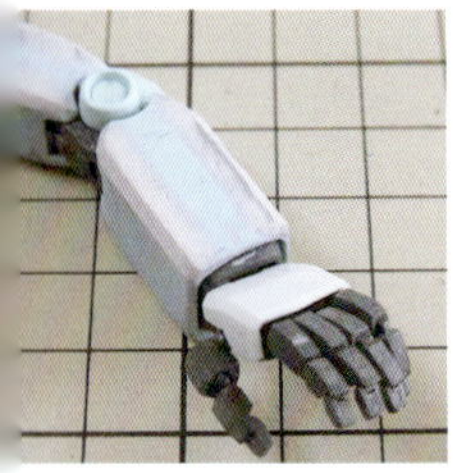

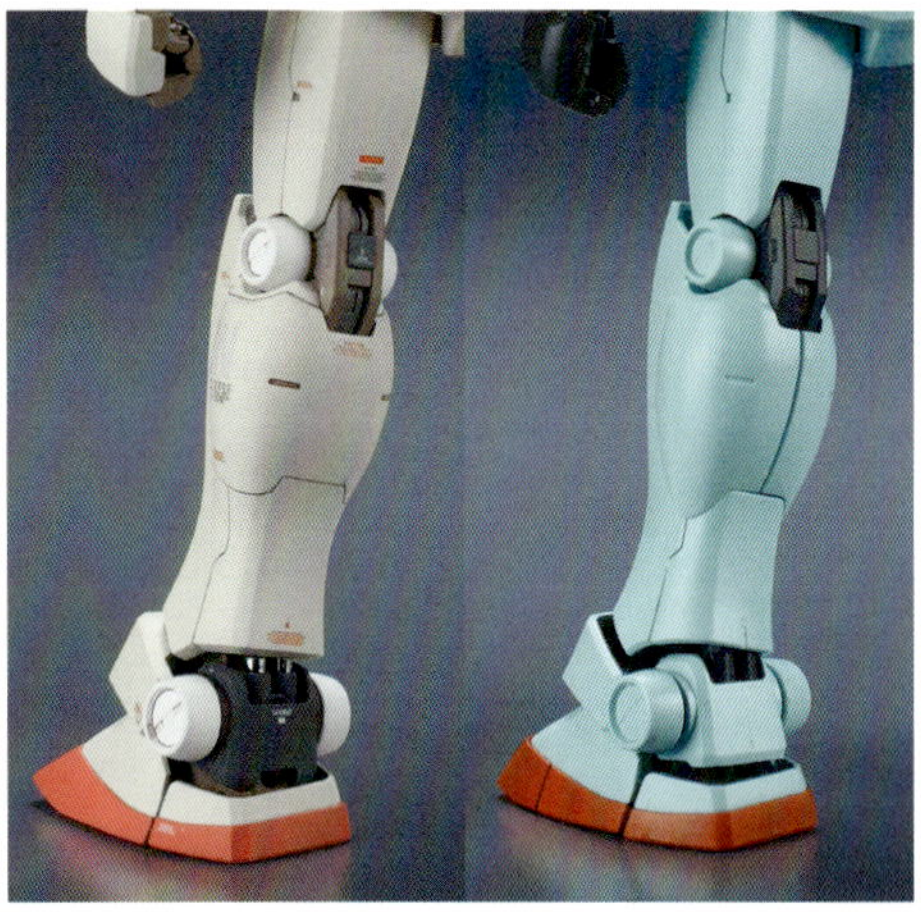

●ふくらはぎ周辺は段差なく面が繋がるような立体構成にアレンジ。シンプルな構成に見せることで量産機っぽさを演出している
●好みが分かれるところだが、胸のダクトはRX-78-2 Ver.Ka／ジム改的な形状に改造。流用パーツとプラ材で製作している
●MGジム Ver.2.0の手首は丸指。シャープに見えるよう改造した本体と合わないので、MGνガンダム Ver.Kaの手首を流用。元より少し大きめになるが、フォルムに力強さが出てくる

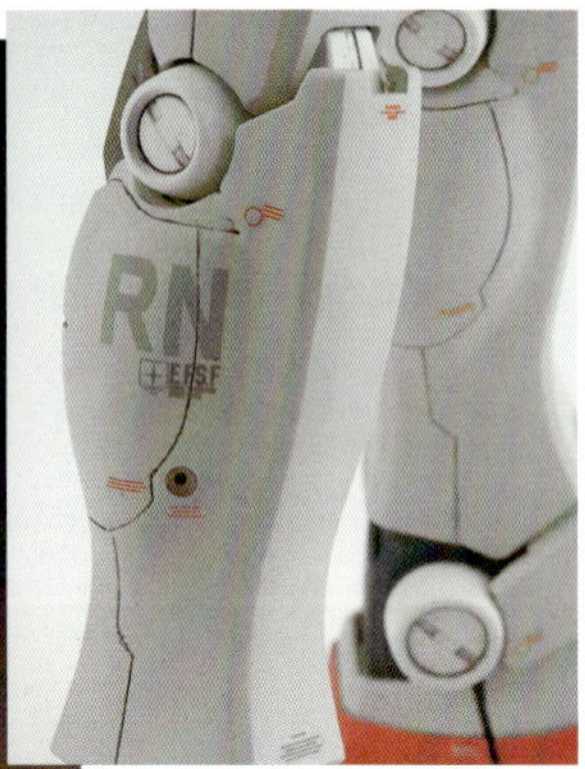

●MGジム Ver.2.0は各部のエッジが丸めにまとめられている。そこがアニメ画稿っぽさを出すのにひと役買っているが、作例では立体としての見映えやエッジの統一感を優先。パテを使ってエッジをシャープにしつつ面取りや面構成を鋭角的に整理した
●スカートは前後２分割になるよう形状を大幅に変更。アニメ設定画稿では分割がないが、それだと脚がほぼ動かなくなってしまうため、ここをどうするかは悩ましいところだ

今回は、マスターグレードのジムVer2・0をこさえました。キットのデザイン意匠を活かしつつ、少しずつメカとしてのリアリティーを足すようにしています。

◆頭部

ぱっと見キットのままに見えますが、下側フチの形状にひと工夫しています。切り欠きを入れることで、腕の外装やヒジ付近と意匠を合せた形状にしました。

◆腕

内部フレームのメカニカルな感じと合わせるために、瞬間接着パテを盛ってエッジ出しをやり直しました。手首は角指でシャープな造形のMGνガンダムVer Kaのものを流用。面構成を変えることで腕が若干太く見えるようになったので、そのまま取り付けても違和感なしです。

◆胴体

ダクト部分は、ジム改のような張り出した形に変更しました。コクピットハッチは黒い部分を凹ませています。スカートは、キットでは前後4枚とサイドの2枚がそれぞれバラバラに可動します。アニメ設定画の意匠や廉価版機体らしさを考えると、このアレンジをどうするかは、ジムの製作でもっとも悩ましいところです。今回は前後で2分割する構成としましたが、これは肩アーマーのフチのエッジワークなどと意匠を合わせることも狙っています。

◆脚

脚は、基本的には腕と同じでエッジや面をフレームのディテールに合わせるようににしています。もちろん、足首部の裾やアンクルアーマーの装甲断面は、肩アーマーなど、ほかの箇所と意匠を合わせ、厚みのある形になるように意識しました。

◆足首

MG RX・78 Ver2・0では安彦画稿っぽさの演出に効果的だった寸詰まりのつま先ですが、ジムに関しては違和感を覚えたので、多量の瞬間接着パテを盛りつけ、かなり延長しました。

◆武器

シールドは、絶版のガレージキットですが、Bクラブの連邦軍MS用シールド（哀原善行原型製作）をそのまま使用。ちょっと反則ですが、シャープで抑揚の効いたモールドはほかに代えがたいものがあります。合わせ目処理がほとんど要らない設計のビーム・スプレーガンは製品のままです。

◆塗装その他

色数が少ないジムなので、各関節をトーンの異なる数色のグレーで塗り分けたり、本体色を暖色系の黄味の強い白と青系のクールホワイトの2階調にしたりすることで情報量を上げます。ヒジ関節などメカニカルなところにはデカールを多めに貼ってメリハリをつけ、間延びしないようにしつつメカ感を盛り上げてみました。■

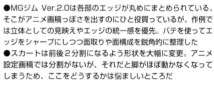

◀アニメ設定画では、頭部とビーム・サーベル以外はアウトラインはほぼ同じだが、カラーリングと最小限の細部デザインの差異により「ヒーロー／脇役」としてのキャラクター性が見事に描き分けられている
▶MG第一作のRX-78-2は、「新しい究極のRX-78-2像を創出する」のが企画目的だったが、それもあってか初代MGジムはRX-78-2の意匠を大きく受け継いだスマートで強そうなジム像となっており、なにより腰前面スカートが左右分割されたアレンジが目を引く。一年戦争MSは設定画どおりに立体化すると脚がほとんど動かなくなってしまうのでこのアレンジは非常に合理的ではあるがジムデザインとしては賛否が分かれるところだろう。この「スカート問題」を受けて、Ver.2.0では初代のようなセパレートタイプと、設定に近い形状のスカートパーツを選択できるようになっている（右写真は後者）

1999 初代マスターグレード

2001 HGUC

2009 MG Ver2.0

2013 MG Ver3.0

RX-78との関係性から紐解くジムのアイデンティティー

文／森 慎二（モデラー）text by Shinji MORI

RX-78-2抜きに語れないのが、ジムのおもしろいところでもあり難しいところでもある。時代によって変化し続けるRX-78の"影"として在り続けてきたジム、そのアイデンティティーについていま一度考えてみよう。

ジムの「キャラクター」デザインは非常によくできている。もちろん、「強いスペシャルな主人公機に対する、脇役としてのやられメカ」というキャラクター性が十全に演出されているところもすばらしいのだが、ジムのデザインのすごさはそこだけではない。脇役としてのアイデンティティーとSFメカとしてのリアリティーを両立させつつもアウトラインは9割がたRX-78と同じであるというところにこそ『機動戦士ガンダム』という作品におけるジムの存在意義があるのではないかと思うのだ。

『機動戦士ガンダム』が制作されたころはライディーンやコン・バトラーVといった、いわゆるスーパーロボット全盛の時代だった。このころのロボットアニメは子供向け玩具化が前提で、顔がある意匠や子供に受ける「赤／青／黄」をベースとするカラーリングの主人公機が登場するのがお約束だ。RX-78は、このようなスーパーロボットのイメージをもろに引きずっていて、デザインを単体で見るととても「リアル」とは言い難い。そんな主人公機と、それまでになかったリアルなミリタリーテイストのロボットアニメの世界観を繋ぐための仕掛けのひとつ、それがジムの存在だ。

ジムは、バイザー状の「SFメカ」的な頭部デザインを採用し、ザクと同じくミリタリーテイストのグレーをベースとしたモノトーンカラーリングを採り入れることで、RX-78とは比較にならないほどSFメカとしてのリアリティー（もちろん当時なりの）を獲得している。その「リアル」なジムが、9割がたRX-78と同じアウトラインであることによって、逆説的にRX-78の「リアル」が補強されるのだ。単体ではスーパーロボットにしか見えないRX-78が一年戦争の「リアル」な世界観、メカ設定に自然溶け込むことができているのは、ジムの存在が大きいのではないだろうか。

このように、アニメ作品的な一年戦争の世界観の現れという意味では、むしろRX-78より重要な意味を持つのではないかというジムだが、ガンプラに目をやると、ジムはRX-78の「影」的な存在であることがほとんどだ。人気を考えると、はじめにキット化されるのはRX-78であって、ジムはそのバリエーションキット的な位置づけになる。これは、RX-78の立体デザインありきでジムの立体デザインが決まってしまうということだ。そして、9割がた同じなのだからそれでいいかというと、そんなに単純ではないのが、ジムというデザインの奥深くも難しいところなのである。

「強い試作機とやられメカとしてのヘボい量産機」というアニメ演出上のステレオタイプな対比に重点をおくとすれば、ジムは「弱そう」あるいは「鈍重そう」なところにアイデンティティーがある。いっぽうで、主人公機であるRX-78は、やっぱり強くて機敏でスマートであってほしい。アニメの設定画ではこのふたつの相反する要素をほぼ同じアウトラインで描き分けているところがすごいのだが、ガンプラのRX-78はキット化を重ねるうちに、よりスマートでカッコいい立体デザインへと変貌していった。これは先述のジムのキャラクター性のアイデンティティーとは真逆の方向性なので、そのまま外装を変えてジムにすると「強そうでスマートなジム」ができあがる。そのもっとも顕著な例がここで作例紹介している初代MGジムだろう。もちろん機敏で強そうなジムにも魅力があるのだが、やられメカ的なジムに心惹かれる者にとってはなかなか複雑なものがある。

BANDAI SPIRITSもそのへんは心得ているようで、HGUCやMG Ver2・0ではアニメ設定画イメージに引き戻したジムを製品化してくれたが、その後のMG Ver3・0やRGのRX-78はふたたびスマートで強そうなイメージへと立ち返っている。これらの新しいRX-78のイメージを受けた次世代のジムがはたしてどのような姿になるのか……次の製品化が待ち遠しい。■

MG ジム Ver.3.0……?

◀▲もちろんMGガンダムVer.3.0をジムにするには膝や腰の形を調整しなければならない。ヒザの場合、MG Ver.3.0の外装をベースにプラ板とパテで切った貼ったすることでジムらしいつるんとした形にしているが、そうした改造箇所がほかの部分のパネルライン分割から浮かないようにする作業こそが最大のキモであり、もっとも苦戦した部分である

RGM-79 ジム（仮想Ver.3.0）
BANDAI SPIRITS　1/100
マスターグレードシリーズ
インジェクションプラスチックキット
「MG RX-78-2 ガンダムVer.3.0」改造
発売中　税込4860円
出典／『機動戦士ガンダム』
製作・文／**畠山孝一**

ガンダムはあってジムがない マスターグレード Ver.3.0、それなら“仮想モデリング”だ!

RX-78-2ガンダムの1/100MGはこれまでに数多くのバージョンが発売されているので、ユーザーも自分の好みにあったキットを選ぶことができる。ところが素のジムのMG製品はまだ２種類しか発売されていない。ちょっと選択肢が少なすぎるんじゃないの？　……ということで、「もしMGジムのVer.3.0が存在したらこんな感じなのかなぁ」という仮想をカタチにしてみました。Ver3.0特有の緻密なパネルラインと複雑なカラーリング、これをどう活かすかもついでに考えてみましたぞ。

Model Graphix
2017年3月号
掲載

MG Ver3.0の機構を活かした模型的遊び

MG RX-78-2 Ver.3.0を活かした改造で作るジム

◀MGガンダムver.3.0は、1/1ガンダム立像のように全身にパネルラインを施したうえで、パーツごとに繊細な色調と色分けを盛り込んだ超精密キット。1/100スケールのRX-78-2では最高の情報量を誇るこのVer.3.0のボディに、精悍なMGジムVer.1.0の頭部を移植すれば、解像度の高いMGジム＝「3.0フォーマット」に一歩近づく（はず）
▼頭部は初代MGジムのパーツから。アゴにプラ材を貼り足し、後頭部にMG Ver.3.0風のスジ彫りを追加、バルカン砲は砲身部を削って真ちゅうパイプを差し込んだ。ランドセル上部のフックは切り離して長さを調整し、控え目な高さで再接着。右記コラムのようにロールアウト時ならコーション類は貼らないべきかもしれないが、試験時を想定しつつ、模型的見映えから多めに貼っている

▶MG RX-78-2 Ver.3.0の細密なパネルラインを逆手に取り、「次世代量産機の試作モデル」という解釈により多数の色で塗り分けてみた。ヒザ外装にも手を入れているが、MG RX-78-2 Ver.3.0の装甲スライドギミックはそのまま活かしているので、曲げるとこのように外装が開くようになっている

"試作機"というキーワードからジムのカラーリングを考える。

■RX-78-1プロトタイプ・ガンダムがロールアウトしたのは宇宙世紀0079年7月のこと。その量産タイプであるRGM-79ジムの先行量産型がジャブロー戦に参加したのは11月末。そのあいだは5ヶ月弱しかない。連邦軍がいつガンダムを再設計してジムの仕様を決めたのかは不明だが、ジムの開発と仕様策定は相当急ピッチで進められたであろうことは想像に難くない。

MS運用のノウハウに乏しいジャブロー工廠は「ガンダムのどの装備が必要／不必要か」を手探りで決めざるを得ず、結果装備や外見を少しずつ変えたジムの試作機を多数用意し、並列試験を行なっていたのかもしれない。作例はその1体、腰部にガンダムのヘリウムコアの名残を持つ試作機をイメージしている。写真下のF-35戦闘機のロールアウト時のように、メイン装甲材であるチタン系合金には緑色のプライマー（下塗り塗料）。手足の黄色などは別の装甲部材の地色がむき出し。その状態で試験に回された結果、プライマーのペパーミントグリーンがそのまま標準色に指定されてしまった……という想定である。（本作例における想定は模型製作のための考証で、公式設定ではありません）

ガンプラあるある……ガンダムがあってジムがない！

そうはいってもRX-78-2とジムでは人気に大きな差があるので、RX-78に対応するジムのガンプラが発売されていないパターンはけっこうある……というよりほとんどの場合、新しいRX-78が発売されてもジムは発売されない。HG以降でVer Kaを除いて10を軽く超えるRX-78が発売されてきたが、そのなかで対応するジムがリリースされたのはたった3つ。そこで、ないならばRX-78を改造して作っちゃおうというのが本作例なわけだが、「ジムの素材」という視点からRX-78のガンプラを吟味してみるのもなかなかおもしろい。

RG（写真A）やMG Ver.3.0（写真B）を元にする場合にいちばんのポイントになるのは、ガンプラとして追加されたパネルラインの処理だろう。全身にびっしり入ったパネルラインをそのままにするか、あるいはどれくらい整理するか、とくにフロントスカート部分のパネルラインをどのような処理にするのかによってイメージが大きく変わりそうだ。また、RX-78の小顔なバランスをどれくらい活かすかも悩ましいところだろう。HGUC RX-78（'15年版／写真C）はそのままジムにするとかなりシャキッとしたスマートなイメージになりそう。「こんな強そうなジムはイヤだ！」派と「むしろカッコいい」派に分かれそうだが、強そうなジムを追求してみるのも一興である。アニメ設定画っぽいジムのイメージを追求したいなら忘れてはいけないのが、MGパーフェクトガンダムの中のRX-78（写真D）。アレンジが少ないので素のジムに仕立てやすそうだ。どっしりしたプロポーションのPG（写真E）はジムのイメージにはぴったり合いそう。とはいえ、流用できるパーツがない頭部はまるごとスクラッチビルドになるし、なによりそんなでかいジムが本当に要るのか？と問われると返答に窮する……まあ、こういうのは考えているときがいちばん楽しいということで、あとは読者各人で妄想をたくましくしてくださいませ。（文／森 慎二）

ちょっとまったっ！ RGMといえば

素GMでしょうがっ！

1年戦争、
連邦勝利の
立役者ばい！

Model Graphix
2017年3月号
掲載

みんな大好き！

カッコいい新製品がいろいろあるとはいえ、本来GMといったらこの初代RGM-79モナカキットを指すべき！。ここでは通常版キットを素組みで製作し、さらにリアルタイプGMをハの字立ちできるように改造してみよう。改造こそモナカキットの醍醐味！

RGM-79 ジム
RGM-79 リアルタイプ・ジム
BANDAI SPIRITS　1/100
インジェクションプラスチックキット
税込各756円
出典／『機動戦士ガンダム』
製作・文／**朱凰@カワグチ**

▲▶無改造でもこのとおり可動範囲は広く（？）、劇中のイメージを再現している。ポリキャップレスなのに肩が前後にスイングする機構を持つなど意外と秀逸なのだ

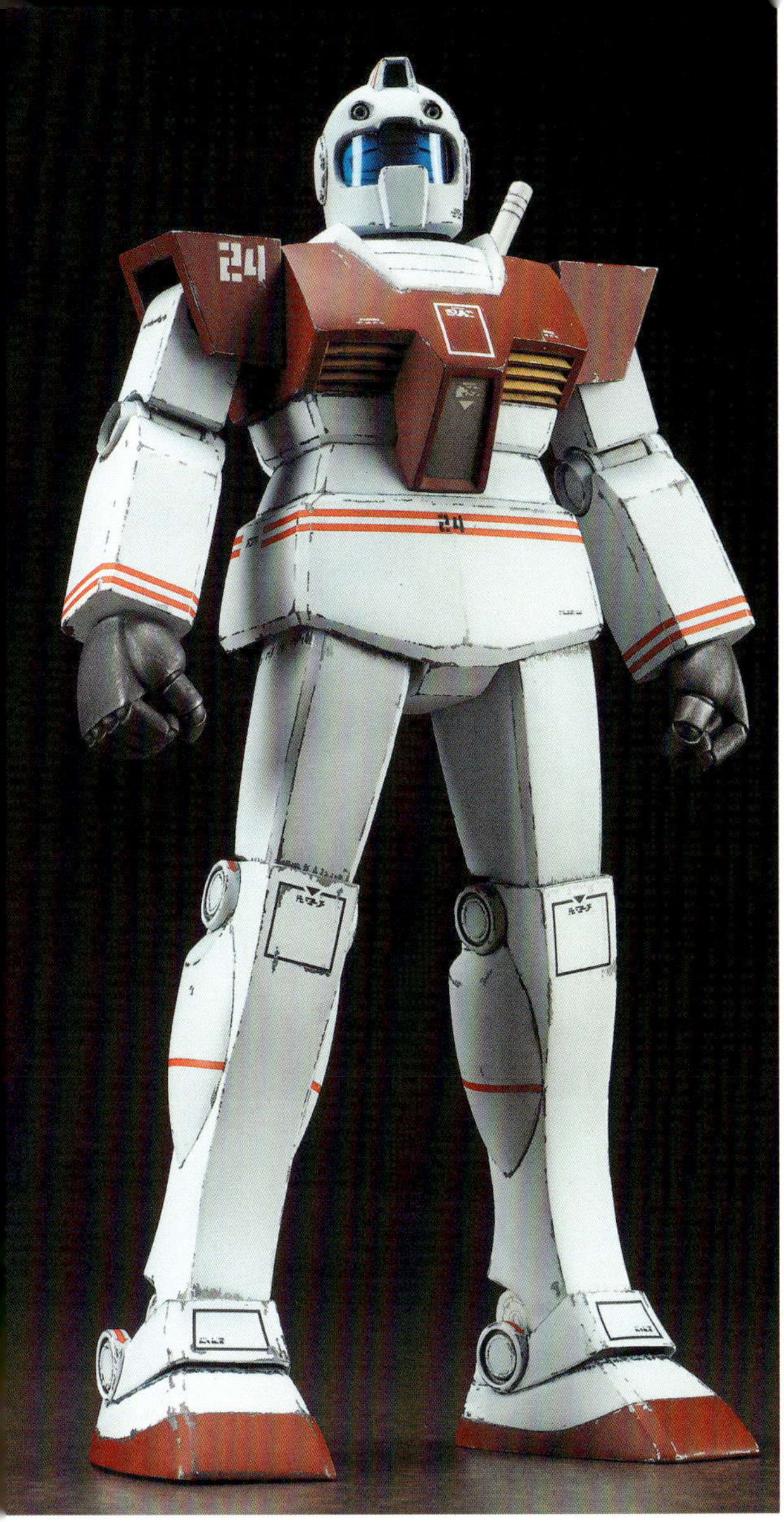

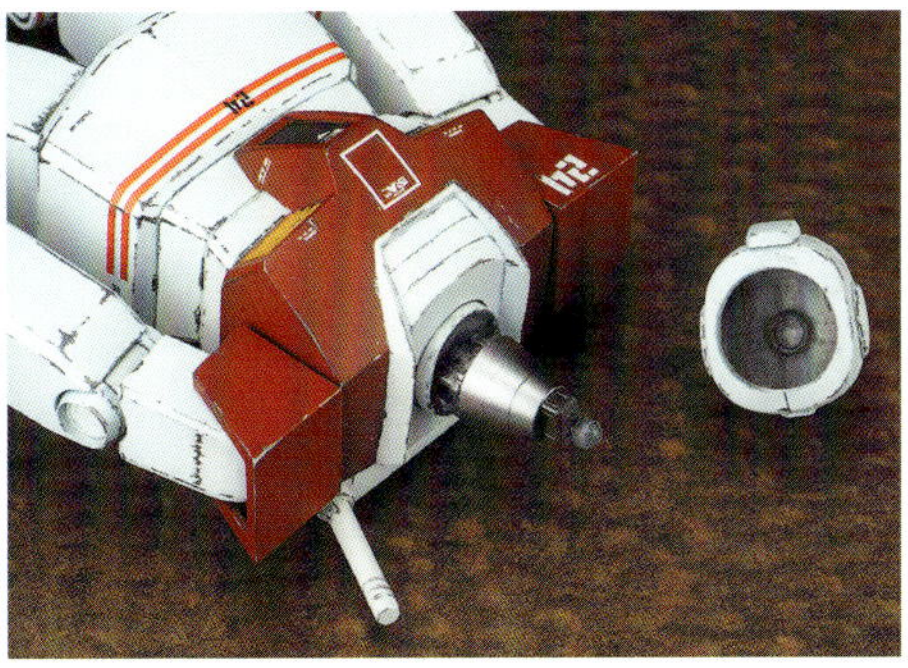

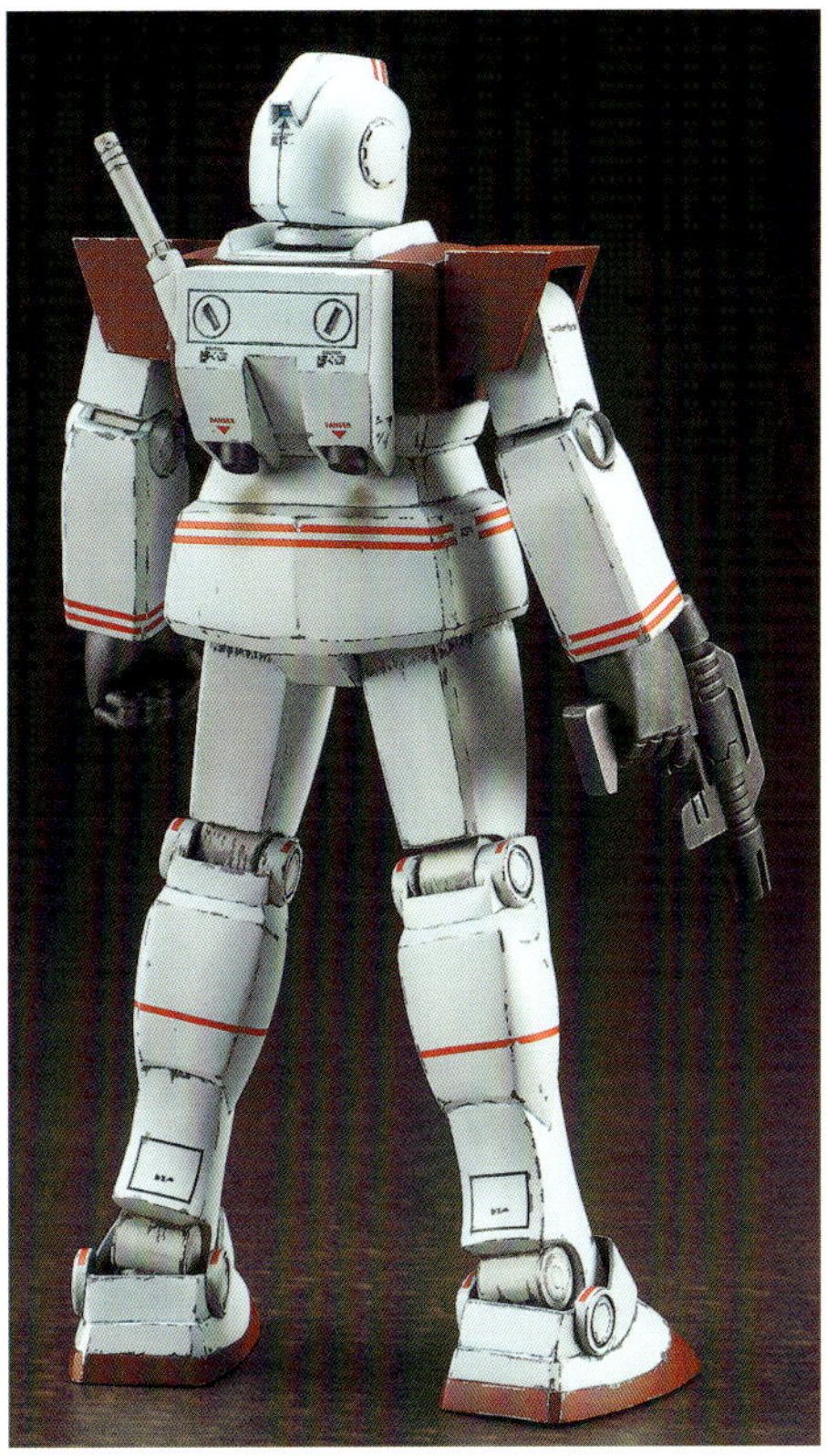

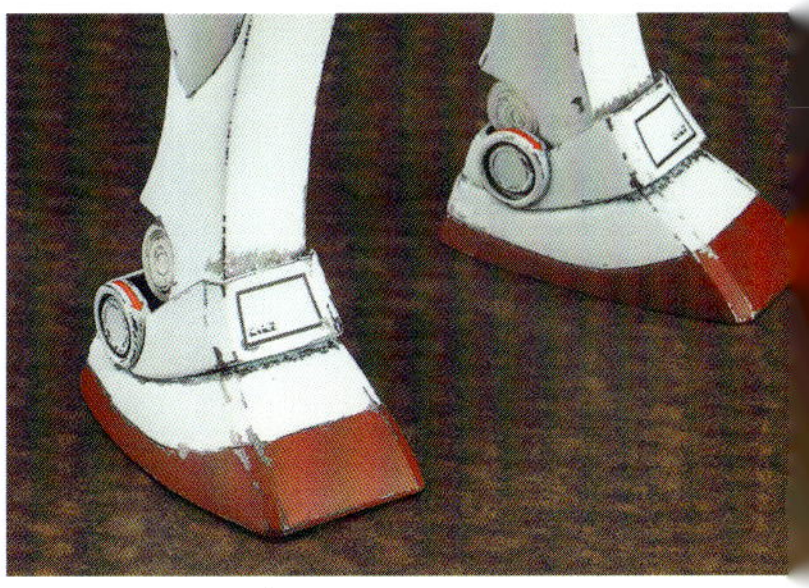

●リアルタイプジムは、キットのプロポーションを維持しつつも関節の付き位置を変えることでハの字立ちができるような改造を施した。具体的には、各関節にボールジョイントを仕込み直してバランスを調整。これでかなりビシッと立つようになった
●頭部は、外形に手を入れつつバルカン砲を真ちゅうパイプに置き換えたり、カメラ部分にディテールを加え透明パーツをはめるように変更。さらに首にボールジョイントを組み込むなどした
1基本的にユニット形状は活かしているが、胸だけはなで肩を解消するために肩幅を詰め、逆ハの字から垂直に修整。肩パーツを受ける関節は新造した
2ヒザ／足首の関節はキットの関節パーツは使わず、ボールジョイントを仕込んでバランスと可動域の両立を目指した。関節部には汎用のエッチングパーツを使ってディテールを追加している
3無改造の状態との比較。手首はブリックワークスの汎用品を使用している

モナカキットも作り方によっては、ここまで男前に仕上がるのだ！

（ハの字に立たせるだけでオ・ト・コ・マ・エ）

3

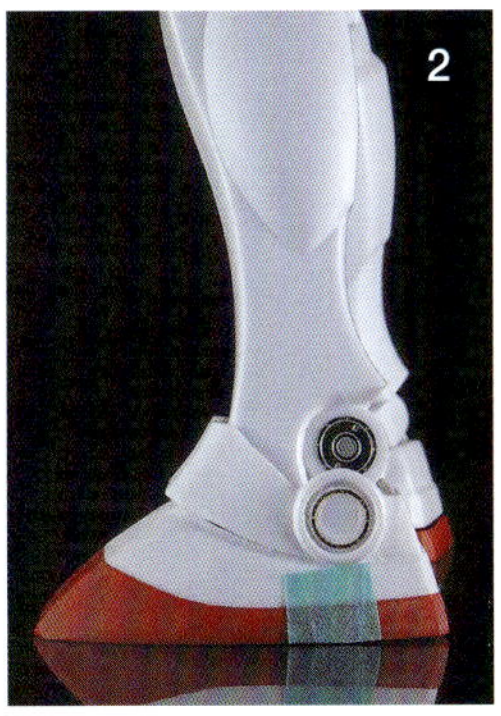
2

1

ジム&リアルタイプジム カラーレシピ

●ジム
下地／メカサフヘヴィー（G）
本体／ライトブルー＋灰色9号＋ホワイト
赤／シャインレッド
黄色／キャラクターイエロー＋灰色9号
メインカメラ：デイトナグリーン＋ホワイト＋ウルトラマリンブルー（G）

●リアルタイプカラージム
下地／サーフェイサーエヴォ ブラック（G）→ステンレスシルバー（G）
本体／ホワイト＋MSホワイト＋灰色9号
赤／艦艇色＋あずき色＋赤＋シャインレッド
黄色／キャラクターイエロー＋灰色9号
メインカメラ：クリアブルー（G）

（以上、Gはガイアノーツ ガイアカラー、無表記はGSIクレオスMr.カラー）

待ちに待ったMGジム・スナイパーⅡの発売に伴いやってまいりました1／100ジム特集！ ここでは脈々と受け継がれてきたジムシリーズキットの"祖"ともいえる"モナカキット"1／100ジムの製作を担当させていただくことになりました。

おっとりした顔立ち、緩やかに孤を描きつつ垂れ下がっていく幅の広いなで肩、マッシブな胴回りに対して足首に向かいキュッと引き締まっていく脚部……決して「カッコよく」はなく「強そう」でもない初代1／100ジムのスタイルからは、愛嬌と哀愁が入り交じる、愛着にも似た何かを感じずにはいられませんね。

そんな愛くるしいこのキットですが、今回のお題は2体同時製作です。しかも1体は「ストレート組み」で、もう1体はパーツの形状を極力活かしつつポージングを変えてカッコ良く見せるというミッション。これまで培われた手法で挑みます。

さて、ストレート組みのほうは後ハメ加工を施すだけでていねいに工作していきます。接着仕様のキットですが、間違って接着してしまってもエッチングソーなどでゆっくりと合わせ目に沿って切り離せばリカバーできますのでご安心を。あとは少ない可動部分のクリアランスを取るようにすればキレイに仕上げることができます。こちらは通常のアニメカラーで仕上げました。

もう1体でポージング変更を行なうにあたっては、『MSVモデリングカタログ』（大日本絵画／刊）を参考に製作いたしました。昨今のガンプラと異なるモナカキット最大の特徴は「内部が空っぽ」ということです。ポージング変更には「関節位置の修整」のための関節工作がマストとなりますので、この空っぽの内部にいかにして関節軸、もしくは固定軸を作っていくかがキモとなります。「首」「肩」「足の付け根」「足首」のバランスを整えるだけで見映えがまったく変わりますが、逆にいえばこの4カ所（左右合わせると7カ所）さえしっかり押さえておけば、カッコよく見せることが可能となります。失敗を恐れずにゼヒともチャレンジしてみてください！ ■

1/100ジム最前線!!

―あるいは僕たちはいかにしてジムを愛するようになったのか 2017―

text：北澤匡嗣

◀ジムⅡもジム・キャノンも、かつては1/100が存在しなかった。MG登場以前はこのプレーンな「1/100ジム」がほぼすべてで、パテで強引に改修したり、1/144で我慢する……と、1/100ジムファンにとっての寒い時代が続いた

いまと昔とではRGM系MSの人気には温度差があったためか、10年以上前のアイテムとなるとじつは数えるほどしか1/100製品が存在しないのがジム。その認めたくない現実も含めてRGM系キットの顔ぶれを見返してみましょう。そこに見えてくるものとははたして……？

ジム人気が高まっている。『機動戦士ガンダム』劇中で描かれたジムは、「ガンダムの（弱い）量産型」であり、「ザクといえばシャア」「グフといえばランバ・ラル」といった特定のパイロットと紐づいた描写もなく「顔のない」キャラクターだった。ガンダムから擬人化された要素（ツインアイやマスク等々）を取り去り、シンプルなゴーグルアイに置き換えられた文字どおり「顔のない」引き算のデザイン。配色もトリコロールのガンダムに比べて弱緑（よわみどり）としかいいようのない中間色主体でいかにも弱そう。だがそういったジムの特徴こそがお子様向けと思われていた巨大ロボットという虚構に「生産性重視」「キャラクター不在」といった「リアリティ」を付与し、その後のリアルロボットアニメのお約束として「主人公機の量産型という発明」は継承されていくことになるのだが、それはそれとして第一次ガンプラブーム当時、ジムというキャラクターは「主人公（ガンダム）に倒される敵キャラクターの強さを表現するための引き立て役」という二重の意味で「ヤラレメカ」という立場にあったわけで、当時のお子様への訴求力はいまひとつであった。代表的な活躍場面がいまだに「シャア専用ズゴックに腹をブチ抜かれるジム」として認識されているところが、ジムというキャラクターの置かれていた状況を表しているように思う。実際「シャアズゴックにやられるジムの情景模型」は全国津々浦々の模型店ショーケースで見ることができる定番であった。

そのようなジムというキャラクターの位置付けが変わってきたのは'90年代中盤以降、一年戦争（ファーストのガンダム）終戦から十年以上経ってからだ。OVAやゲームなどで一年戦争を題材としたスピンオフ作品が次々と作られるようになり、「アムロ・レイ少尉が搭乗していたガンダムと、その周辺の戦場」以外での連邦軍の動向が描かれる機会が増えることで、ジムは「ヤラレメカ」から「頼れる（頼りないことも多いけど）味方」へと位置づけを変えていく。とりわけ一年戦争を題材にしたゲームにおいてはプレイヤーが操る自機として、また地球連邦軍側の貴重なMS戦力としてその存在感を増していった。いわば〝戦後〟に作られた歴史によってジムの位置付けは大きく変わってきたのである。

そうした〝戦後〟の潮流のなかで、初期はジム・スナイパーカスタム、ジム・キャノンくらいだったジム系列は着々と勢力を伸ばし、いまでは一大ファミリーを成すMS系列となっているのはごぞんじのとおり。ガンプラの世界においても昨今HGUCシリーズを中心にジム系キットのラインナップが充実してきており、本誌でも今回で四回目となるジム特集が組まれる（つまりそれだけ過去のジム特集が売れたということだ）ほどジム人気は高まっている。

以前もジムキットの紹介記事を掲載したことがあるが、今回は1／100スケールに絞り、前回特集以降に発売されたキットも含めて取り上げる。現在のところ1／100で製品化されたジム系は思いのほか少ないのだが、最近のトレンドからすると、今後もっともMG（マスターグレード）でのバリエーションキット展開によるラインナップ拡充が期待できるカテゴリーだ。

1 1／100ジム（'82年8月）

ガンプラの目指す方法性が固まってきた時期に製品化されたため、玩具的なギミック優先の1／100ガンダムでは省略されていた足の可動も実現。「これを改造すれば念願の足の動く1／100ガンダムを作ることができる！」と当時多くのガンプラ少年たちが考えたが、いつかやろうと思っているうちにMSVで足の動く1／100ガンダム（フルアーマー）が発売されてしまったので、実際にジムを改造したガンダムの完成品というのはほぼ見たことがない。

2 1／100リアルタイプ・ジム（'83年4月）

既存のキットにデカールを追加しただけのリアルタイプシリーズではあるが、模型誌の作例のような「リアルな」完成品をキットの内容物だけで作れるというのは画期的であった。フィルム中で描かれるモビルスーツにコーションレターやらウェザリングやらが入っているわけではないが、モビルスーツは「本当はこうなっているはず」と思ってガンプラを作っていたのである。弱緑を白に置き換え、マーキングが入っただけで、あの頼りない感じのジムもなんとなく頼もしく見える不思議。

3 1／100ヘビーガン（'91年4月）

前作のリアルタイプから、なんと8年もの断絶を挟んだ久々の1／100ジム系キット。といいつつ、F91シリーズは1／100がそれまでの1／144シリーズに相当するレギュラーラインとなるので、やや特殊な位置付けである。現在から考えると意外なことにMSVでは1／100ジム系機体はひとつも製品化されていない。このことからもジムというキャラクターの位置付けがザクやドムよりもセールスバリューに欠けると判断されていたことがわかる。実際当時はザクやドムの「わかりやすい」キャラクターのほうが人気があったわけで、僕たちがオトナになったからこそ、ジムの魅力がわかるようになったともいえる。

話をヘビーガンに戻そう。キットは古い設計ながら基本的なフォルムは良好で、最近のモデルと並べてもさほど違和感がないレベル。少し手を入れるだけで「模型が上手くなった気になれる」タイプのキットだ。F91シリーズではジム系なのかガンキャノン系なのか微妙なGキャノンもラインナップされており、こちらも良作。

4 1／100ハーディガン（'92年4月）

再販されて早々に店頭から消えるという謎の現象が起きているハーディガン。シルエットフォーミュラ・シリーズにはGキャノンマグナもラインナップされているが、Gキャノンに比べてキャノン度が大幅アップされジムっぽさは薄い。ところで、どこまでがジムなのか？ という線引きはけっこう曖昧で、Gキャノンがジムならガンイージはジムに含まれますか？ ゼータプラスはどうですか？ バナナはおやつに含ま

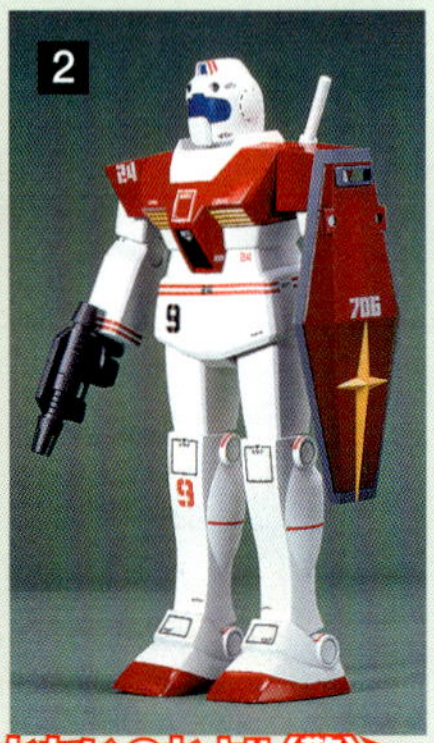

◀'99年、MGバリエーション展開の恩恵を受けてジムの1/100化が加速▶

◀MG以前の1/100ジム系キットってこれしかないのかよ!!（驚）▶

＊本稿は'17年1月時点での記述となっています

れますか？　と厄介なことになりかねないので深入りは避けたい。

5 MG RGM-79 ジム（'99年2月）

ハーディガンから7年を経て登場した1／100ジム。初代MGガンダムを基にしたキットだが、最近のバリエーション展開を見越した設計のキットと違い新規追加パーツでガンダムとの差異を表現している。基のガンダムに引っ張られてか、ジムとしては珍しくややヒロイックなアレンジのスタイルとなっているのが特徴。

6 MG RGM-79N ジム・カスタム（'99年12月）

7 MG RGM-79Q ジム・クゥエル（'99年12月）

長らくキット化の機会に恵まれなかった『0083』登場のジム系機体がMGアレックスと設計を共有することで初キット化。共通設計とすることで開発コストを低減し、マイナー機体キット化への道を開いた。構成要素としてはガンダムに先祖返りした部分も多く、むしろガンダムより強そうになっているデザインながら、カラーリングで一気に強そうに見えなくなる弱緑マジック！　同フォーマットのバリエーションキットとしてジム・クゥエルも発売された。こちらはジムのなかでも珍しい黒くて悪そうなデザイン。劇中にもほとんど登場しないので、このキットが発表されたときには驚いた。同系統の機体を共通フォーマットでキット化するという設計思想はその後のガンプラにも受け継がれている。

8 MG RGM-79［G］陸戦型ジム（'01年7月）

ゲームでは一年戦争序盤の貴重な連邦MSとして活躍するのが『第08MS小隊』登場の陸戦型ジム。スクエアなデザインとミリタリー色の強いサンドカラーで素のジムよりちょっと頼もしく思える。キットはマッシヴなスタイリングで80年代大河原ロボ的なテイストが漂うMGシリーズのなかでも傑作キットのひとつ。バリエーションキットにカーキグリーンの配色でさらにミリタリー度アップのジム・スナイパーもある。

9 MG RGM-79C ジム改（'02年6月）

『0083』からのキット化。デザイン的には実質『センチネル』版ジムともいえるジム改が1／100キット化ということで、本誌読者のなかには狂喜乱舞〜♪したひとも多いはず。数世代前の設計という印象はあるので、そろそろ新フォーマットでリニューアルしてもいいのでは？　バリエーションキットとして赤&弱緑のスタンダードカラー版も発売されている。

10 MG MSA-003 ネモ（'06年2月）

『Zガンダム』のエゥーゴ量産機。『Z』の登場MSは初期機体以外は基本的に大型キットが発売されなかったため、1／100キットとしてはこのMGが初となった。ほかにも1／100キット未発売の『Z』MSが多いなかでMG化されたネモは恵まれているほうといえる。旧1／144キットも良作だったが、MGもネモの微妙に弱そうな雰囲気を再現している。『ガンダムUC』にも登場し、プレミアムバンダイ限定版でユニコーン版カラー、ユニコーン版デザートカラーも発売された。

11 MG RGM-79 ジム Ver2・0（'09年2月）

MGガンダムがVer2・0にリニューアルされたのに伴いジムもVer2・0に進化。ガンダムVer2・0は開発当初からさまざまなバリエーション展開を想定した設計となっており、当然ジムもそのなかに含まれる。内部フレームパーツの関節可動やパーツ分割は一新されたうえで、外装のスタイリングは初代MGよりもアニメ作画のイメージに近いシンプルな意匠となった。ジムの可憐な一面も再現したとてもジムらしい仕上がりとなっている。

12 MG RGM-96X ジェスタ（'13年4月）

『ガンダムUC』登場の新たなジム系機体。系統的にはジェガンの進化形だが、ジム系のなかでもかなり「強ジム」のほうに分類される機体。ネイビーブルーのカラーリングもいかにも「特務部隊」といった精悍な印象で、フェティッシュなディテールといかにもな兵装類で模型としての情報量の多いキットとなっている。バリエーションとしてプレミアムバンダイからジェスタ・キャノンが発売されている。

13 MG RGC-80 ジム・キャノン（'15年8月）

年々人気が高まっているジム・キャノンが、プレミアムバンダイ限定販売ながら、ついに1／100スケールで初キット化！　Ver2・0フレームの汎用性の高い設計が実を結び、ジムとの共通部分はパーツがうまく活かされている。

14 MG RGM-79 パワード・ジム（'16年7月）

ジム改の発売から10年以上を経て『0083』からようやくパワード・ジムが登場。ジム系列機のなかでもとりわけマッチョなシルエットの機体を、新規パーツに加えさまざまな既製キットからのパーツ流用で再現。パワード・ジムという機体設定からするとある意味リアルといえる。

15 MG RMS-179 ジムII（'17年1月）

『Z』放映当時には1／100が発売されなかったジムIIが、MGキットとしてプレミアムバンダイからリリース。ファーストの『ガンダム』以降のリアルロボットデザインの進化を盛り込み、ジムのデザインをアップデートしたジムII、二重関節や装甲の分割など模型的なリアリティがフィードバックされたデザインはある意味で真の「リアルタイプ・ジム」ともいえる。製品化機会が少ないエゥーゴカラーや、UC版カラーなどのバリエーションにも期待。

16 MG RGM-79SP ジム・スナイパーII（'17年1月）

現時点における1／100ジムキットの最新版。『0080』MSは意外なことにMGでもほとんど発売されていないが、1／144キットとしては最後発となったジム・スナイパーIIが『0080』系MGの第3弾としてリリース。「一年戦争最強ジム」として〝戦後〟になってからの評価がとくに高まった機体でもあり、昨今のジムユーザーの嗜好を考えれば極めて妥当なアイテム選択ともいえる。いまどきの細身のスタイリッシュな造形でジムとしてはかなりヒロイックな印象であり、最近のMG仕様準拠の高いアクション性能をもったキットとなっている。すでにプレミアムバンダイからはホワイト・ディンゴ隊仕様の発売が決定しているが、今後のバリエーション展開としてはこれまで1／100キットが存在したことのないジム・コマンド系のキット化にも期待したいところだ（その後プレミアムバンダイにて限定販売／編注）。

これからもさらなる拡充が予想される1／100 RGM系ガンプラ、いっそう要注目のカテゴリーである。■

8

9

10

11

12

13

14

15

16

←プレミアムバンダイからジム系列機が続々発売開始〜→

RMS-179 GMⅡ

プレミアムバンダイの小粋なプレゼント♥ 1/100初プラモデル化 MG ジムⅡを速攻キットレビュー！

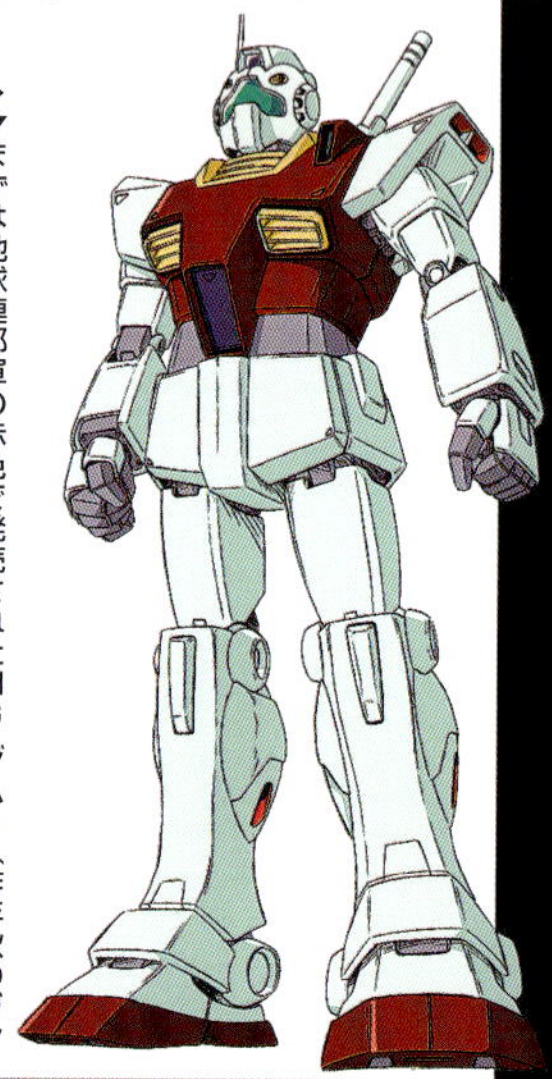

▶▼まずは地球連邦軍の赤色で発売されたMG ジムⅡ（昨年秋のガンプラEXPOではエゥーゴカラーも参考出品された）。外装のほとんどの部分とビーム・ライフル、さらにはリニアシート状のディテールが入ったコクピットブロックも新規造形という「なかなかやる！」キットだ

RMS-179 ジムⅡ
BANDAI SPIRITS 1/100
マスターグレードシリーズ
インジェクション
プラスチックキット
税込3780円
プレミアムバンダイ限定販売
出典／『機動戦士Ζガンダム』
製作・文／**小森章次**

Model Graphix 2017年3月号 掲載

MG ジムⅡは、MG ガンダム Ver.2.0フレームを踏襲したバリエーション製品なのだが、素のジムとは微妙に違う角ばった手足外装が新規設計されている。この「ちょっとの違い」がモデラーにはありがたい訳で……。そんなコダワリも含めてジムⅡの初1/100化に踏み切ってくれたバンダイに拍手なのである

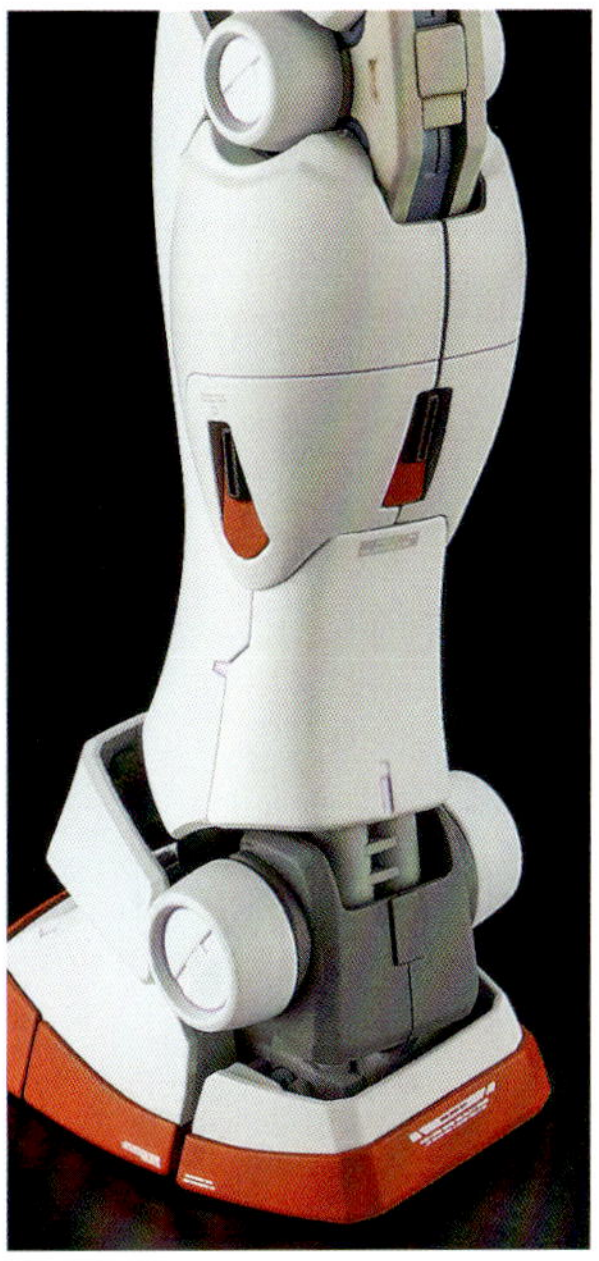

「発売してくれただけでうれしい」キットなのでホント微調整だけっす

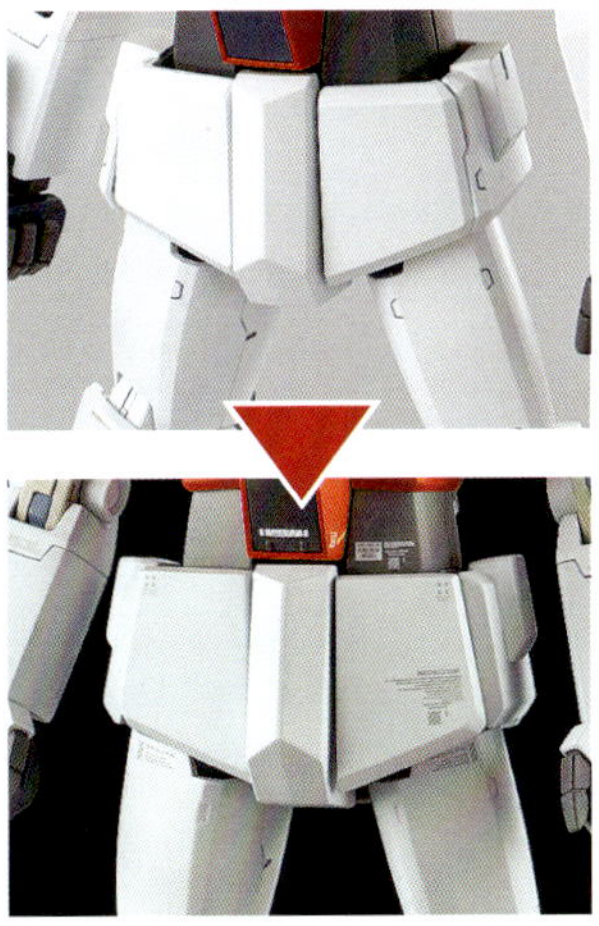

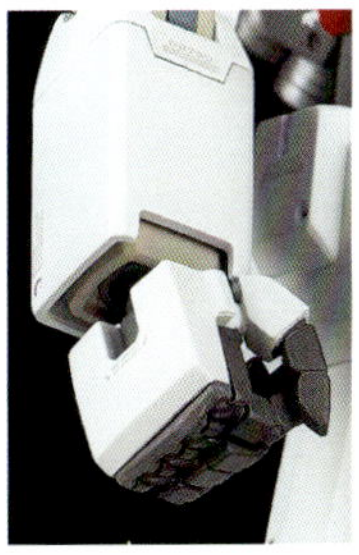

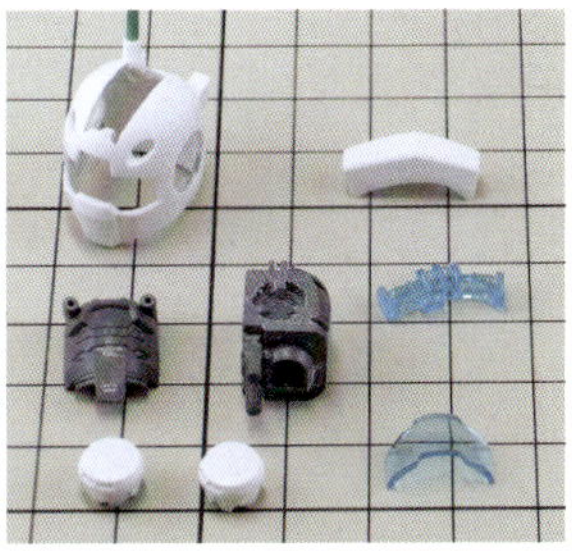

●頭部は前後に合わせ目が出るので外装を接着。内部メカは外装に引っかかる部分を削って後ハメ加工し、塗装後にスポッと差し込めるようにした。アンテナはMGネモの長いアンテナを拝借している
●拳は四角い印象のMGネモのものに変更。親指付け根ブロックに0.3㎜プラ板を囲むように貼って大型化して設定画に近づけた
●肩スラスターは窪んでいるだけのモールドなのが寂しかったので、市販パーツを使ってディテールを追加している
●腰アーマーは好みで初代MGジムのパーツに変更した。これでフロントとサイドアーマーの形が設定画に近づいたかな？（自己満足です）。なお、フロント部はプラ板で下側を延長している
●ふくらはぎスラスターも肩と同じく市販パーツでディテールを追加

ＭＧパワード・ジムの完成直後に「ジムⅡも作らせて！」とムリヤリ立候補しちゃいました。締め切りはギリギリでしたが、出来のよいキットなので、なんとか時間内でできる工作を楽しんでみました。

胴体は新規胸ダクトのL16、17パーツはちょっと厚みがあるのでうすく整形。やりすぎると折れてしまいますので慎重に。

バックパックはメインスラスターをＭＧジム改のものに交換。ライフルとシールドはていねいに合わせ目を消しただけです。

サクッと作って塗装です。以下カラーレシピですが、すべてＧＳｌクレオスのＭｒカラーを使用しています。

白／ガンダムカラーＭＳホワイト＋13番ニュートラルグレー少量、赤色／79番シャインレッド＋58番黄橙色少量、黄色／58番黄橙色＋クールホワイト少量、関節色１／クールホワイト＋22番ダークアース＋ウイノーブラック少量、関節色２／72番ミディアムブルー＋クールホワイト、スラスター／メタルカラーアイアン。

スミ入れはエナメル系塗装で白色部分はパープル＋ホワイト、赤はクリアレッド＋クリアーブルー少量、黄色はクリアーオレンジ、関節はブラウン系です。■

量産機だからこそうれしい正統派バリエーションキット

岸山博文（BANDAI SPIRITS 設計担当）×後藤豊（BANDAI SPIRITS）

MGガンダム&ザクVer.2.0フレームがここに来て大活躍中のワケ

近年のマスターグレードのジム系キット……ジム・キャノン、ジムⅡ、ジム・スナイパーⅡにはMG ガンダムVer.2.0の可動フレームが一部採用されている。同様にMGサイコ・ザクやプロトタイプ・グフのキットにもMGザクⅡ Ver.2.0のフレームが見え隠れする。進化の著しいガンプラ界隈で、約10年前のプロダクトであるふたつのフレームがなぜいまでも現役であり続けるのか？　ザクとガンダムの「Ver.2.0」の仕掛け人であるおなじみ岸山氏と、MGジム・スナイパーⅡの企画担当である後藤氏に尋ねた。（取材／MG編集部）

岸山　僕はいまは担当商品を持ってなくて、後進の指導というか企画と開発者の橋渡し的な立場なのですが……何を聞かれます？

——1／100ジムの特集なんで、'99年発売のマスターグレード ジム（以下初代MGジム）はどなたの担当だったのかも含めていろいろと昔話を聞きたくて。

岸山　ごぞんじと思いますが僕はいちばん最初の初代MG RX-78-2ガンダムにはタッチしていませんでした。企画に関われたのはまさにその初代MGジムからですよ。

——なるほど。初代MGジムは初代MGガンダムの金型を改修して使ってますよね？

岸山　はい。初代MGガンダムの金型をいじってます。マスターグレード黎明期の最初のMGガンダムとザクについては、後から派生機を作ろうっていうのは考慮していなかったので、ガンダム専用の部品がランナーのあちこちに点在していた。ジムには使わないパーツが散らばりすぎてて、いまだと標準的な「ゲートにスイッチを作って、ランナー右側の不要ブロックは成型しません」というようなことができませんでした。そこで、初代MGジムのときは新しい金型のベースを新調して、そこに初代MGガンダムの金型からパーツのコマを抜いてレイアウトし直して再構成したんですね。なので、金型の配置がある時期を境に変わっています。いまでも初代MGガンダムの初版をお持ちの人がいたら、'99年以降に再販された初代MGガンダムの部品図と見比べてみるとおもしろいかもしれません。

——どうしてそこまでされたんですか？

岸山　「ランナーが増えることで、ガンダムが2500円でジムが2600円ってありえない！」と個人的に思うんです。「量産型のほうが高いんだ……」とユーザーがガッカリしないように、不要パーツをきれいに除けるようにしてなるべく値上げせずに済むようにしたかったんです。

——岸山さんが陣頭指揮をとったMG Ver2・0のザクⅡ（'07年発売）とガンダム（'08年発売）は、最初からバリエーション展開を意識した構造になってますね。

岸山　初代MGジムを担当したときにバリエーション展開について深く考える機会ができましたからね。昨今は同じランナーを2枚使ったりということが増えましたが、バリエーションをふくめてたくさん作れることが見込めるものなら、コストをかけていいものを作ったほうが長年使える品質の高いものが作れますよね。そうして作られたガンダムとザクのVer2・0フレームの部品数だとか構造からくる性能っていうのは、その当時のほかのものと比べても頭ひとつ飛び抜けていたんだと思います。

——開発期間の取り方とか、熱意がほかの通常商品よりも高かった？

岸山　実際に設計がスタートする前の企画段階で、「僕はMGに何を盛り込みたいのか？」というところの思い込みを煮詰めて煮詰めて……みたいな期間は長かったですね。その期間こそがミソと言えばミソで。

——2・0のザクもガンダムも、冗長性というか拡張性というか、ふくらはぎブロックを剥がして脚部のボリューム調整ができるとか、そういう工夫が随所にありますね。

岸山　そうですね。「ここまで気を遣っておくと開発系譜のなかでのこの機体もゆくゆくはMG化しやすいよな」っていうのが、ザクとガンダムのVer2・0のときに結構なレベルまで見渡せた。当時はVer2・0系キットのインストラクションにMSの開発系譜を載せてたんですけど、企画時も本当に大部分のMSVや劇中登場のMSを網羅できる勢いで考えていて、それこそMGジム・キャノンの企画も進めてたんですよ。当時は残念ながら発売できなかったけれど、その後のジムの人気上昇にあわせて、昔途中まで描いていたキャノンの図面がプレバンで開花してくれた（笑）。

——ジムやザクの派生機キットを売る場所としての、プレミアムバンダイの存在は大きいんですか？

岸山　いろんな解釈があると思うんですね。ひとつは受注生産というシステムでお客さんとの直のやり取りができると、少しマニアックなアイテムでもほしいユーザーが目に見えるかたちで集まってきてくれて、商売が成立するんだなと。以前ではとても拾い上げられなかったものが拾い上げられる可能性をそこに見いだせるようになったとも言えるのかな、と僕は思っていますね。

——10年前は2・0フレーム使用キットがどんどん増えていくのかなと思っていたのですが、いったん終息するじゃないですか。で、数年のブランクを経てMGアメイジングレッドウォーリアやジ・オリジン版MGガンダム、プレバンのプロトグフなどで再び2・0フレームが脚光を浴びてきて。

岸山　当時は販売成績などもあってラインナップの拡張に苦労しましたけど、その後の製品開発の場でも、「ガンダム2・0とザク2・0のフレームは都合よく使えるぜ」とはいつもまわりに言っていたんです。

——「俺の考えたのを使えよ！」と。

岸山　ははは。それはあまりないですけどね。たとえば腕のフレームを新しく作るとして、そのぶん金型代がかかりますよね。最終的な機能に遜色ないんだとしたら、以前のフレームを取り回せば早いじゃんって単純に思うわけですよ。そこで浮かせられた開発予算を、外観をよくするために使ったほうがよりよいよねと、それに尽きます。

2・0フレームを考えた10年前から比べると、いまは状況が変わりましたね。ジ・オリジン版のMGガンダムやアメイジングレッドウォーリアなんかはもちろん当時は想像すらしていなかった。ただ、どうとでもなれるようにフレームを作っていたのが幸いして、僕のささやかな夢……「共通フォーマットにより統一感あるかたちで並べられる1／100ガンダムとザクの一族」を時代が許してくれるところに来ているのかなという風にも見えますよね。ジムⅡなどの派生機が作りやすくなったのはプレミアムバンダイの存在も大きいですし、ジム系列機を大事に扱ってくれる『ガンダムUC』があったことも大きかったと思います。

——最新のMGジム・スナイパーⅡやMGサイコ・ザクにまで2・0フレームが息づいているのはちょっと驚きました。

後藤　ジム・スナイパーⅡの可動域に関しては過ぎたるところがある必要性がそもそもあるのかなと考えていて。まずはしっかりと狙撃姿勢をとれることが至上命題で、加えてオーソドックスな手足の可動性能があればいい。そこでいくと2・0フレームはそもそもの完成度が高い。実際に可動試作で手足に2・0フレームを使ってみたら、想像以上に古びていなくて可動域も充分だったので、これならいけると。最初は手足のフレームにガンダムの2・0と3・0のどちらを取るかも考えましたが、取り回しやコスト面のよさで2・0を使いました。

——コストと汎用性の均衡がとれていていまなお古びない2・0フレーム……岸山さんは10年先を見据えていたかのようですね。

後藤　と、思いますよ。スナイパーⅡを実際に企画してみて、2・0フレームがあれば、ジムバリエーションがまだまだ作れるというのが見えてきましたし（笑）。

岸山　2・0フレームのヒジ関節の部分は、もっとこまかくスイッチを切り刻めるようにしておけばよかったかなぁとはいまにして思いますが、それなりに使い勝手がいいカタチにできたとは思います。まあ、ガンダムにフレームが必要かっていうとまたアレなんですが（笑）。可動骨格内蔵の是非も含めて、これからのMGキットの仕様としての「要るもの／要らないもの」の整理は進んでいくんだろうなと思います。2・0フレームを凌駕する汎用フレームもいずれ作られていくと思いますしね。■

◀MG Ver2・0のガンダムとザクはプロポーションに影響する部分（ももなど）が別パーツになっており、そこを別途設計することで、作品の枠組みを超えた柔軟なバリエーション展開が可能となった

▶MG Ver2・0フレームを使った製品群は一大勢力となりつつある

岸山博文●きしやまひろふみ／1968年静岡生まれ。'86年にバンダイ（現BANDAI SPIRITS）入社後、数多くの商品開発に関わる。PGガンダムなど傑作アイテムの+立役者として知られる
後藤豊●ごとうゆたか／1972年福岡生まれ。'11年にバンダイ入社。MGでは『SEED』のVer.RM系アイテムを担当。ジム系ではジム・スナイパーⅡが初担当となる

R-GRADE

RGM-79SP

GM SNIPER II

●MG ジムVer.2.0のフレームをベースとしつつほぼ別物として立体化されたMGジムスナイパーⅡ。非常にまとまりがよくカッコよいアレンジでまとまっているので、作例ではディテールの追加とカラーリングの最適化を中心に手を入れて製作した。よくパチ組みと作例を見比べて、効果的な工作／塗装ポイントを探してみてほしい
●設定カラーリングは少し赤色が派手なので、コクピット周辺などは白くアレンジした。「スラスター警戒色の赤」はリアリティーのあるアクセント色として残している

MGバリエーションで作る、大戦期最高性能を誇る“蒼い狙撃手”

RGM-79SP ジム・スナイパーⅡ
BANDAI SPIRITS　1/100　マスターグレードシリーズ
インジェクションプラスチックキット
発売中　税込4104円
出典／『機動戦士ガンダム0080 ポケットの中の戦争』
製作・文／NAOKI

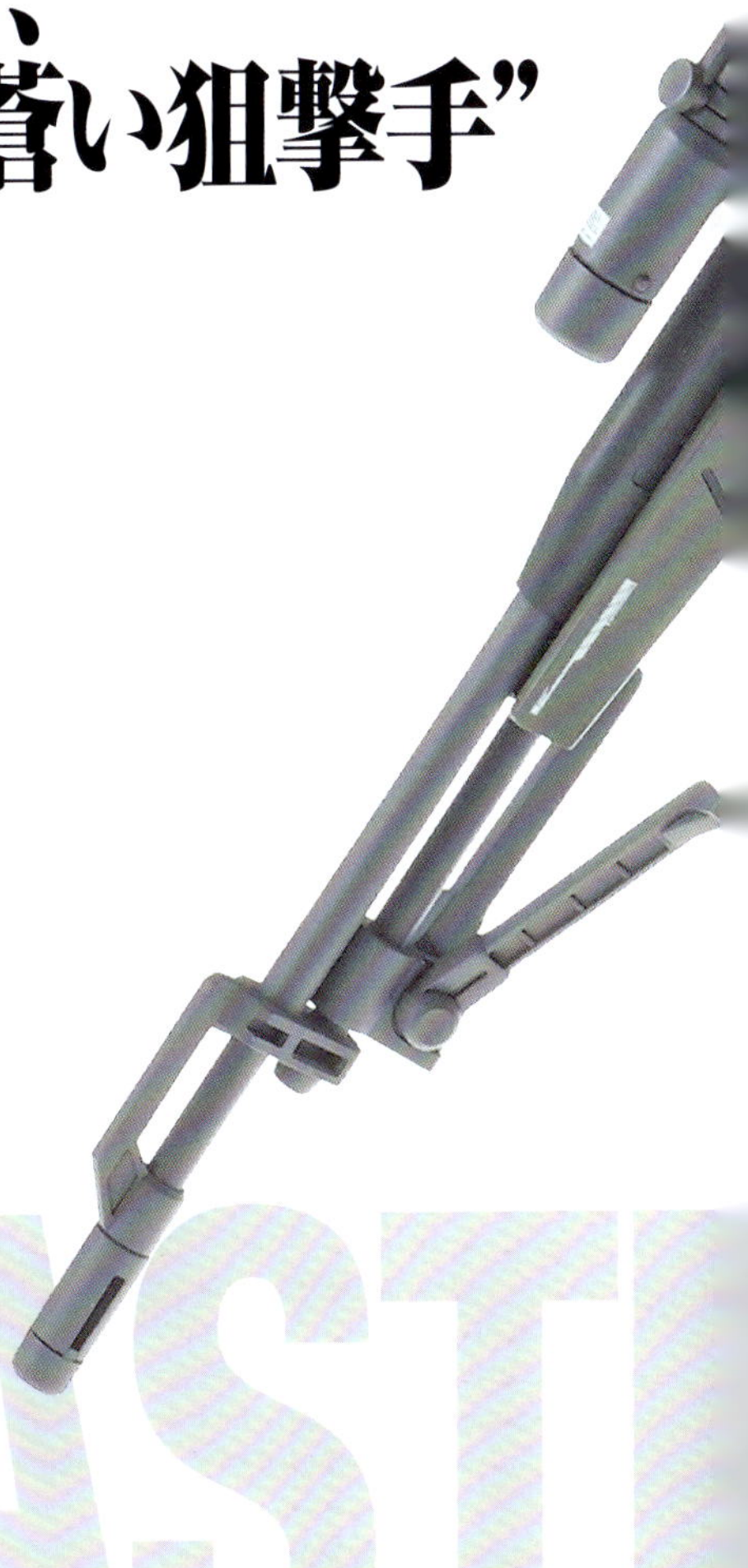

アニメでは登場後数秒で撃破されてしまうという不遇な扱いだったものの、その端正な顔立ちや狙撃機という立ち位置、一年戦争時のジムのなかでは最高峰のスペックだったこともあってか、後発のゲームや漫画等では引っ張りだこのジム・スナイパーⅡ。満を持してMG化を果たした“ヒロイックな狙撃手”、ジムファンが狂喜乱舞した夢の製品を徹底攻略する。

Model Graphix
2017年3月号
掲載

1/100 MASTE

RGM-79SP GM SNIPER II

from BANDAI SPIRITS 1/100
"MASTER GRADE" Plastic-kit
E.F.S.F MASS-PRODUCED
MOBILE SUIT

RGM-79SP GM SNIPER

◀狙撃用バイザーを下ろすと見える額のカメラはMGではHGUC版から少し形状が変更されている（より設定画に近づいた）。左耳には市販パーツ＋真ちゅう線で製作したアンテナを増設し、額にもプラ板で製作したVHFアンテナ風ディテールを入れた

1/100 マスターグレード ジム・スナイパーII

ジム好きが悶絶する最新マスターグレード ディテール追加＋塗装で魅せる

ジム・スナイパーIIの発売は、不遇のジム・コマンドに光明をもたらすか？

MGにおいては、『0080』のMSは不遇であり続けてきた。NT-1とケンプファーだけはシリーズの比較的早めの段階でキット化されたが、NT-1のフレームを使用したバリエーションがジム・カスタム～ジム・クゥエルという流れになってしまったため、ジム・コマンドの発売はなかった（このあたりについてはP48を参照）。そして、16年を経て、『0080』MSのMG第3弾としてようやく発売にこぎつけたのがこのジム・スナイパーIIだ。

本製品は、先にプレミアムバンダイで限定販売されたMG ジムIIと同じく、MGガンダムVer2・0のフレームをベースにした構成となっている。ジムIIが発売されたことで、ジムの派生／発展型で未MG化の残った主要型式は、ジムIII、ジム・コマンド、ジェガン。プレミアムバンダイでの限定販売があるいま、ジェガンはともかく、前者ふたつのMGでの発売への道筋がはっきりと見えてきたと言えそうだ。ここにきて一気に拡がりを見せるMGジムVer2・0フレームをベースとするMGジムバリエーション展開。この製品化の勢いがどこまで持続してくれるかは、ジムファンがこのムーブメントにどこまで乗ることができるかにかかっている。（文／森 慎二）

●一般販売かプレミアムバンダイ限定かはさておき、本体デザインがほぼ共通のジム・コマンド、ジム・コマンド宇宙戦仕様、ジム寒冷地仕様までのバリエーション展開は約束された……のか!?　ついでにアクア・ジムあたりまでいっちゃってくれればもう言うことなし!!

＊本稿は'18年1月時点の記述です。18年現在ではMGジム・コマンド（プレミアムバンダイ限定販売）、ジェガンが発売を果たし、MG化が待たれるRGM系主要型式はジムIIIのみとなりました。

▶バックパックには設定にはないマシンガン用のマウントラッチを追加してみた。マシンガンとラッチ部に小型ネオジム磁石を埋め込むことでディテールを損なわずに接合される
▼バックパックとスネの形状は、意図的にネモに似せられている部分（P38からのインタビュー記事も参照のこと）。ネモとのミキシングビルドで中間の機体を作ったりしても楽しそうだ

▲分厚いフロント＆リアアーマーや肩アーマーなどの側面には複合装甲らしいディテールを入れ、立体としての密度を上げるとともに塗り分けのポイントとした

▲脚部は股関節付け根で5㎜延長。モモの受けジョイントに5㎜厚のスペーサーをかませただけのちょっと乱暴な工作だが、どうせ腰アーマーで隠れてしまうので気にしない
▼足首は好みでジム改風に近づけた。ソールの天面を削り込んで面構成を変え爪先をプラ板で延長している

▼製品には劇中で携行していたブルパップ・マシンガンのほかに、後年のゲームなどで装備するようになったボルトアクション式の狙撃ライフルが付属する。なので右膝にはザクⅠスナイパータイプに着想を得て狙撃姿勢安定用の膝あてを追加。プラ板工作でそれらしくまとめた

さて今回は新作キットのMGジム・スナイパーⅡを製作しました。人気のある機体なので発売を心待ちにしていた方も多いのではないでしょうか?

製品はMGガンダムVer2・0のフレームを一部流用しているのですが、このキットの設計が優秀であるうえに特徴的な胴体はフレームをほぼ新規にするなど変則的な使い方をしているおかげで古さを感じたりすることはありません。プロポーションに関しては、設定画とは異なるけっこうピーキーなバランスをしているのですが、「フレームを流用したため結果的にこうなってしまった」というわけではなく、「他製品と並んだときのことも考えつつこういう方向でまとめたかった」という開発側の意図が伝わってきて個人的に非常に好印象です。素直にカッコイイですね。

◆工作

というわけで今回はプロポーションや形状にはほとんど手を加えず、チマチマと表面上の情報量を上げることに専念しています。唯一行なったプロポーション改修は脚部の延長で、太もも付け根の受け軸をフレーム部分で約5㎜ほど延長。外装はモモ上辺が腰アーマーで隠れてしまうので延長工作はしていません。時間は有限なので見えなくなってしまう部分にかける労力をより効果的な部分に使ってあげましょう。

足首部分は甲部分からつま先に向けてふくらみのあるアールで構成されているのですが、逆アールのラインに変更しています。が、これらの改修はどちらも個人的な好みの問題なのでキットのまま作ったとしてもまとまりよく仕上がると思います。

あとは、作例独自の要素として狙撃時の安定装置っぽいヒザあてをプラ材でそれっぽく見えるように製作しました。とくに可動もしませんが、それっぽく見えればOKということで(笑)。

もうひとつ、キットには新規設計のブルパップ・マシンガンも付属しているのですが、スナイパー・ライフルを持たせたときに余ってしまうのがもったいないです。そこで、これまた妄想をたくましくして独自にホルダーを製作してみました。これでバックパックに懸架できるようにしています。接続にはライフルにネオジム磁石を仕込むことで保持力を上げています。

◆塗装

カラーリングは、設定ではヴィヴィッドな水色のトーンを落とし、差し色の赤を減らすことで設定よりも落ち着いた印象にしているものの、あくまで設定っぽく見える範疇で仕上げました。せっかくのジムバリエーションなのでカラーリングで楽しむのもアリ、いずれそんなものも作ってみたいです。それではまた! ■

RGM-79SP GM SNIPER

MGジム・スナイパーⅡが発売されたってことは……その系列機が作れるってことだよね？ 的突発無茶振り企画

Model Graphix 2017年3月号 掲載

RGM-79GS ジム・コマンド宇宙戦仕様
BANDAI SPIRITS　1/100　マスターグレードシリーズ
インジェクションプラスチックキット
「MG RGM-79SP ジム・スナイパーⅡ」改造
発売中　税込4104円
出典／『機動戦士ガンダム0080 ポケットの中の戦争』
製作・文／**マーベリック**

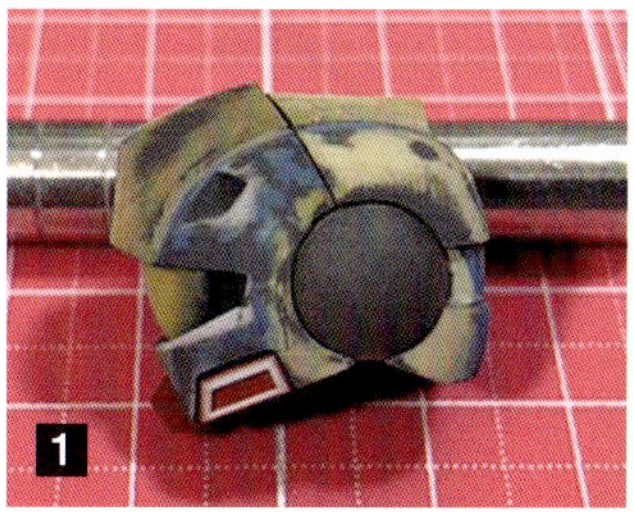
1

スナイパーⅡのパーツから逆算 系列機であるジム・コマンドの「MG版」を割り出してみよう

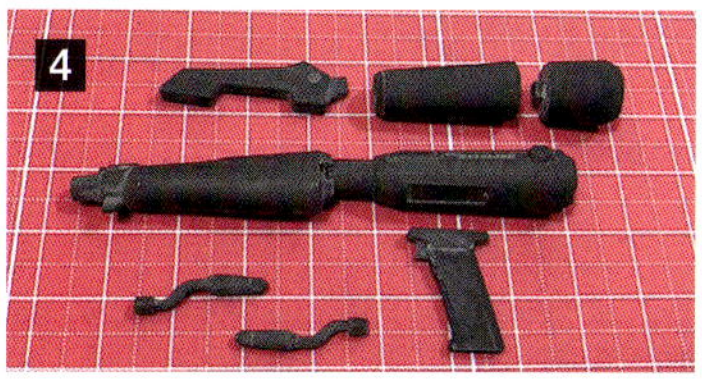
4

3

6

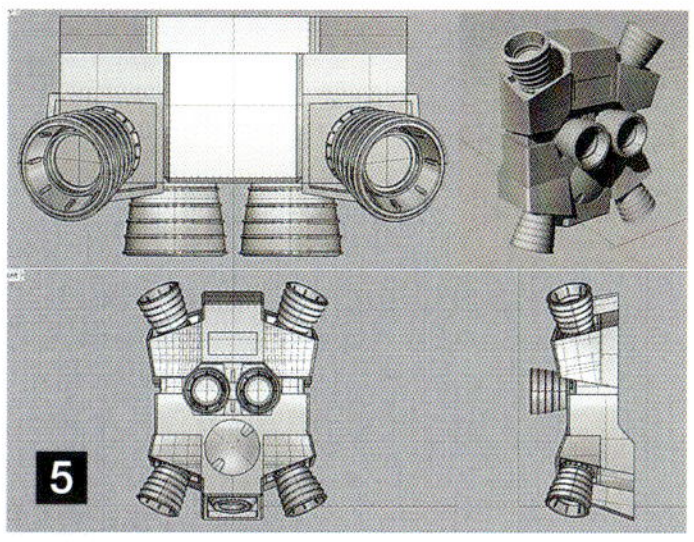
5

1ゴーグル部分やダクト、後頭部はキットパーツを基準とし、頭頂部などの形状はポリエステルパテを盛って調整。
2ジム・コマンドらしく見せるのに大切なのは胸のダクトまわりのライン。胸部前面を胴体から垂直に切り離し、1.5㎜のプラ板を挟んでからMGジム・カスタムのダクトパーツを接着した。ダクトパーツは上下の幅を1㎜短縮、上から見た際に少し外を向くように取り付けている。腹部は下から一段目を1.5㎜ほど延長した
3アンクルアーマーから足首までのラインを美しく繋げるためにソールを足首フレーム部分で前にオフセット。ソール側を薄く削り込むのではなくアンクルアーマー側をかさ増しすることで甲の厚みを感じさせない効果を狙った
456バックパックと武器は時短のため3Dデータをもとに3Dプリンタで出力した。ABS樹脂製の各パーツはサポートと呼ばれる土台部分といっしょに出力されるので、ここを削りとってから表面をキレイに磨き込む必要がある

MGジムコマンド発売前にジム・スナイパーⅡからひと足早く改造で作る！

MGジム・スナイパーⅡが発売されたことで『0080』に登場する系列機のジムたちの1/100ガンプラ化にもひと筋の光明が差し込んできた。今回はいずれ発売されるであろう（されました／編注）MGジム・コマンドに夢を馳せつつ、「MGジム・スナイパーⅡと同一のフォーマットで製品化されたら？」というテーマで1/100ジム・コマンドを製作する。

作例雑誌掲載後についにMG化を果たすこととなったジム・コマンド

MGジム・コマンドは、'17年11月にプレミアムバンダイ限定販売で宇宙戦仕様が、翌12月にはコロニー戦仕様が通常シリーズで、しかも通算200作として発売を果たした。頭部など、作例とのアレンジの違いをよく見てみてね。

MGジム・スナイパーⅡから作るジム・コマンド

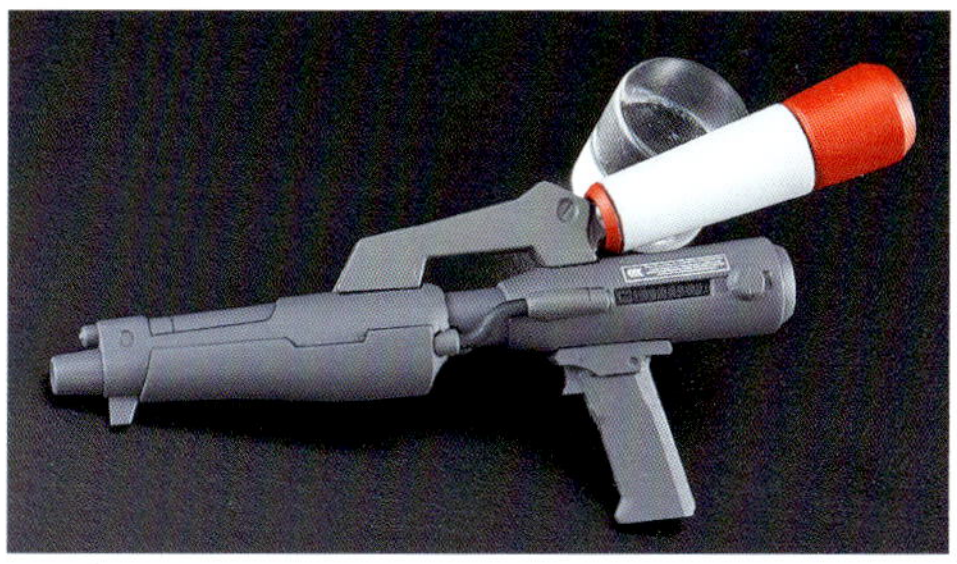

RGM-79GS GM COMMAND SPACE

●トサカの奥まった部分やバルカン砲開口部などの凹ディテールはスタンピングで作成。凹ディテールを入れたい部分を少し大きくえぐっておいてから硬化前のパテを充填。ディテールを彫ったスタンプ（離型剤を吹いておくこと）を押し当ててから硬化を待って表面をならして完成……という古典的な手法だ
●フンドシブロックにある股関節基部のメスジョイントの幅を削ったり、オス側のジョイント棒も切り詰めるなどして股幅を縮め、サイドアーマーとモモが干渉しないように調整。モモは3㎜延長した
●ヒザの正面部分はMGジム改のパーツを流用（右ページ途中写真を参照）。中途で切断して取り付け角度を変更したり、裾も延長することでコマンドらしくなる。ふくらはぎはスネの流用パーツに対してボリュームがある気がしたので、フレーム取り付け面で削り込み、左右でそれぞれ1㎜ほど厚みを薄くしている

◆良い子は製品版から作りましょう

MGジム・スナイパーⅡを使って同系統の機体であるジム・コマンドを製作しました。ふたつのMSはほとんど同じようでいて、デザインを印象づける部分である頭、胸、ヒザなど手間がかかるところに限って微妙に形が違う……。安請け合いしたあとによく設定画を見比べてみて絶望しました。正直言うとかなりの無茶振りでしょ（笑）。

悩んだすえに決めたコンセプトとプランは、①設定画を模型に落とし込む ②ただしMGジム・スナイパーⅡの製品形状をできる限り活かす、の2項目。製品の肩と腕のサイズ感を基準として、ジム・コマンドの設定画とにらめっこしながら全体のバランスを取っていきました。

◆製作

頭部はゴーグルの形状変更と、スナイパーⅡにはなかったトサカ状ブロックの追加がメインとなります。アゴパーツはMGガンダムVer3・0から流用しました。

胸部は全体のバランスを取るのに重要なパーツ。改修項目は襟まわりの幅増し、胸部横幅を広げる、胸ダクト（MGジム・カスタムのダクトを流用&幅詰め）で新造、ダクト内のパーツ作製（ポリエステルパテの削り出し）、ダクト下のラインを整形、腹部ブロックも横方向へ幅増ししています。

腰はフロント及びリアアーマーを切り詰めて設定画に似せています。フンドシブロックに関しては設定画と角度が異なりますが、キットパーツを尊重するコンセプトのため今回はあえてそのままとしました。

腕は肩の角形バーニアを埋め、ヒジアーマーをヒートプレスでひとまわり大きく整形した程度です。

脚部。足首をジム改っぽい形に修整することも一瞬考えたのですが、「なんとかキットのパーツを元にして足掻いてみよう」ということで最小限度の改造に留めました。結果的にソールを少しだけ前へ伸ばし、アンクルアーマーをかさ増ししてスネからのソールにかけてのラインがキレイに繋がるように調整しています。

バックパックとライフルは、最初はプラ板の箱組みで作ろうと思っていたのですが、本体の形状出しに時間がかかることが予想されたので商業原型をやっている友人に3Dデータ作成&出力をお願いしました。形状はHGUCジム・コマンド宇宙戦用のものを参考にしつつ、ディテールもできるだけ抑えめにしました。バーニアノズルも特有の細長い形にこだわりたかったので、市販パーツは使わずデジタル出力しています。

◆塗装

普段あまり発色のいい塗装をしないのですが、赤は発色をよく、白は少しグレーっぽくを基準にチャレンジしてみました。無表記はGSIクレオス Mr.カラーを使用。（G）はガイアノーツ ガイアカラー、（F）はフィニッシャーズの塗料です。

赤／跳ね馬SPセット№4（G）
白／SPシェルホワイト（F）＋ニュートラルグレー（G）
黄色／黄燈色（G）
関節グレー／メカサフヘビー（G）＋60番RLM02グレー＋7番ブラウン＋モスグリーン（G）
武器グレー／25番ダークシーグレー。

ジムを本格的に作ったのはこれが初めてです。ジム愛に溢れた読者の皆様の目にはどのように映っていますでしょうか？ ■

量産型モビルスーツはバリエーションがあって当たり前……と思いこんでいないだろうか？『機動戦士ガンダム』で地球連邦軍の量産型MSといえばジム。ジムのデザインは一種類のみだった。『機動戦士ガンダムZZ』からデザイナーとして参加した出渕裕氏が『機動戦士ガンダム逆襲のシャア』を経たガンダム初のOVA『機動戦士ガンダム0080 ポケットの中の戦争』で、初めて「同じジムでも寒冷地用とスナイパー型、宇宙戦闘用で細部や色が異なる」コンセプトを打ち立てたのだ。やられメカばかりデザインし、“ブチメカ”なる愛称まで獲得した出渕氏だからこそ、量産機のジムに個性豊かなバリエーションを持たせられたのではないか？　いまだから明かせる真実と雑談の数々！（取材・構成／廣田恵介）

デザイナーから見た量産型モビルスーツの“統一”と“拡散”の歴史

メカデザイナー出渕裕氏インタビュー

いずぶち・ゆたか

1958年、東京都生まれ。大学受験生のときに『闘将ダイモス』（1978年）でメカデザイナーとしてデビューする。以降、東映とサンライズのロボット・アニメで敵側のメカを多数担当、ファンを獲得した。ガンダム・シリーズには『機動戦士ガンダムZZ』（1986年）で初参加。特撮ドラマでも『超電子バイオマン』（1984年）など、多数の作品に参加し続けている。監督作品に『ラーゼフォン』（2002年）、『宇宙戦艦ヤマト2199』（2012年）がある。

■出渕裕の“プラモ愛”

――出渕さんがデザインされたモビルスーツ（以下ＭＳ）がキット化されるとき、やはり監修をされるんですか？

出渕　いや、まったく監修してないですよ。『（機動警察）パトレイバー』は僕ら（原作集団のHEAD GEAR）が権利者なので、メカ担当としてプラモに限らず完成品なんかも監修することはありますけど、ガンダムでは監修した記憶はほとんどないですね。

――発売されたプラモデルが送られてきたりはしないのですか？

出渕　商品は、サンライズから送られてきますね。

――『機動戦士ガンダムＺＺ』のころから送られていましたか？

出渕　『ZZ』はどうだったかなあ。サザビーとかνガンダムとか、『逆シャア』（『機動戦士ガンダム 逆襲のシャア』）のMSは大きいキットが送られてきたように記憶しています。だけど、『ポケ戦』（『機動戦士ガンダム0080 ポケットの中の戦争』）はどうだったかな。サンライズに送られてきたものを「じゃあ、これは出渕くんに」ってもらっていたような気がします。ヅダなんかは、ちゃんともらっていましたね。最近になってリニューアルされたキットは、あんまり来ない……だからといって、怒ったりはしませんから大丈夫ですよ（笑）。

やっぱり『MS IGLOO』もそうですけど、最近のMSやロボットはCGでモデリングして動かすじゃないですか。そのCGデータをベースに模型を作ることが主流になっていくと思うんですよね。ガンダム・シリーズはまだ手描きでがんばってると思いますけど、『UC』（『機動戦士ガンダムUC』）も一部はCGで作ってましたよね。

――『UC』の話になりましたけれど、ズサやガルスJ、ドライセンなどのバリエーションが活躍し、『ZZ』のMSを救済しているのですが、それはどう思いますか？

出渕　それは単純にうれしいですよ。『ZZ』ではデザインをやりきれなかったというか、僕は一部を除いてラフしか提示できてなかったので、「あれを元にいじってくとおもしろいんじゃない？」とか、以前カトキ（ハジメ）くんと話をしたことがあります。モデラー心をくすぐるようなバリエーション機が出るのは、ユーザーの方にとってみればワクワクするところでもあるんじゃないですかね。『0083』（『機動戦士ガンダム0083 STARDUST MEMORY』）からこっち、そういう試作戦車的なMSが多いじゃないですか。

――出渕さんは、ご自分でデザインされたMSがどんなプラモデルとして出るのか、気にされますか？

出渕　いや、あんまり気にしません……って言うと、カトキくんから「出渕さんはプラモ愛がないなぁ」って言われちゃうんですけれど（笑）。意外と、カトキくんは気をつかってくれて、カトキ・バージョン（Ver.Ka）で『逆シャア』のMSを模型用にデザインするときも「出渕さんに見てほしい」って製品用イラストを送ってきてくれたりするんですよ。

――皆さん、出渕さんには気をつかってらっしゃるんですね。

出渕　いや、ありがたいというか、でも気をつかう必要なんて全然ないんですよ。もしかしたら、話しやすいのかもしれませんね。大河原（邦男）さんだと大先輩なんで直接言うのは気が引けるけど、僕はちょっと世代的に近いですから。カトキくんにしても明貴（美加）くんにしても佐山（善則）くんにしても、可愛い後輩ってカンジなんですよ。僕のことなんか気にしないで、みんな頑張ってほしいんだけど（笑）。

■『ZZ』から『逆シャア』、『ポケ戦』へ

――時系列順にお聞きしたいんですけど、『ZZ』はコンペだったんですよね。ラフを提出して、バウだけクリンナップまで出渕さんが手がけたんでしたね。

出渕　正確に言うと、バウとガルスJの頭部のみ自分でクリンナップしました。ほかのクリンナップはドライセンとカプールを佐山くん、ズサとハンマ・ハンマは藤田（一己）くんが直してくれて、R・ジャジャとガ・ゾウムは明貴くんで、岡本（英朗）くんがガルスJって仕分けでした。

――『逆シャア』もコンペで、全MSをデザインしましたよね。

出渕　そうですね、『逆シャア』のMS関係は、ほぼ僕がやりましたね。“ほぼ”っていうのは、なにしろ時間がなかったので、あちこちほかの人たちに手伝ってもらっているんです。リ・ガズィなどのちょっとした部分を大畑（晃一）くん、νガンダムのつま先のデザインやフィン・ファンネルの機構は鈴木（雅久）くんのアイディアです。『逆シャア』で唯一、僕がまったく触れていないのはジムⅢだけかな。ちょっとだけ、ラストのほうでジェガンのなかに混ざってるじゃないですか。それ以外は、ホビー・ハイザックも自分でやったし……。あと、『逆シャア』では、トータルの部分でロンド・ベルとネオ・ジオンの区別をはっきりさせようと思いました。

――主役のνガンダムまでデザインしていますからね。

出渕　『逆シャア』は「基本に立ち戻る」というコンセプトがあったので、Zガンダムの可変だとかZZガンダムの合体機構からくるディテールやマッシヴさは避けてシンプルに。リ・ガズィは変形機構にとらわれない、安価なZガンダムという印象ですね。顔はZガンダムっぽいんだけど、ガンダムの象徴であるV字の前立ては付けないで簡素なアンテナにしました。あの前立てを付けると名前に“ガンダム”を入れないと収まりが悪くなっちゃいますからね。リ・ガズィは〈簡易版〉ってことで。

ジェガンとギラ・ドーガは、あの時代の汎用MS、スタンダードなジムとザクをイメージしています。いま思い出したんだけど、ジェガンは唯一、当時プロデューサーだった内田（健二／注1）さんにリテイクを出されたんですよ。最初に出したラフはちょっとネモっぽくて「これだといつもと同じだから、腰のアーマー、取れないかな？」と言われたんです。

――あの温厚な内田さんが、そんなリテイクを出すんですか？

出渕　そんなに頻繁にはないですよ。たまに、だからこちらも真摯に受け止めて「な

ジムには、模型的というか シャーマン的なイメージが オーバーラップしました。

るほど」と。基本は押さえつつ、いままでのジム系とは違うスタイルを模索できて、よいアドバイスでした。

——その内田さんが、そのまま『ポケ戦』のプロデューサーになりますね。

出渕　内田さんは〝サンライズに染まってない新しい人〟という視点で人材発掘を積極的に行なっていた、当時のサンライズでは稀有な存在でした。僕はそのころすでにそんなに新しい人じゃなかったけど、『ZZ』と『逆シャア』を手がけたことで信頼度が高まっての起用だったんだと思います。

——『ポケ戦』のザクは、いまでこそMS-06FZと呼ばれていますが、企画当初は普通のザクとしてデザインした……ということで間違いないですか？

出渕　はい。間違いないです。初めてガンダムの、一年戦争のMSを扱う作品でした。あのころはまだ手探りで、基準っていうのがなくて、かなり大胆にアレンジしてしまったと感じますね。メーカー（バンダイホビー事業部）も困ったんだと思います。見た目がかなり違いますから(笑)。だから、TV版のザクとは別機種として扱う流れができて、そのあと『0083』でカトキくんがうまい感じにミッシングリンクを埋めてくれた感じで。

——ハイゴッグも、普通のゴッグとしてデザインしたんですか？

出渕　いえ、ハイゴッグだけは別の機種としてデザインしました。派生型ではなく、あくまでハイスペックな次世代のゴッグを目指した試作機というアプローチです。逆に、ズゴックもゲルググも別機種ではなく、テレビ版MSのリファインのつもりでデザインしていました。

——ジムだけ、寒冷地仕様とかジム・コマンド宇宙用など、バリエーションがありましたね。

出渕　ジムはM4シャーマンのような汎用機種だと想定してバリエーションをもたせました。シャーマンは初期は鋳造装甲だったり、後期型を発展させたイージーエイトとかさまざまな「顔」があるじゃないですか。生産性を高めるために工場のラインもひとつの機種に絞る、それが量産機。そのうえで量産型をベースに改良を施して役割に特化する機体も派生するんじゃないかと。

■ナイチンゲールは誰のもの？

——『ポケ戦』の連邦側MSって、出てきても2秒ぐらいで倒されてしまいますよね。

出渕　すぐ倒されてしまうのは充分にわかっていましたよ。ジム・スナイパーⅡも量産型ガンキャノンも、1カットでもおいしいってスポンサーさんは思ってくれるだろうし、監督のオーダーもないのに勝手に描かせてもらいました。ジムにしたって、本当はあの戦況でバリエーション機なんて造っている暇はないはずなんです。だけど模型的というかシャーマン的なイメージがオーバーラップしてたので、ああいったバリエーション展開もありかなと思って。あと、ガンプラブームがあったじゃないですか。

——MSV（注2）ですね？

出渕　そう、大河原さんがジム・スナイパーカスタムをすでに描いていたでしょう。『ポケ戦』に期待されているのは、そういう部分だと思ったんです。あの当時は、藤田くんが『月刊ホビージャパン』誌で自分なりのバリエーション展開をやってたりしたじゃないですか（注3）。そういう意味では現在と違っておおらかな時代だったんです。バンダイで刊行していた『サイバーコミックス』（注4）とか、ホントに治外法権だったじゃないですか（笑）。

——すごい数のモビルスーツが、作家の数だけ展開されてましたよね。

出渕　いまから考えると、信じられないですよ。よく言えば豊穣な、いろいろなトライができる時代。僕も設定屋なんで公式設定で矛盾を潰していくのは理解してます。ただ、ユーザーやクリエイターが遊べる余地があったからこそ、コンテンツとして豊かに広がっていったんだとは思うんですよ。

——『ポケ戦』では、近藤和久さんがイメージボードを描かれてますよね。

出渕　よくジオンをドイツ軍にしたの俺だみたいに言われますけどね、言わせてもらうと、コンちゃん（近藤和久）が先にやってましたから。ああ、やっていいんだって、言いわけ的に（笑）。MSにパンツァーファウストを持たせたのもコンちゃんが先だったような気がする。まあ、やりたい気持ちはわかりますけどね。あと、まこっちゃん（小林誠）を忘れてはいけない（笑）。誰でも〝俺MS〟を出すことのできた楽しい時代ではありましたね。

——あの時期の、オフィシャルかどうか怪しいMS群が、ガンプラ文化を裏から支えていたように思います。

出渕　ナイチンゲールだってそうですよ。富野（由悠季）さんが『ハイ・ストリーマー』と『ベルトーチカ・チルドレン』というふたつの『逆シャア』小説を徳間書店と角川書店で書いたため、映画とはMSの機種も違えばヒロインも違うという現象が起きちゃって(笑)。口絵を描いた僕としては、ナイチンゲールと小説では呼ばれてる機体が、サザビーのデザインそのままではつまらないわけですよ。それでああいうモビルアーマー的なデザインにしてみたんです。すると、安井（尚志／注5）さんが「ナイチンゲールの評判いいから、『B-CLUB』でカラーで描かない？」「ガレージキットにしたいから、下から見た設定も描かない？」と言ってくるわけです。だったら、ナイチンゲールはオフィシャルな存在なの？　それともサンライズのもの？　あるいは富野さんの著作物？　デザイン的には自分？　という時代を経て、現在はデザインの権利はサンライズが正式に買い取って管理する形になっています。混沌とした過渡期だったし、とても楽しい時代でもありました。

■特撮ロボと西洋甲冑

——さて、ジム・スナイパーⅡがマスターグレード・シリーズで発売されることについては、どう思われますか？

出渕　うーん……いや、とくには。スナイパーⅡは『ガンダムUC』には出てます？

——いえ、『UC』には出ていませんけど、ゲームでは高性能機扱いです。

出渕　そういう設定が合っていたんでしょうね。デザイン的には、自分でも気に入ってはいます。本編では顔のバイザーが下がるところだけ、アップなんですよね（笑）。ほら、カトキくんが『0083』でジム・キャノンⅡを出したとき、なんとかしてコンセプトの流れを汲んで、量産型ガンキャノンと繋げようとしてくれるんですよ。カトキくんは過去に存在したデザインを大事にしながら、なぜ繋がっていったかの流れを検証して、「これだったら不自然ではないだろう」という必然性を気にするし、シリーズ全体の体系を考えながらデザインするタイプなんで。僕はそういうカトキくんの姿勢は支持するし、一度ビッグバンを起こしてはっちゃけてしまったデザインを一生懸命に体系化しようとする学者肌なところが好きなんですよ。

——『ポケ戦』のMSデザインで、内田プロデューサーや高山文彦監督からオーダーはありましたか？

出渕　いえ、とくには。高山監督からは、チョバムアーマーだけ「助かった」と言われました。当初、チョバムアーマーだけ手伝いで入ってくれた明貴くんに任せていたんですが、どうしてもアーマード・バルキリーみたいな装甲MSを描いてくるんですよ。どうも当時の明貴くんはカッコいいものを描きたくてしょうがなかったみたいで(笑)。「そうじゃなくて、チョバムアーマーは文化祭のダンボールで作ったガンダムみたいなものなんだよ。これがガンダムかよ！っていうそのダサい梱包されてる中からカッコいい本体が出てきて、おおっ！となるのが高山さんの演出的狙いなんだよ」って言って聞かせたけど、どうしても当時の彼には通じなかった。MSって、いまでこそスタイリッシュなデザインが求められているけれど、『ポケ戦』ではあくまで演出的なギミックだったり世界観を支えるアイテムだったりするわけです。デザイナーは演出の意図を汲んで、それに応えるのが基本ですから。あ、いまの明貴くんは違いますよ。実際、『0083』では、いい仕事してましたよね。

——『0083』の明貴さんのデザインでは、何がよかったですか？

出渕　ゲルググ・マリーネとドラッツェが明貴くんでしたよね。ノイエ・ジールのデザインもよかった。「なんでこんなにカッコいいんだろう？」と考えていたら、「上

から怒ってるんですか?」「いや、α・アジールには似てないよ。どっちかって言うとナイチンゲールに似てるじゃん」なんて話をしました。

――出渕さんは、ロボットに対するフェティシズムって、お持ちですか?

出渕 ええ、かなり持ってます。

――特撮モノのロボットが、出渕さんのルーツにあるような気がしているんです。

出渕 それもあるかもしれませんね。そういう意味では、一昨年の『世界の国からこんにちは』(注8)は遊んじゃいましたね。日本とアメリカとドイツと中国とロシアとイギリスの各国ロボットがドつきあいするだけのアニメで、そこに山寺(宏一)さんの歌う三波春夫の「世界の国からこんにちは」を流して(笑)。ロボットのラフを描いてて、『(無敵ロボ)トライダーG7』で同じ話があったこと(注7)に気がついたんですよ。「やってること同じだ」って、ハッとして。途中からあえてアプローチを同じにして、中国のロボットも「白虎王」って中国ロボの2号機っていう解釈にしたんですよ。設定の下に「1号機は『トライダーG7』に登場」って書いて(笑)。

いまなら、ああいうバカバカしいロボットこそCGで作るのがおもしろいのかもしれません。『(スーパーロボット)レッドバロン』も『ジャイアントロボ』も、もともとは特撮番組でしたからね。どちらも同じ人が演じていて、着ぐるみに金属を使っているんですよ。『世界の国からこんにちは』のとき、カタチン(片山一良)も特撮オタクだから「着ぐるみにしてくれ」って。さすがにそこまではできなかったけど「着ぐるみを作ってそれをスキャンしてCGにするくらいしてもおもしろいんじゃね?」って思った(笑)。

――片山監督は『THEビッグオー』でも、シワのよるロボットを描いていましたね。

出渕 そう、着ぐるみだからウレタンのシワが描いてある。やりすぎだよ(笑)。

――特撮ともうひとつ、甲冑をモチーフにすることが多いですよね?

出渕 ええ、西洋甲冑は好きです。

――ハイゴッグの目のあたりは西洋甲冑がモチーフではありませんか?

出渕 いえ、ハイゴッグよりもヤクト・ドーガですかね。ヤクト・ドーガのマスク部分は甲冑を意識しました。あと『パトレイバー』だと、ブロッケンとか。

――『機甲界ガリアン』もありますしね。

出渕 いまはわかりませんけど、昔は「代表作は?」と聞かれたら『鉄紋(機甲界ガリアン 鉄の紋章)』かな……と答えていた時期はありますね。

――『ガサラキ』は、もろに甲冑がモチーフでしたね。

出渕 あれは(高橋)良輔さんから求められたテーマが武具というか、甲冑でしたから。雷電が西洋甲冑で、骨鬼は東洋の武具。平安時代の武具っていうのがアニメのロボットとしてアレンジするのは難しくて……。結果として、時代には合わないんだけど、見た目優先で戦国時代の当世具足が入ってきてしまっていますね。

■統合整備計画が後の歴史に残したもの

――話を『ポケ戦』に戻すと、統合整備計画(注8)という設定は後づけですよね?

出渕 たぶん、そうですね。当時、ペズン計画(注9)はあったと思うんですけど、MSVのあとに安井さんが考えたんじゃないですかね。ほら、大伴昌司さんって編集者(注10)がいたでしょ? 円谷プロの公認でなくても、大伴さんが学年誌で勝手に膨らませた設定が、いつの間にかオフィシャルになっていく。その大伴イズムをガンダムに導入しようとした編集者が安井さん。ミリタリーも好きな人だったので、統合整備計画も安井さんの発案じゃないですかね。もし違っていたら、申し訳ないですけど。

――連邦側とジオン側で手首のデザインを統一させたじゃないですか。そこから統合整備計画という設定が出てきたのでは?

出渕 マニピュレーターのデザインを敵味方で統一するのは『逆シャア』のジェガンとギラ・ドーガからですね。いろいろなマニピュレーターがあるより、ふたつに分けたほうが効率いいだろうと思ったんです。同じマニピュレーターのデザインを『ポケ戦』でも使っています。ずっと同じマニピュレーターを歴史的にも使っていたってわけで、信頼性の高いものだったっていう脳内設定で(笑)。『(機動戦士ガンダム)F91』で大河原さんが新しいMSをデザインされて、そこでの手首のアップは違うんです。その時代にやっと新しいマニピュレーターが導入されたと解釈できる感じでしょうか。

――いま発売されているバンダイ公式のアフターパーツを見ても、連邦系は四角くてジオン系は丸みがあるんです。

出渕 まあ、プラモデルに貢献できたのかどうかは、よく分かりませんけど、ビジュアルとして差別化はできたんじゃないでしょうか。

――そろそろ、マスターグレードでジェガンを発売してほしいと思っているんです。

出渕 そうなの? 大丈夫。カトキくんがなんとかしてれますよ(笑)。

――HGのジェガンアイテムがすこぶる好評らしいです。

出渕 ホントに? はじめて聞きました。

――連邦側の量産機系はかなり勢いがよいみたいです。

出渕 じゃあ、いろいろバリエーションを作っておいてよかったんですかね(笑)。ジェガンは息の長い機体になってくれて、個人的にうれしいです。『F91』でも、自分がデザインしているからでしょうが、画面に出ていていちばん安心できる。過去の世界観を繋げてるアイテムとしても機能してるというか。でも、ジェガンってリ・ガズィなんかに比べて小柄な印象だけど、『F91』ではいちばん大きいんだよね。

――『逆シャア』でのジェガンのラフ・スケッチを見ると、いろいろとメモが書いてあるんですよ。「バーザム的に」とか。

出渕 それは内田さんが書いたんじゃないかな。「バーザムみたいに腰まわりの前垂れを外してくれ」って意味でしょうね。ネモから離れて、みたいな指示は富野さんかな。あと、もうひとつ、内田さんからジェガンにオーダーがあった。簡単な形にしつつ、大出力のバックパックにしてくれって言われたんです。

――それで、こんなに大きなバーニア・ノズルが付いてるんですね。

出渕 そういえばリック・ドムⅡの設定画って『0083』でもそのまま使われたでしょ? ドム・トローペンはカトキくんだったけど、リック・ドムⅡがそのまま使われたのは、なぜだったんだろう?

――『ガンダムUC』のバウの設定画でも、出渕さんの描いたギラ・ドーガのライフルが、そのまま参照されたりしてますよ。

出渕 MSは『ZZ』のころの機体を改良して使っているけど、手持ち武器は『逆シャア』時の第二次ネオ・ジオンのものを転用している……それでリアリティを出す狙いなのかなあ。そういう采配は、誰が振ってるんでしょうね。

――『ガンダムUC』では、メカニック総作画監督の玄馬宣彦さんが、かなりの部分を決めていますね。並んだ機体には、同系統の武器を持たせて統一感を出すとか。

出渕 統一感を重視する人が現場にいて、こだわってやっていくのはいいですね。余談ですけど、当時、『ドラゴンマガジン』(富士見書房)という雑誌があって、田中芳樹さんの小説に、カトキくんが兵士の持つマシンガンを押絵で描いてたんです。これいいな、と思って、じつはそのデザインを参考にしながら『ポケ戦』のザクFZのマシンガンを描いたんですよ。すると、FZのマシンガンをベースにして、今度はカトキくんが『0083』でMP・40っぽくリデザインしてるでしょ? 意図せずして、上手いことカトキくんとキャッチボールが成立してたんですよ(笑)。

――『ポケ戦』はほかのデザイナーの仕事も包含した、集大成的なデザインになってるんですね。

出渕 大河原さんの基本デザインを踏まえたうえで、みんなの感じているSF的、ミリタリー的な部分を加味して、結果としてそこからさらにぶっとばせるベースづくりを『ポケ戦』ではできていたのかもしれません。『逆シャア』は時系列的に未来の物語ですから、「こういう機種があってもおかしくないよね」といったアプローチ。正攻法でいけました。一方、『ポケ戦』は既に存在しているMSにSFやミリタリーの

みんなの感じている
SF的、ミリタリー的な匂いを
加味してアレンジしました。

匂いを入れてアレンジする、いわば改変にもつながる反則技でした。このあと、カトキくんたちがもういちどオリジナルに引き戻しつつ煮詰めていくベースに『ポケ戦』のMS群が位置しているとしたらうれしいんですが……どうなんでしょうね（笑）。

――いま気づいたんですけど、ジム・スナイパーⅡの背中やふくらはぎは……

出渕　そう、背中やふくらはぎのスラスターはネモがベースなんです。ジム・スナイパーⅡのほうが時代的に先なので、ネモというMSは、じつは一年戦争末期の試験機を使って造られたのかもしれない。参考にしたネモのデザインは藤田くんなんだけど、そういう公式にはないMS開発史を、デザインのパーツを分析することで妄想できたりするのって楽しいじゃないですか。■

注1／『機動戦士Zガンダム』でプロデューサーとしてデビューし、多数のメカデザイナーを招聘した。『機動戦士ガンダムZZ』、『逆襲のシャア』、『ポケットの中の戦争』、『機動戦士SDガンダム』などをプロデュースした後、サンライズの社長～会長に就任した。

注2／モビルスーツ・バリエーション。1981年、講談社刊のムック『アニメグラフブック劇場版機動戦士ガンダム』に大河原邦男氏が描き下ろした4体のモビルスーツが原点となり、モデラー集団ストリーム・ベースが設定を考えて商品化へ至った（プラモデルの発売は1983年から）。プロデュースは、編集者の安井尚志氏。模型用の企画として『コミックボンボン』（講談社）などの少年誌を中心に発展したが、『機動戦士Zガンダム』にはときた洸一氏によってクリンナップされたMSVが10体ほど登場した。

注3／模型とテキストから成る『TYRANT SWORD Of NEOFALIA』。1987～1988年にかけて『月刊ホビージャパン』誌に連載された。『機動戦士Zガンダム』の外伝的な内容で、メカデザインは藤田一己氏が担当。

注4／バンダイが1992年まで発行していた

近藤和久『機動戦士ガンダム0079』など、作家性の強いガンダム漫画が連載されていた。

注5／編集者として、MSVやMS-Xなどの企画をプロデュースした。クラフト団の代表として『プラモ狂四郎』の原作を務めた、'80年代ガンプラ・ブームの影なる仕掛け人。前述した「アニメグラフブック　劇場版機動戦士ガンダム」で、大河原邦男氏にザクのバリエーションを発注したのも、他ならぬ安井氏である。

注6／株式会社カラー制作の「日本アニメ（ーター）見本市」第33弾として制作された短編アニメ。万国巨大ロボット博覧会に出品された各国のロボットが、ロケットパンチや指から発射するミサイルなどで特撮的な戦いを展開する。原案・脚本・監督を片山一良氏が務め、出渕氏はロボットデザインを担当。

注7／第43話「スーパーロボット大集合」。国際ロボット見本市に、各国の誇る巨大ロボットが集まる。ここで触れられている中国のロボットとは、白虎王のこと。

注8／『ポケットの中の戦争』に登場するジオン側MSに与えられた設定で、パーツの共有化などによって生産性・整備性を向上させるという内容。手首が同じデザインであることの説明として機能している。

注9／富野由悠季監督のメモにのみ記載された番組未登場モビルスーツを立体化する模型企画で、「MS-X」として1984年に雑誌展開。ペズン計画は「MS-X」内の設定である。プロデュースはMSV同様、安井尚志氏。プラモデル化には至らなかったものの、ペズン計画で生まれたMSアクト・ザクは『機動戦士Zガンダム』に登場した。ザクの乗る砲台であるスキウレや拠点防衛用MSギガンも『機動戦士ガンダムUC』に登場したので、MS-Xの一部は公式設定化したと考えていいだろう。

注10／60年代に『ぼくら』『少年マガジン』『少年画報』などで活躍。グラビアページに詳細な設定とともに怪獣図解を掲載し、その一部は円

モデラーのギモンに出渕裕氏が即答。“ブチメカ”の謎に迫る!!

ギラ・ドーガのバックパック

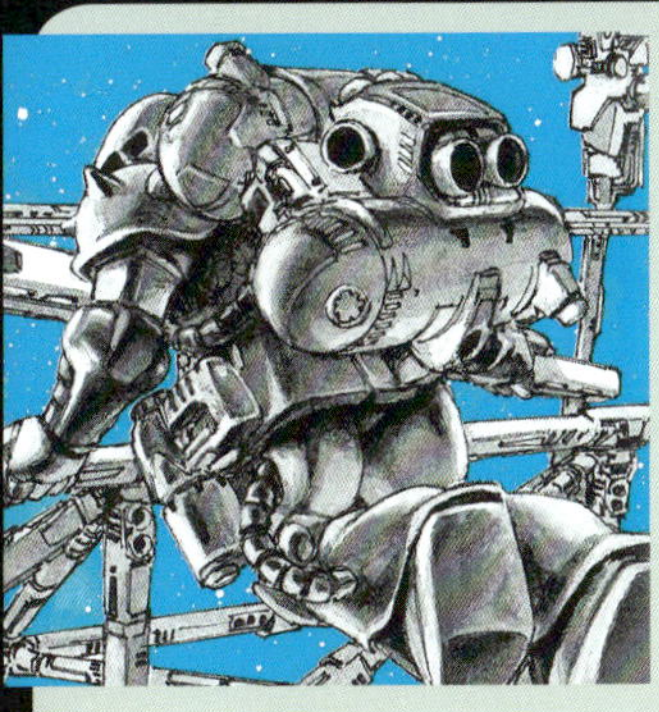

「ガンダムセンチュリーって、作品の外から“それらしいMS像ってこうなんじゃない？”と提示した最初の試みだと思うんです」（出渕氏）。1981年にみのり書房から刊行されたムック『GUNDAM CENTURY（ガンダムセンチュリー）宇宙翔ける戦士達』は公式スタッフだけでなくスタジオぬえも参加した史上初のガンダム世界の考証本であった。宮武一貴氏の作画した「冷却剤タンクを背負って作業するMS-06ザク」の挿絵は、MSの熱核反応炉の冷却問題というガチSFな発想をストレートに視覚化したもの。出渕氏は宮武氏の作画した冷却剤タンクをアレンジしてギラ・ドーガの背中に背負わせている。「ガンダムセンチュリーに載ってたMSの冷却剤タンクをファン目線でデザインにフィードバックさせて、オフィシャルのカタチに落としこんでいく作業も、じつは『逆シャア』ではやってたわけです」（出渕）。

ジム・コマンドの頭

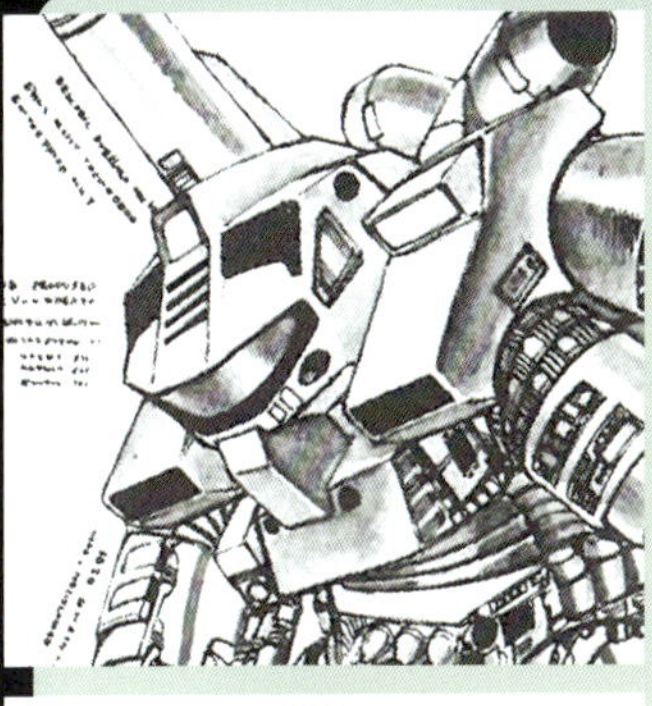

「ほとんどの人が気づいていないんですけれど、ジム・コマンドの頭って『宇宙の戦士』のパワードスーツの形を参考にしてるんですよ。横に広げると、スタジオぬえのパワードスーツにちょっと近いのね。全部がそうじゃないんですけど、意識はしているんです」（出渕）。

企画段階の『機動戦士ガンダム』が、ハインラインの小説『宇宙の戦士』の挿絵（スタジオぬえによる作画）を参考にしたのは有名な話。パワードスーツという呼称も含めて、モビルスーツの発想の原点へ遡るため、あえてスタジオぬえのデザインした『宇宙の戦士』を隠し味に使ったそうだ。「“MSってパワードスーツっぽいよね”という潜在的な感覚をデザインに落としこめられるのか、実験してみたんです。だけど、あんまり指摘してる人がいないってことは、逆に上手くいったのかなって（笑）」（出渕）。

“ブチ穴”解釈あれこれ

出渕氏のメカにある、あの規則性があるようなないような配列の穴。通称「ブチ穴」はどう解釈すればいいのだろう？「ハイゴッグの肩にある穴の処理と、イングラムのこめかみの穴の処理は違うと思うんですね。そもそも、穴の大きさが違う。まあ、この穴はデザインしたときに余白ができてしまって、何かアクセントがほしい部分でもあるので、軽量化の穴かもしれないしネジ穴かもしれないし、処理として統一されてるわけではないのが正解です。“こうしなきゃいけない”って決まりはないんじゃないかな」（出渕氏）。……とのことなので、模型で作るときに「こうすべき」という答えはない。ちなみに、ジム・スナイパーⅡのヒジとふくらはぎのブチ穴は「軽量化のための穴ではあると思うんですけど、抜けていないんですよね。イングラムにしても、こめかみはネジ穴だけど、肩の部分は軽量化の抜けだったりしますから、デザインとか機体によって違う」（出渕氏）。要するに、個人個人が好きなように解釈してよいのだろうか？「それで大丈夫なんじゃないですか？（笑）　僕の解釈とは違うねって言い方はするかもしれないですけど、モデラーの好きに作るのがいちばんなんですよ」（出渕氏）。

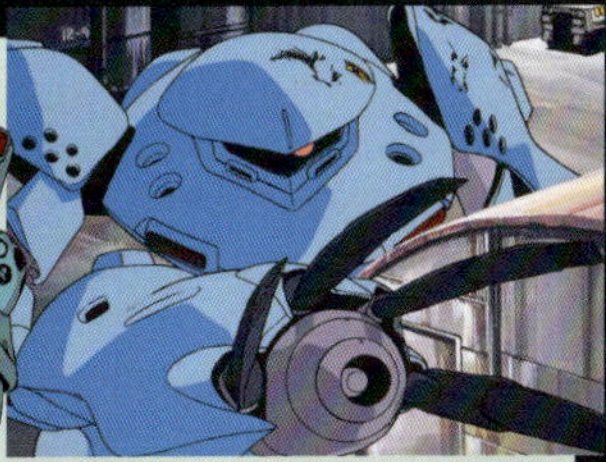

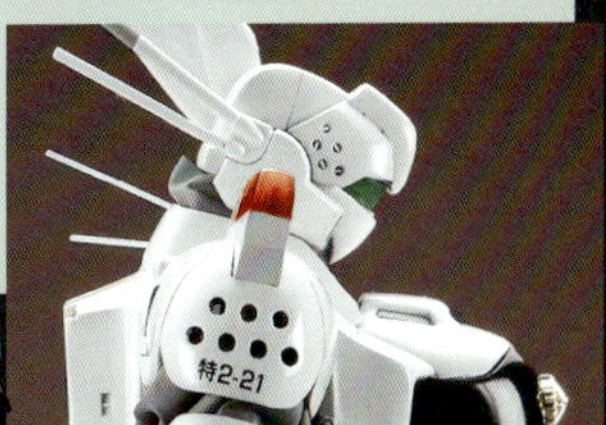

Special thanks : NAOKI, Kazunori YOSHIDA, HATA

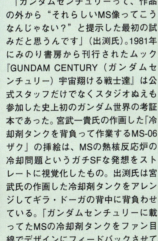

RGM-79 POWERED GM

そもそも「弱い」ことがアイデンティティーだったジムですが、時が過ぎてバリエーションを増やすとともに段々強そうな機体が登場してきます。「じゃあガンダムでええやん！」となったりもするわけですが、「試作ガンダムの装備テスト機」という設定で「強いジム」をうまく演出することに成功したのがこのパワード・ジム。なかなかガンプラにならない機体である本機がついにMGで発売となったので徹底工作で作り込み……って、パワード・ジムはやっぱり大改造になっちゃうのね（笑）。

RGM-79 パワード・ジム
BANDAI SPIRITS　1/100
マスターグレードシリーズ
インジェクションプラスチックキット
税込3240円
プレミアムバンダイ限定販売
出典／『機動戦士ガンダム0083 STARDUST MEMORY』
製作・文／**小森章次**

Model Graphix
2017年3月号
掲載

待望の「MG《マスターグレード》パワード・ジム」だからこそ、妥協せずに作り込んだらこうなりました！

1/100 MASTER-GRAD

けっきょく定番のMGジム・カスタム改造!!

12キットにはジム本体の部分にMGジム改のパーツが入っているが、作例はよりカトキ画稿のラインに近づけるべくMG ジム・カスタムを元に大改造。水色に見えるところが元になったジムカスタムのパーツ……って、定番改造ですがほとんど跡形も残ってません
3脚部は太ももで大幅に延長し、足（いわゆる"スリッパ"のところ）の形状を前後に長く扁平な形状に変更。ここはRX-78-2／ジム（改）のカトキ画稿の特徴を再現したい場合は非常に重要な箇所となる。作例ではパワードジムのパーツを元にはしているが、途中写真をご覧いただけばわかるとおり、ほぼスクラッチビルドに近い改造となっている
4頭部はキットパーツのアウトラインを活かしているが、バイザーのスリットの上下幅を狭くすることで、大がかりな改造をせずに、頭部が前後に長いように見せることに成功している
5改造の妨げになる内部フレームは切断、接続は真ちゅう線で行なっている

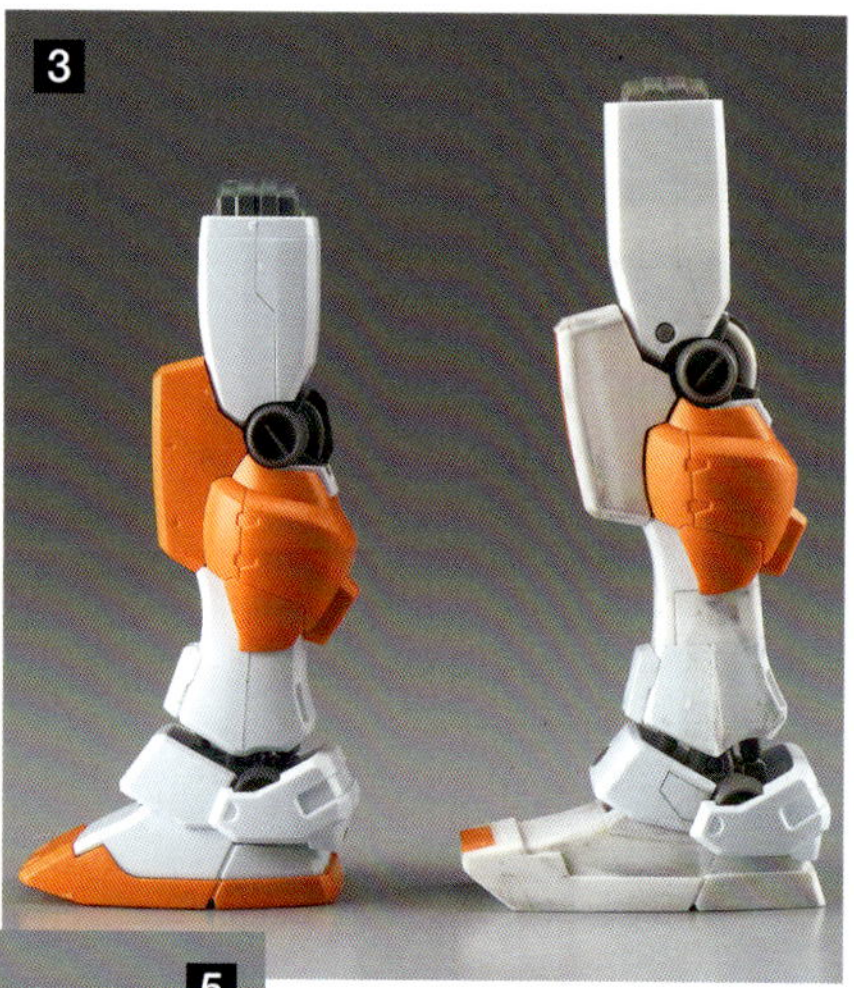
3

2

1

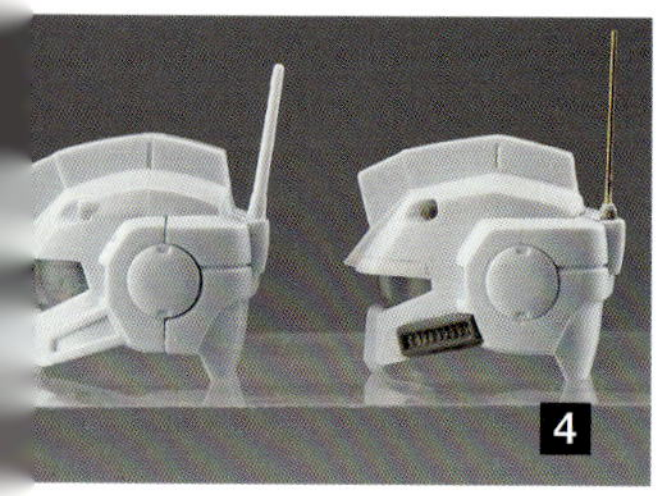
4

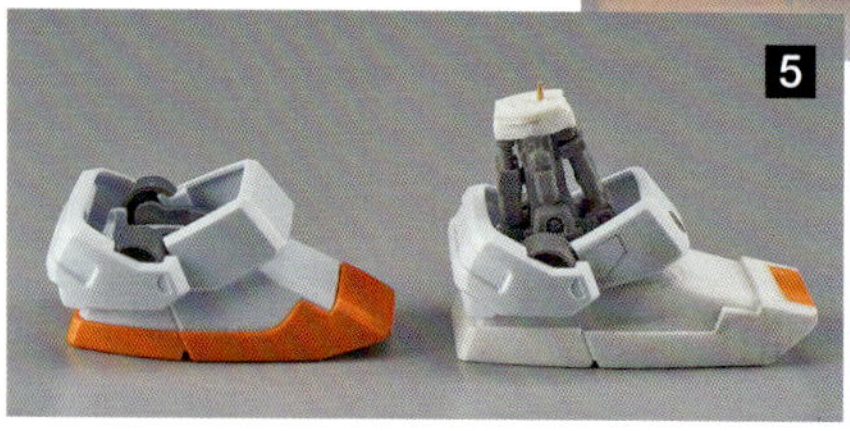
5

3つのMGと新規設計パーツのMIXで生み出された好バリエーションキット

『0083』1/100ジム補完計画進行中

プレミアムバンダイの本領発揮 バリエーションのお手本的キット

「アレとアレのキットがあればコレが作れるのでは……」というのはガンプラではよくあること。しかし自作箇所が意外と多かったりして、模型誌のミキシングビルド企画の顛末を見ればわかるように部分的にスクラッチビルドに近い工作をしないと完成しない場合がほとんどだったりする。そんなアイテムの代表的なもののひとつがこのパワード・ジムだが、ジム改、RX-78-2 Ver Ka、ガンダムMk-II（すべてMG）から必要となるパーツを含むランナーをかき集め、ランドセルや膝などを新規設計パーツで起こしてセットにしたのがこのMGパワード・ジムだ。

MGの製品化ハードルは高い。脇役のジム系バリエーションはなかなかMGになりにくく、通常販売製品では'09年のジムVer 2.0から今年発売のジム・スナイパーIIまで8年近く空いてしまったが、その隙を埋めているのがプレミアムバンダイ限定販売製品。既存のガンプラを活かしたマイナー機の展開はプレミアムバンダイの本領だが、そのなかでもこのMGパワード・ジムはバリエーション機を製品化する際のお手本的な手法と言える。ジム好きにとってはプレミアムバンダイ様々、今後の展開からも目が離せない。

（文／森 慎二）

●キットに入っているMG ガンダムMk-II Ver.2.0のランナーはハイパーバズーカ以外は不要パーツ、という豪勢な仕様。新規ランナーを入れつつできるかぎり既存金型をそのまま流用することで、コストを抑えてバリエーション機の発売を実現している

RGM-79 POWERED GM

よりカトキ画稿へ近づけるべく定番の大改造

●腰のヘリウムコアは、パワード・ジムの画稿だと正面の凹んだラインが、両側とも同じ向きなのだが、ガンダムと同じ左右対称形に変更（向きを変えただけ）。サイドスカートはRX-78-2 Ver.Kaのパーツを流用してアレンジしている
●バックパックのスラスターは、キットパーツだと大振りな印象で外面にモールドもない。そこで、MG フルアーマーユニコーンガンダムに入っている94式ベースジャバーからスラスターのパーツを流用した。小振りで外面にディテールが入っており、交換するだけでも締まった印象になる
●キット付属のバズーカのパーツはマッシヴな本体に対してちょっと細い印象なので、MG RX-78-2 Ver.2.0のパーツを流用してディテールを移植した。シールドはキットのパーツをほぼそのまま使って製作している

「極上のガンダム」を作らねば！
モデルグラフィックス編集部／編
大日本絵画／刊
A4判ソフトカバー
112ページ(オールカラー)
定価（本体3800円＋税）

GM改とRX-78-2 Ver.Ka製作のヒントが満載！

P48の記事で詳しく触れているが、ジム・カスタムからジム改に至るMGでのジムバリエーションは、スタート地点がNT-1のフレーム流用と言うところからはじまったこともあって、ガンプラ独自の立体アレンジが施されている。極力画稿に近いイメージのカトキ版RX-78-2／ジム改を製作したい場合はかなりの改造が必要となるが、改造の定番の手法がMGジム・カスタムを元にするというものだ。

この手法で数々の作例が製作されてきたが、総決算として決定版を目指し製作されたのが、『「極上のガンダム」を作らねば！』掲載の1/100 RX-78-2。本作例はその手法と立体バランスを参考にしつつ、パワード・ジムのバランスに合うように調整を加えて製作されている。

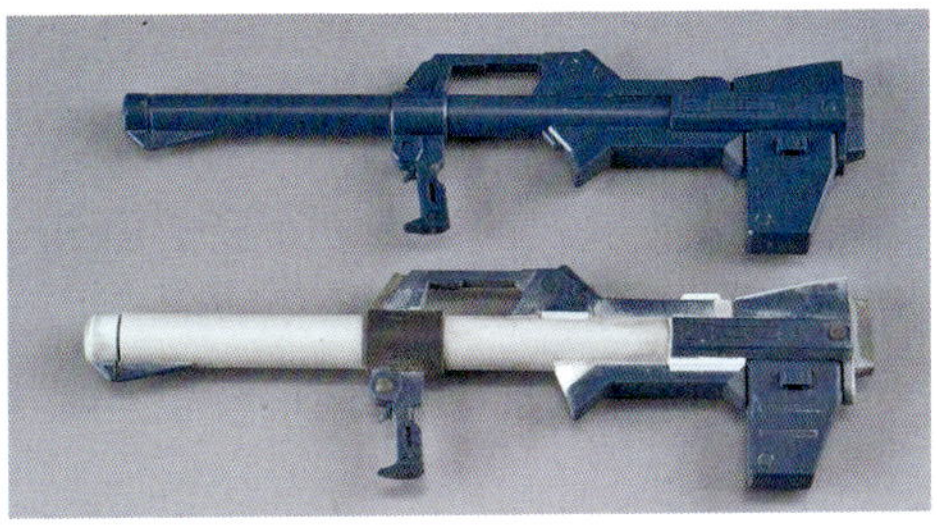

昨年の夏の会話。『プレミアムバンダイのMGパワード・ジム、作ってみたいですよねー（新製品だし、もちろんお手軽に）」、「いいですねー（パワード・ジムなら徹底的に作り込むに決まってるよね!?）」というありがちなすれちがいがこの作例のはじまりでした。さっくりストレートに組むつもりが、編集部に打ち合わせに行った際に、あの『センチネル0079』掲載の伝説のRX-78-2の実物を見せられてしまい、感動するのと同時に、これはとことんやるしかないなと。そんなこんなで、半年をかけて徹底的に作り込んだのが本作例です。

パワード・ジムといえば『機動戦士ガンダム0083』の第1話冒頭のシーンにしびれた方は多いのではないでしょうか？ ザク3機を圧倒するパワードパックを装備した鮮烈なオレンジのジム。GPシリーズのテスト機という設定とそれに合わせたカラーリング、「普通のジムとはひと味違うんだぜ感」がたまらない！ 数あるジムのなかでも大好きな機体です。

本誌に載せる作例ですから、もちろんカトキ画稿と『センチネル0079』RX-78-2作例の造形を目指します。まずはベースになっているジム改の形状をつきつめていくことになりますが、ベースにするのはMG ジム・カスタム。すでに確立された方法論ですが、MGジム改のパーツを使うより、ジム・カスタムを元にするほうが画稿の雰囲気に近づける近道です。単行本『極上のガンダムを作らねば！』に掲載されている、すばらしい岡プロの作例を参考にしつつ、レジンキャスト複製やスクラッチビルドはなるべく避けて製作していきます。元にしたのは、基本的にMG パワード・ジムとジムカスタムですが、腰まわりなど部分的にMG RX-78-2 Ver Kaも使用しています。実際の工程としては胴体→脚部→腕部→頭部という順で進めました。

◆製作

頭部はMG パワード・ジムのパーツを使用しますが、ヤスリでエッジを立て直し、カメラアイが大きい印象だったので上側をプラ板で足しました。バルカン砲、頬のダクトは市販パーツを流用します。

胴はジム・カスタムを使い、『極上～』のRX-78-2と改修方法はほぼ同じですが、胸に追加のダクトが付きますので、お腹まわりを細めにしてメリハリを出しています。

追加バックパックはほぼパーツのままですが、胴体が変わっているので隙間はプラ板で埋めます。内部フレームは後ハメ加工して塗装しやすくしています。

脚は全体に短めで、ヒザ下の長さも短い印象です。そこで太ももを縦方向に切断しつつプラ板で延長して細くしたのですが、パワード・ジムは上半身にボリュームがあるため、あとで太めに戻したりしています。足はパワード・ジムのパーツを元に、プラ板を貼り扁平に。ヒザ下をプラ板で延長しつつ胴体とのバランスを確認して脚部の長さを決めました。この時点でヒザアーマーのボリュームが足りない印象になったので、プラ板で大型化しています。ふくらはぎはオレンジの部分で唯一キットのままのところ。足首アーマーは小型化しました。

腕部は、肩と前腕の形状が画稿と異なるので、プラ板を使い形状を変更。前腕はプラ板でかなり延長しています。改造で消えてしまうディテール部分は、くり抜いて別の新しいパーツから移植しました。 ■

●Ver.2.0のような全身フレームではなく要所に内部メカフレームが再現された構造で、MGにおいてフレーム構造が確立されていく過渡期のキットだ
●ジム・ライフル、ジム・コマンドと同形のマシンガン、シールドが付属。可動指の手の他に平手、握り手が付属する
●コクピット開閉ギミック搭載
●軟質素材で成型された1/20サウス・バニング大尉のフィギュアが付属する

RGM-79N
ジム・カスタム
マスターグレード
1/100　発売中
税込3240円
1999年発売

MGにおけるフレーム共用系ジムキットの始祖

2ヶ月前に発売されたMG RX-78-2 NT-1のバリエーションキットで、NT-1のフレームがほぼそのまま使われている。MGシリーズにおいてRX-78-2／RGM-79以外で「フレーム共用で外形が異なる別機体をバリエーション化する」という手法をはじめて用いた画期的なアイテムだ。

フレームの共用だけでなく、ともにオーガスタ系の機体ということで前腕と脚部をアレックスと同様の意匠にしたところがモビルスーツ設定解釈としては非常におもしろく、立体としてのまとまりもよいが、『0083』の設定画とは形状が変わっているところは好みが分かれるところだろう。発売当時は、ジム・カスタムとしてどうこうというよりは「ようやくRX-78-2 Ver Kaの形の胴体／脚がパーツ化された!!」ということでモデラーが盛り上がり、模型雑誌でもこのキットを大改造したRX-78-2 Ver Ka作例が多数製作された。

マスターグレードのジムといえばオレたちのことを語らないのはモグリだろ!

1/100 MG「RGM」系ガンプラ 備忘録的カタログ 1999-2017

ここまでの特集記事であまり触れられなかった“残り”の1/100 マスターグレード ジム系ガンプラをここでまとめてご紹介！ アイテム的にはどれもジミめだけれど、エポックメイキングなアイディアを隠し持っていたり、シリーズ中でも充実した内容を誇る名キットばかりなので、このジムたちも忘れずに作ってあげてね～。

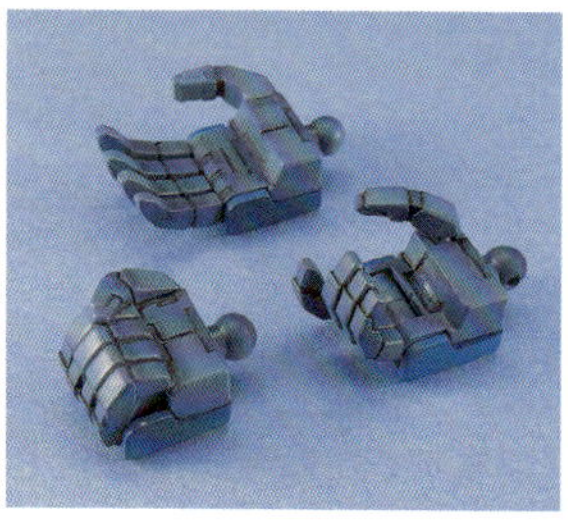

●フレームはNT-1、ジム・カスタムと共用。設定画ではプロポーションや装甲外形が異なる3機なので、ガンプラ化にあたっては、全体にアレンジを施すとともに、思い切りのよい形状の統一も図られている
●ジム・ライフル、ネモと同形のビーム・ライフル、シールドが付属。可動指の手の他に平手、握り手が付属する
●コクピット開閉ギミック搭載
●軟質素材で成型された1/20ニナ・パープルトンのフィギュアが付属する

RGM-79Q
ジム・クゥエル
マスターグレード
1/100　発売中
税込3240円
1999年発売

MGジム・カスタムと同時発売 ジムマニア感涙の初ガンプラ化

『0083』のラストにチラッと登場しただけのジム・クゥエルは当時のジムマニアの心をわしづかみにしたが、ガンプラ化はないだろうと思われていた。それがよものMGジム・カスタムと同月発売。ジム好きにとって、この'99年の10月は盆と正月が同時に来たようなものだった。

ジム・クゥエルはMGが初のガンプラ化。アニメ本編にもほんの少ししか登場せずイメージが固まっていなかったジム・クゥエルだったが、このMGによって形状や設定が明確になり、それはやがてヘイズルなどのバリエーション展開へと繋がっていった。

フレームは、ジムカスタム同様NT-1と共用。外見がまったく異なるこの3機をひとつの共用フレームでバリエーション化した一連の流れは非常に野心的な試みで、人により評価はまちまちだが、ジム系マイナー機体のMG化の手法としては画期的で評価に値するものだったことはたしかだ。

●脚部のビーム・サーベル収納部、コクピットハッチは可動式
●バックパックは陸戦型ジムのデザインのものになっているが、陸戦型ガンダムやEz8のものを装着することが可能
●武装はビーム・ライフル、100㎜マシンガン、ミサイルランチャー、ミサイル弾頭、ロングレンジ・ビーム・ライフル、ビーム・サーベル、シールドが付属
●MG RGM-79［G］ジム・スナイパー（発売中　税込3780円）では、外付けジェネレーターやカモフラージュネットなどが新規パーツで付属する

RGM-79[G] 陸戦型ジム
マスターグレード
1/100　発売中
税込3240円
2001年発売

(ほぼ)全身フレーム構造を活かした正統派バリエーションキット

『第08MS小隊』はアニメの演出面で好き嫌いが分かれる作品で公開当初はガンプラもそれほどの盛り上がりを見せなかったが、'00年代に改めてMG化されていく過程ではいろいろな新機軸が投入された。

'00年に発売されたMG 陸戦型ガンダムでは、はじめて全身フレーム構造が採用されたが（正確には胴体部のみ外装パーツがフレームを兼ねている）、それを共用とすることにより、半年程度という短いスパンでMG Ez8と陸戦型ジムの発売を実現した。その後少しあいだは開いたが、'06年にはRGM-79［G］ジム・スナイパーまでバリエーションとしてリリースされている。

MG陸戦型ジムは、MG 陸戦型ガンダム、Ez8同様、全身フレームによる確かな可動と豊富に付属する武装パーツでプレイバリューの高いキット内容となっており、フレーム内蔵のMGフォーマットが確立された時期における隠れた秀作キットだ。

●全身フレームには、伸縮／連動可動するシリンダーギミックを搭載。胴には変形を廃したコア・ブロックが入る
●コクピット開閉ギミック搭載
●機関部が共用化されていて組み替え可能な90㎜マシンガン／ジムライフル（余剰パーツを腰部に装着可能）、ビーム・スプレーガン、ビーム・サーベルが付属。なお、ビーム・スプレーガンはこのキットに特有の照準センサーがあるタイプだ
●同年にバリエーションとして赤／薄緑の「スタンダードカラー」も発売されている

RGM-79C ジム改
マスターグレード
1/100　発売中
税込2700円
2002年発売

さらにブラッシュアップされた全身フレーム構造を採用

MG RX-78-2 Ver.Kaと共通の新全身フレーム設計で半年前にリリースされたMG ジム改。PGやMG RX-78-2 Ver1・5から技術がフィードバックされた、広い可動範囲とディテール表現を両立したフレームを内蔵しつつ、組みやすいパーツ構成なところが最大の特徴だ。近年のビルダーズパーツシステムウェポン的な発想の先駆ともいえる組み替え式マシンガン／ライフルも採用されている。

フォルムに関しては、『センチネル0079』や『0083』の画稿とはかなり異なるラインでまとめられている。はっきり言って画稿とは別物なのだが、共通のデザイン意匠を持っている先発のMG NT-1～ジムカスタム～ジム・クゥエルと違和感がないようなまとめ方になっており、並べてみると共通点や差異がおもしろく、ガンプラとして納得がいくアレンジとなっていることに気づかされるだろう。

◀**RGC-80 ジム・キャノン**（'15年発売　プレミアムバンダイ限定 税込4320円）。MGジムVer.2.0に新規パーツを追加したバリエーション。右胸上方をえぐる独特な搭載方法のキャノン砲は、内蔵フレームと干渉せず可動するように絶妙な配置になっている。武装はビーム・スプレーガン、ハイパー・バズーカ、シールドが付属。水転写式デカールが付属する

◀**RGM-96X ジェスタ**（'13年発売　税込4320円）。精悍で色分けもほぼ完璧な外観、精密なディテール表現の内蔵フレーム、非常に可動範囲が広い可動ギミック、エモーション・マニピュレーターSPの採用、別売オプションでバイザーをLED点灯できる構造の採用など、PGに迫ると言っても過言ではない濃い内容で、MGシリーズ屈指の傑作キットと言える

◀**MSA-003 ネモ**（'06年発売　税込3024円）。肩関節を除く全身にフレームが内蔵され、MG ガンダム Ver.OYWで採用された股関節の前後移動や、MGガンダムMk-II Ver.2.0のシールドの伸張／ロック機構、HGUCヘイズルで採用されたプレートではさみ込むようなヒジ関節構造といった、当時の最新技術が惜しげもなく投入された意欲的内容のキット

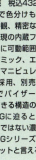

Ver.2.0準拠で初MG化されたジム・キャノンを作り込む。

やられメカのはずなのに大砲を担ぐだけで一気に強くなったような気がする、それがジム・キャノン。でもあえて両肩じゃなくて右肩に一門だけ、そんな「強さと弱さのボーダーライン」上のバランスが秀逸な名機ですが、それがついにマスターグレードで製品化されました！　30年以上も待望され続けた1/100ジム・キャノンの初ガンプラ化ですから、これは全国5千万（推定）のRGMファンのためにも全力で作り込むしかないわけなのです！

●MG ジム Ver.2.0準拠のバリエーションキットということで、本体はアニメテイストの「弱いジム」のイメージ。このイメージを殺さないようにほどよくカッコ良く強そうにアップデートするには意外と繊細なアレンジのコントロールが必要となってくるのだ。作例ではそこを狙ってみた

RGC-80 GM CANNON

RGC-80 ジム・キャノン
BANDAI SPIRITS 1/100
マスターグレードシリーズ
インジェクションプラスチックキット
税込4320円
プレミアムバンダイ限定販売
出典／「機動戦士ガンダム MSV」
製作・文／**小森章次**

RGC-80 GM CANNON

◀▲製品（左写真右側）は当時のデザイン画稿のディテールをよく再現しているが、Ver.2.0準拠でちょっとあっさり気味にまとめられている。なのでランドセル中央部の丸モールド部に市販のマルイチモールド状パーツを埋め込んだり、パネルラインを掘り直したりして情報量UP。またランドセル左側は右肩キャノン用のカウンターウェイトブロックを追加した

▼▶製品（写真左）のもっとも気になるトコロ、それは胸部の右肩口だ。設定画と異なり、２４０㎜キャノンが胴体側にめり込んでいないのだ。作例は約４㎜ほどキャノンの接続位置を下げている。肩口の内部には肩関節フレームが存在するので、現物合わせで胴体側を少しずつ削る必要があるが、こだわる人は挑戦してみよう。また、キャノン基部の歯車が単調な形だったので実物の高射砲を参考に削り込んで形状を修整している

▲製品はMG ジム Ver.2.0と同じ武装、つまりビーム・スプレーガンとシールド、バズーカが付属する。ビーム・スプレーガンは『センチネル0079』版ジムカラーで塗装したのにあわせてカトキ風に改造した。設定画を見ながらプラ板でキャリングハンドルなどを鋭角的に作りなおすだけでそれっぽくなる。また、オマケでスナイパーライフル（モデラーズカップ2005の景品）も製作。キャノンなのに狙撃銃携行、と一年戦争末期の現場の混乱を象徴するような泥縄式アセンブルが却って“らしい”気がするが、いかがだろうか？

RGC-80 GM CANNON
E.F.S.
08

3

2

1

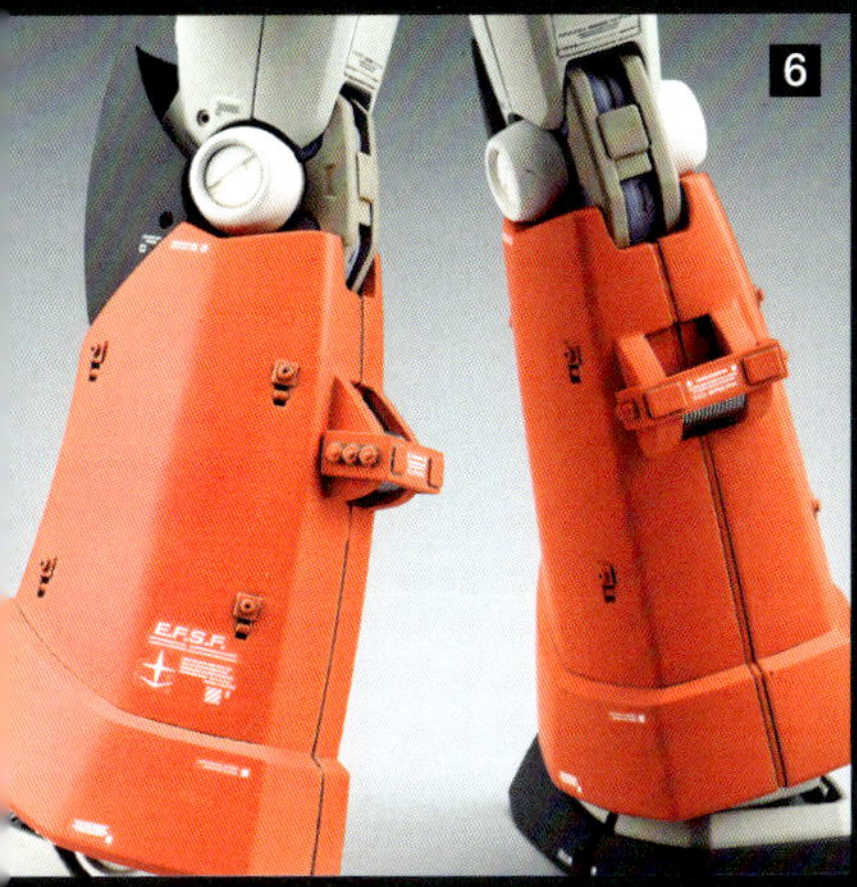

6

5

4

8

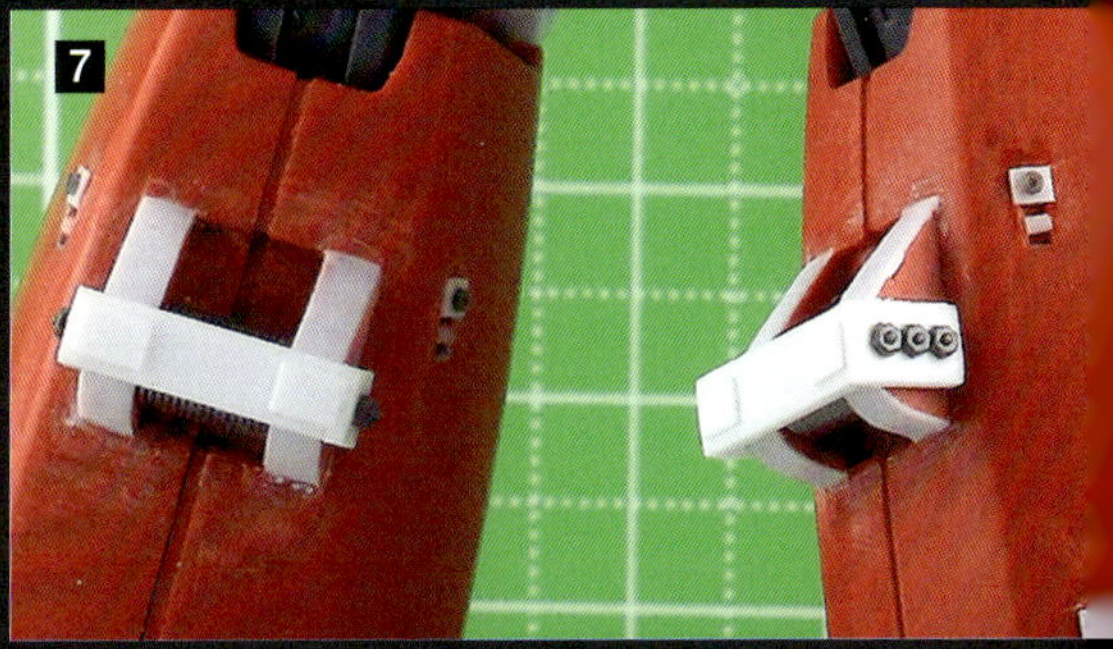
7

1 MSVということで、肩アーマー側面に細切りプラ板でリブモールドを足したり左胸上部を切り欠いて内部にメカディテールを組み込むなど、思いつく限りリアル風ディテールを盛り込んだ。右胸奥は開口してメッシュを貼った
2 3 サイドアーマーは張り出しのある形状が好みだったのでMG ガンダムVer.2.0から流用。オマケでジム・スナイパーカスタム風のフロントアーマー増加装甲を用意し、磁石で着脱できるようにした
5 リアアーマーの予備弾倉ラッチもあっさりしていたので、ガンダムMk-IIのラッチ形状を真似るついでに弾倉を磁石接続できるようにしている
4 6 7 8 すねの赤い増加装甲は元デザインからしてあっさりとした外観。そこで、側面数ヶ所を彫り込んでプラ板とプラ棒を埋め込むことで吊り下げフック状のディテールを追加した。また、ふくらはぎに飛び出しているパーツ（7）もどんな機能を持つのか判然としないので、左右割りのスネ増加装甲を留める役割を持つ部位と推測し、機体整備時にこの留め具を外して整備を行なうという想定でそれらしいディテールにアレンジしている。現用戦車の砲身留め具などの資料を参考にプラ板などで整形して製作した
9 製作途中。量産機のイメージを優先して、胸／腕／太ももなどに、間延びせずムダに主張しない、無機質なディテールを狙ったスジ彫りを足している

32年の刻を越えてついにジム・キャノンがMG化です。MSVブーム全盛のあのころは高機動ザク……と比べると差をつけられていましたが、渋い設定、当時としてはジムの数少ない派生機の代表格とあって人気の機体のひとつでした。1／100のジム・キャノン自体が今回初のプラモデルなので、待ち望んでいた人も多かったことでしょう。製作にはかなり力が入りました。

◆製作

製品は傑作キットMG ジム Ver2.0をベースに新規パーツを組み合わせた構成。プロポーションは良好なのですが、あっさり気味のディテールをはじめ個人的には気になる部分があるので、重箱の隅をちょこちょことつついていきます。胴体は設定画だと右肩のキャノンが胴体にめり込んでいますが、キットはチョコンと肩にキャノンが乗っている状態なので構造を変更します。そのままだと肩関節のフレームに干渉するので、シリンダー部分は取り付けず、さらにH24パーツも上面を削っておきます。キャノンの取り付け部分をエッチングソーなどでキレイに切り取り、プラ板加工で約3・5～4㎜キャノンを下げることができます。現物あわせの作業でしたのでなかなか文章で表現するのは難しいですね。

手首はMGジェスタのエモーションマニピュレータSPに変更。角ばった指の形状がメカらしいイメージに貢献してくれますし、全指がフル可動なので一挙両得です。

新規設計の足首パーツ。厚底化&大型化されてますが、まだちょっと小さい印象です。全体に0・3㎜のプラ板を2枚重ねて貼り付け、大型化しています。

作業中にノッてきてしまい、シールドはノーマルタイプと陸戦タイプの2種を用意してしまいました。ノーマルタイプはもちろん十字モールドナシです。

◆塗装

カラーリングはやはりセンチネルのイメージです！ これしかありません。番号はすべてGSIクレオスのMr.カラーです。

●グレー／315番グレーFS16440＋クールホワイト＋22番ダークアース少量
●ピンク／79番シャインレッド＋クールホワイト＋色の源マゼンダ少量＋58番機黄橙色少量
●ホワイト／316番FS17875＋ウイノーブラック数滴
●濃いグレー／40番ジャーマングレー＋71番ミッドナイトブルー＋22番ダークアース数滴
●関節カラー
グレー1／クールホワイト＋22番ダークアース＋ウイノーブラック数滴
グレー2／13番ニュートラルグレー＋クールホワイト＋色の源シアン少量
グレー3／127番コクピット色＋クールホワイト
●武器／13番ニュートラルグレー＋ウイノーブラック

デカールはガンダムデカール ジムVer2.0用、ウェーブXデカールホワイト、ハイキューパーツ RB01ホワイト、VertexコーションデカールVol-1グレーを使用しました。

MGジム・キャノン、自分も含めた古参モデラーを魅了し受注も好調だったとか。次のジムバリエーションも期待大です。■

RGC-80 GM CANNON

GM SNIPER CUSTOM RGM-79SC

Model Graphix 2018年1月号 掲載

RGM-79SCジム・スナイパーカスタム
BANDAI SPIRITS　1/100
マスターグレードシリーズ
インジェクションプラスチックキット
発売中　税込4320円
出典／『機動戦士ガンダム MSV』
製作・文／**小森章次**

ここのところ『MSV』からのマスターグレード化攻勢はいったんは途切れていたのだが、『ガンダムUC』の影響によるものか、ここ数年高まり続けるジム人気にあやかるようにしてMG RGM系バリエーション展開がじわじわと再燃。そしてついにMGジム・キャノンから遅れること約2年、ついにMGジム・スナイパーカスタムがきました！ジムファミリーの花形選手がついにMG化を果たしたということで、キットレビューを担当するのは『MSV』直撃世代の小森氏。待望のアイテムを丹念に作り込む。

より往年のスタイルに近づけるために……

MSV画稿よりも今風に精悍な印象となった本製品。MG ジム Ver.2.0などと並べたときのことを考えたためか脚部のバランスは絞られスマートになった。いっぽう当時の画稿はヒザから下が非常にボリューミーに描かれており、このイメージも捨てがたい……ということで作例の足首は本製品よりもひとまわり大きいMGジム・キャノンから流用して大型化。アンクルアーマーもプラ板で大きくした。また腕部やモモにはプラ板を全面に貼り込み、ゆるくテーパーのついた断面形からエッジの立った四角形の断面形に変更している

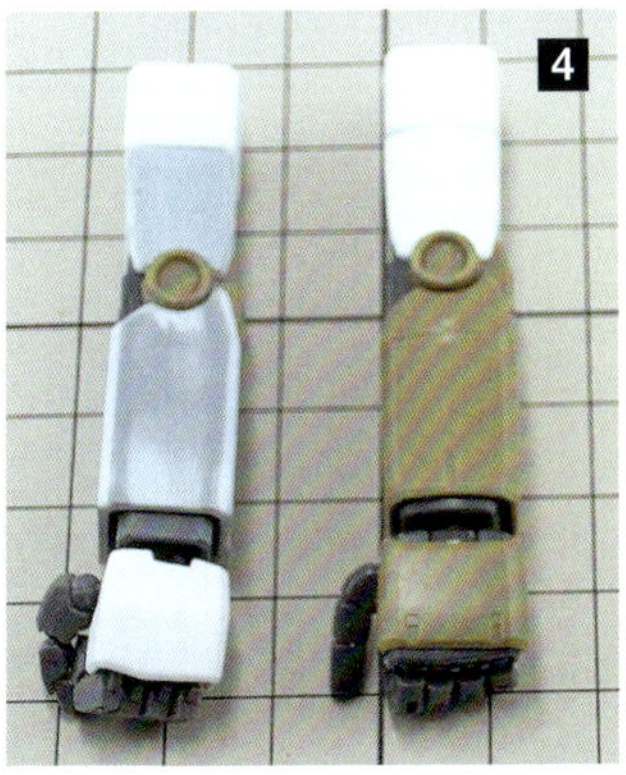

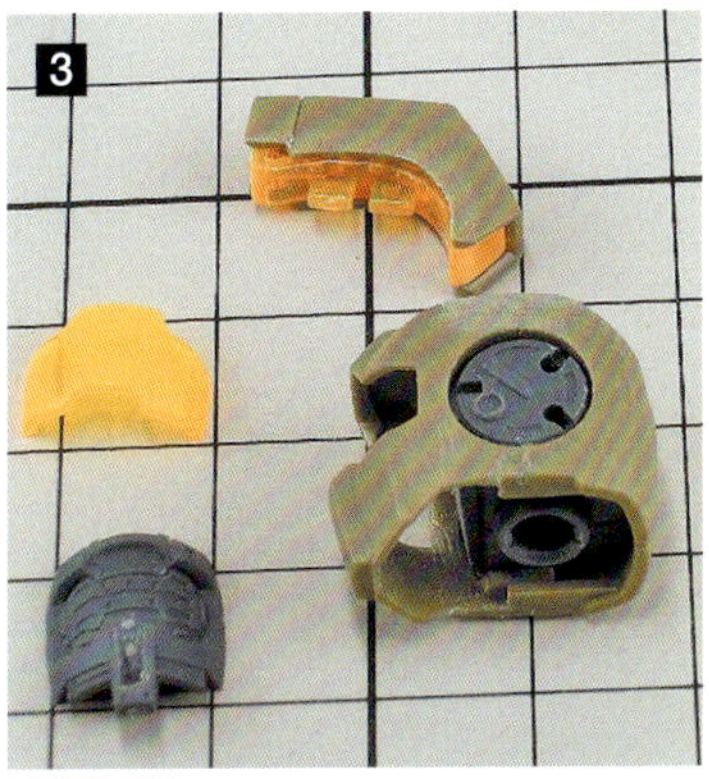

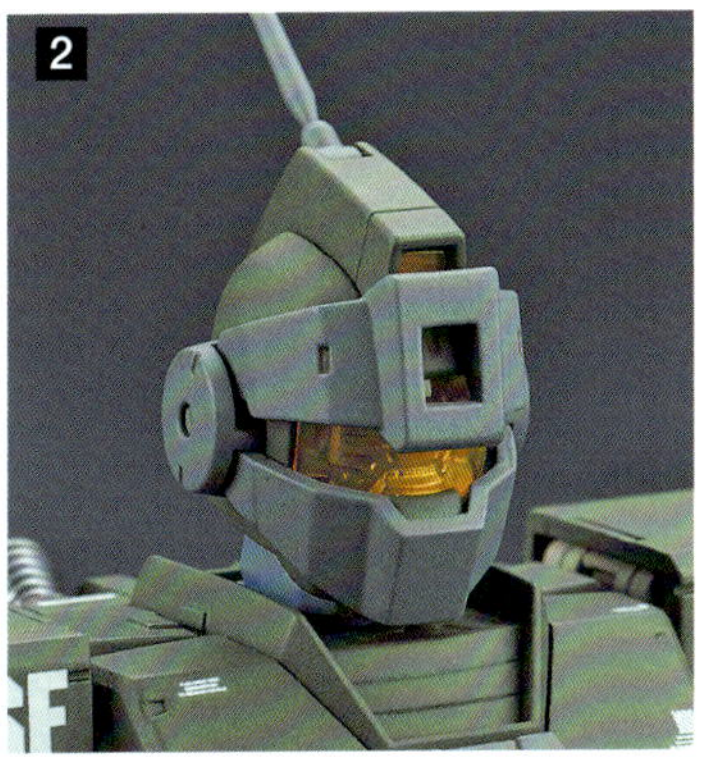

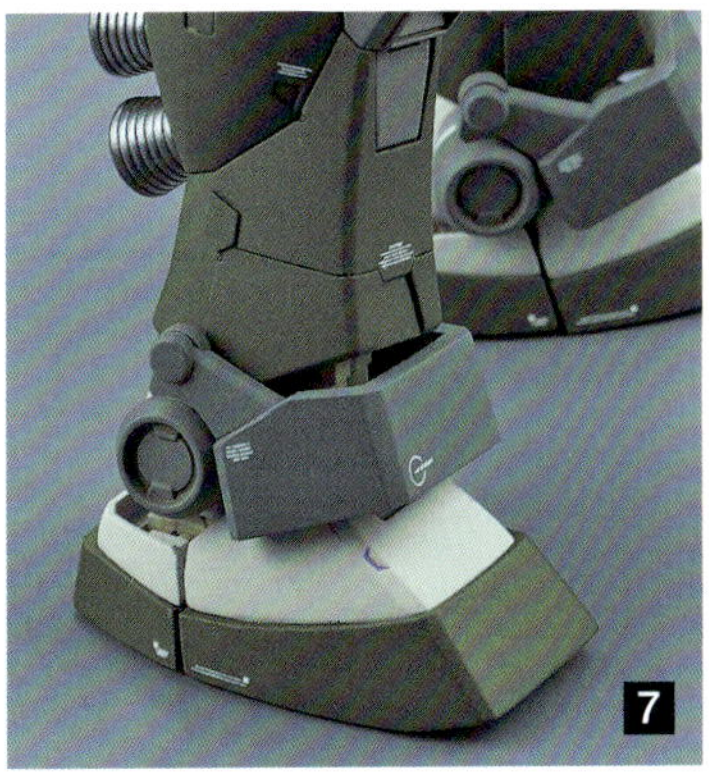

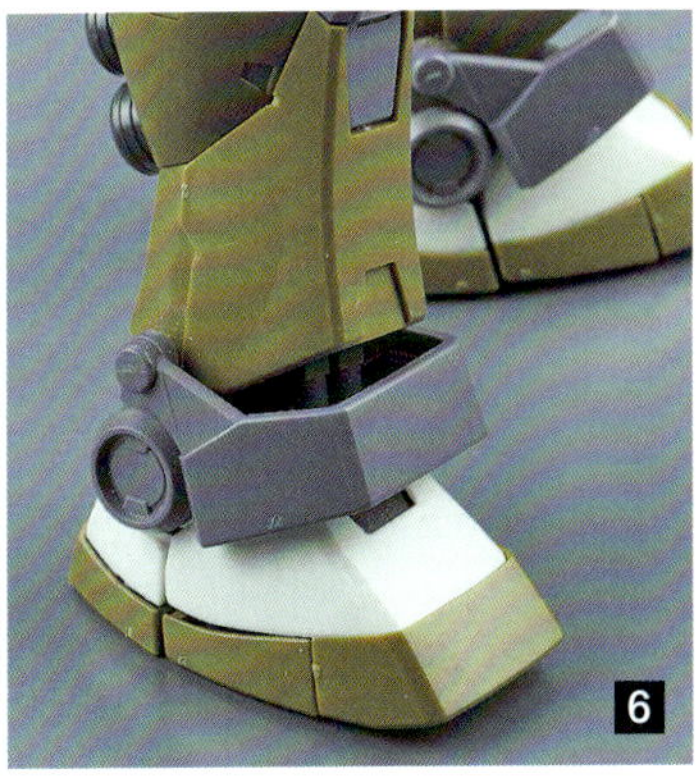

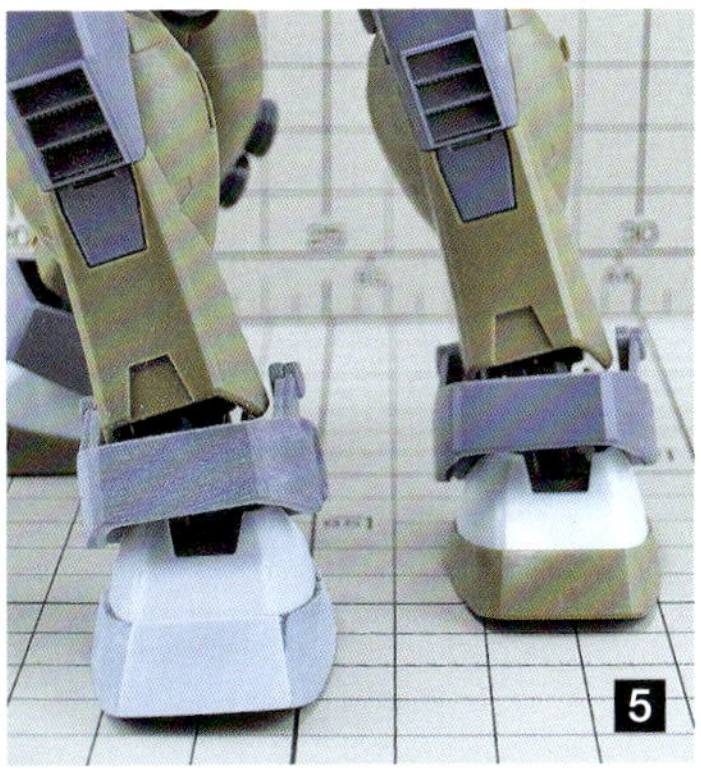

1 2 バイザーのアゴの左右を削り込んだほか上下バイザーのかみ合わせ形状を昔の画稿に準ずる形に修整している
3 頭は前後に分割線が出るので、そこを接着しつつカメラ部などを画像のように切り分けて後ハメ加工した
4 腕の面取りや面構成を鋭角的にするために角などにプラ板を貼り、瞬着パテで形状を変えエッジを立たせた。ボックス型サーベルユニットは左腕についた画稿もあるので、磁石を内蔵し両腕に取り付け可能とした
5 6 7 足首はMGジム・キャノンから流用し、0.3㎜プラ板を貼って大型化している。足首アーマーも上側0.5㎜プラ板、下側1㎜プラ板で大型化。厚みも1㎜プラ板で追加した

'15年にプレミアムバンダイでMGジム・キャノンが受注販売されたあたりから1／100ジムシリーズが充実してきましたね。MGジム・スナイパーⅡが発売されたときに「スナイパーⅡもいいけどスナイパーカスタムがほしい！」と切望した方は少なくないと思います。そんなこんなでついに発売となりましたMGジムスナイパー・カスタムですが、本体は、きっちりと昔の絵のポイントは拾いつつ今風なまとまりのあるキット構成になっています。ジムVer2.0のフレームを使うことで他のジム製品と画一化が図られました。ジムの開発系譜に説得力が生まれ、さらに今後のバリエーションも期待できます。ジム・キャノン、ジム・スナイパーとMG化されたので、次はジム・ライトアーマーはあたりいかが？（そこまではまだ時期尚早かな？／笑）

今回は、大河原氏のMSV画稿に酔いしれた世代として、なるべく画稿の雰囲気を落とし込んでいくことにします。

◆**製作**

頭部はジム2・0の流用かと思いきや新規パーツ。バイザーのアゴ部分を削りつつ、覗き穴がちょっと大きく感じたのでプラ板を内側に貼って小さくしています。メインカメラは後ハメ加工して下からすっぽりカメラ部分が入るようにしています。アンテナは市販パーツに交換して細くしました。

胴体、コクピットハッチの正面には微妙な角度でアールがついています。画稿のイメージと少々印象が異なるので、今回はあえてヤスリがけして平らにしています。またコクピットまわりは可動クリアランス確保のための隙間が目立つので、0・3㎜プラ板を貼り込んで隙間を埋めちゃいました。

前腕のボックス型ビーム・サーベルユニットは製品の指定では右腕に付けるのですが、旧キットでは左腕に付いています。どうやら『機動戦士Zガンダム』にゲスト出演したあたりから左右反転した画稿が見られるようになったみたいですね。今回はネオジム磁石で両腕に取り付け可能に。またキットの拳はかなりでかいので、MG ZZ

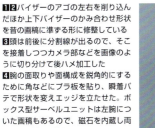

RGM-79SC GM SNIPER CUSTOM

●製品は特徴的な胸のダクトやランドセルが忠実に再現されている。このあたりは素のジムから自作するとなると結構骨が折れる部分なので、本当にキットを発売してくれたのがありがたい……長年待ち続けた甲斐がありました。
●キットの腕部はシンプルな外観なので、『マスターアーカイブ モビルスーツ ジム』（ソフトバンク クリエイティブ）のイラストを参考にしてスジ彫りを追加している
●バックパックやふくらはぎのスラスターは市販パーツに置き換えて密度感UP

MGジム2.0準拠の可動フレーム内蔵

製品は腕、脚などにMGジムVer.2.0のフレームを採用（一部を除き従来のABSからKPSに素材が変更された）。歴代MGジムキットとの並びざまを考えたプロポーションリファインが施されている。もちろんジムVer.2.0譲りの可動範囲はすばらしく、狙撃ポーズもラクラク取れちゃうぞ

▼『MSV』ファンに知られるフランシス・バックマイヤー中尉機の仕様を再現できる武装が付属。R-4型ビーム・ライフルと二連ビームガン、ボックスタイプビーム・サーベルユニット、折り畳み式ハンドガンが新造形だ。武器は腰やふくらはぎ、腕部など各所にマウントできる

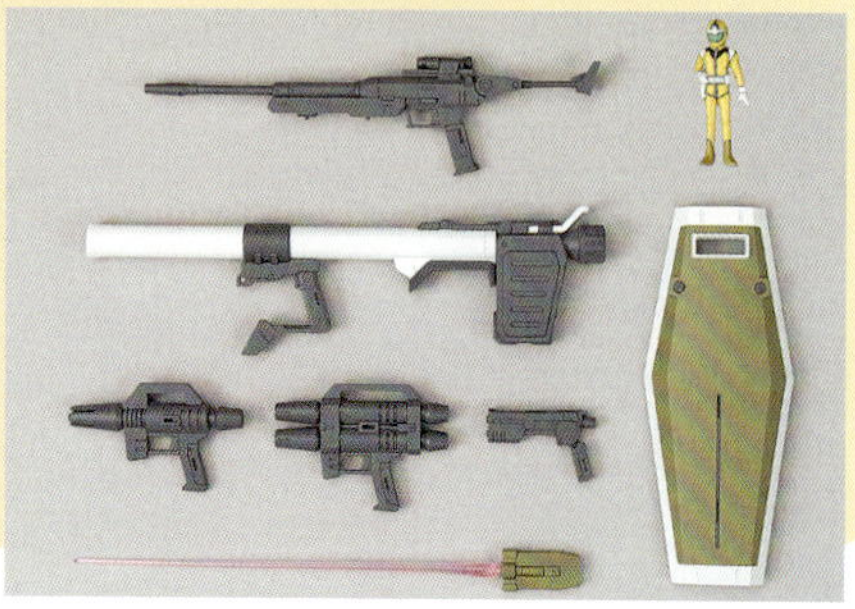

本製品の箱絵、なんだか既視感がある……と思ったら、往年の「1/144 ジム・スナイパーカスタム」の箱絵とそっくり！ そう、じつは旧キットボックスアートのジム・スナイパーカスタムのその手前にはもう一機ジム・スナイパーがいた！ という、カメラ視点をずらした構図になっているのだ。僚機にハンドサインで指示するところや、こっそり映り込むジム・キャノンやジム・ライトアーマー、そして右下奥に小さく見えるホワイトベースなども再現！ ついつい見比べたくなるナイスオマージュです♪

MSVファンならグッとくる構図にニヤリ じつはあの箱絵を「視点変更」したものなんです

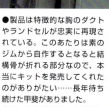

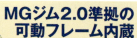

RGM-79SC GM SNIPER CUSTOM
E.F.S.F. MASS-PRODUCED MOBILE SUIT
Overall Height : 18.5 m
Full Weight : 75.3 t
Generator Output : 1390 kw
Armor Material : Titanium-based alloy
Total Thrust : 68000 kg
Armament : Box-type Beam Saber Unit
R-4 Type Beam Rifle
BOWA BR-M-79C-1 Beam Spray Gun
BOWA BR-M-79C-3 Beam Spray Gun
Folding Beam Handgun
Hyper Bazooka
Twin Beam Gun
90mm Machine Gun
Shield (Large or Short type)

●「一年戦争時、エースパイロット向けに用意されたジム・スナイパーカスタムは約50機。ただし、各エースごとにファイトスタイルや武装の好みが別れるため、結果的に装備違いの多種多様なジム・スナイパーカスタムが存在することとなった」……という設定があるので、キットに付属する以上の武装を用意してみた。MG陸戦型ジムからショートシールドを、MGジム改から『センチネル』準拠のビーム・スプレーガン、MGジム・スナイパーⅡから90㎜マシンガンを拝借している。製品でも無改造で装備可能だ！　みんなも思い思いの武装アセンブルを楽しんでみよう

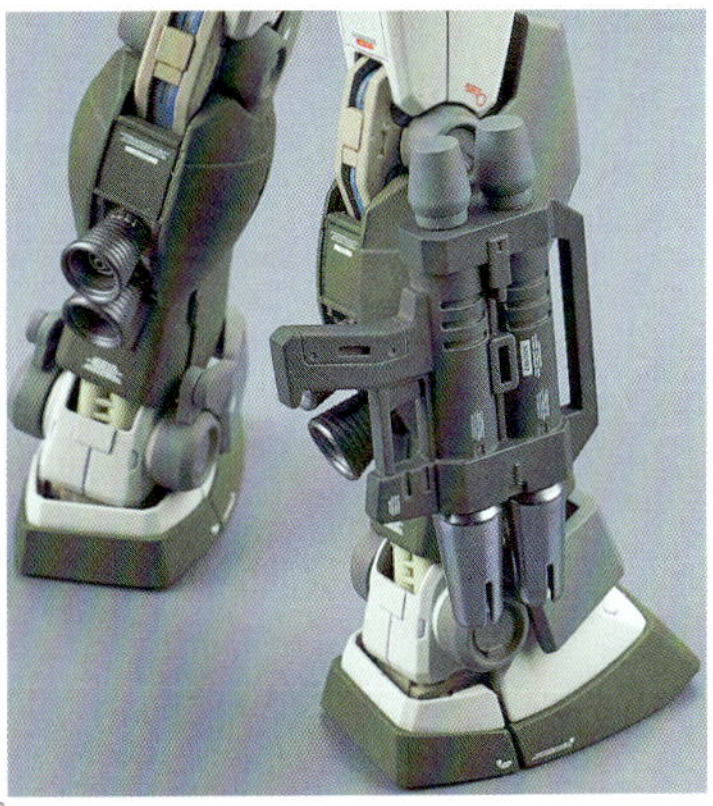

▼▶折り畳み式ハンドガンは付属の固定パーツで腕部に留められる。またビーム・スプレーガンや二連ビームガンはアダプターパーツで腰と脚部に装着できる。作例はネオジム磁石を埋めて手軽に脱着可能とした

●腹部と首にはMGジム・スナイパーⅡと同様の多重関節が入り、いずれも前後左右に大きく傾けられる。これにより立てヒザを取らせたときも上半身をより自然な位置に動かすことができるのだ
●間違えやすいのだが、頭部バイザーはカメラ保護用の装甲板なので狙撃時でなく格闘時に下ろすのが正しい……けれども、やっぱり下げたほうが銃撃してるカンジが出てカッコいいよね

ガンダムVer Kaのひと回り小さな手首を流用しました。スナイパーライフルは砲身を3㎜プラパイプに置き換え、バレルはMGガンダム（GUNDAM THE ORIGIN版）のライフルから流用です。

◆塗装

最初はポピュラーなカーキベースの配色で塗ってみたのですが、どうもあまりカッコよくないので彩度を上げました。塗料はすべてGSIクレオス Mr.カラーです。

●緑／12番オリーブドラブ1＋16番濃緑色
●白／316番ホワイトFS17875＋315番グレーFS16440＋13番ニュートラルグレー少量
●グレー／13番ニュートラルグレー＋ウイノーブラック少量
●関節1／22番ダークアース＋クールホワイト＋ウイノーブラック少量
●関節2／72番ミディアムブルー＋クールホワイト＋13番ニュートラルグレー少量
●カメラ部／48番クリアーイエロー

デカール類は歴代Ver kaガンダム系の製品に付属しているものを使用。機体番号は伝説のエースパイロット、フランシス・バックマイヤー中尉の92番です。■

9年に渡る"ジェガン祭"がついに最高潮へ
全国のRGMファンよいまこそ集うのだ!!

祭りだ 祭りだ!

9年かけてじわじわ着実に ここまでバリエーションを拡充 そしてついにマスターグレードへ！

ジェガンの「脇役で売れないからいつまでたっても製品化されない」という印象を見事に変えてくれたのがHGUCだった。この9年間で発売されたジェガンはなんと18。平均すると毎年ふたつのバリエーションが製品化され続けてきたことになる。オンタイムで発売された『機動戦士ガンダムUC』に登場するバリエーション機2〜3種くらいまでは順当な感があったが、潮目が変わったのは『F91』の３機種が製品化されたあたり。RGMファンのあいだには「これはもしかしたらもしかするぞ……」という空気感が生まれる。そして「ファンが次々と買う」→「メーカーが次々と製品化する」というスパイラルが確立しHGジェガンバリエーションをめぐる状況は“祭”といっていい状況に突入していった。

HG 1/144
全18アイテム
詳しくは
P80〜へ

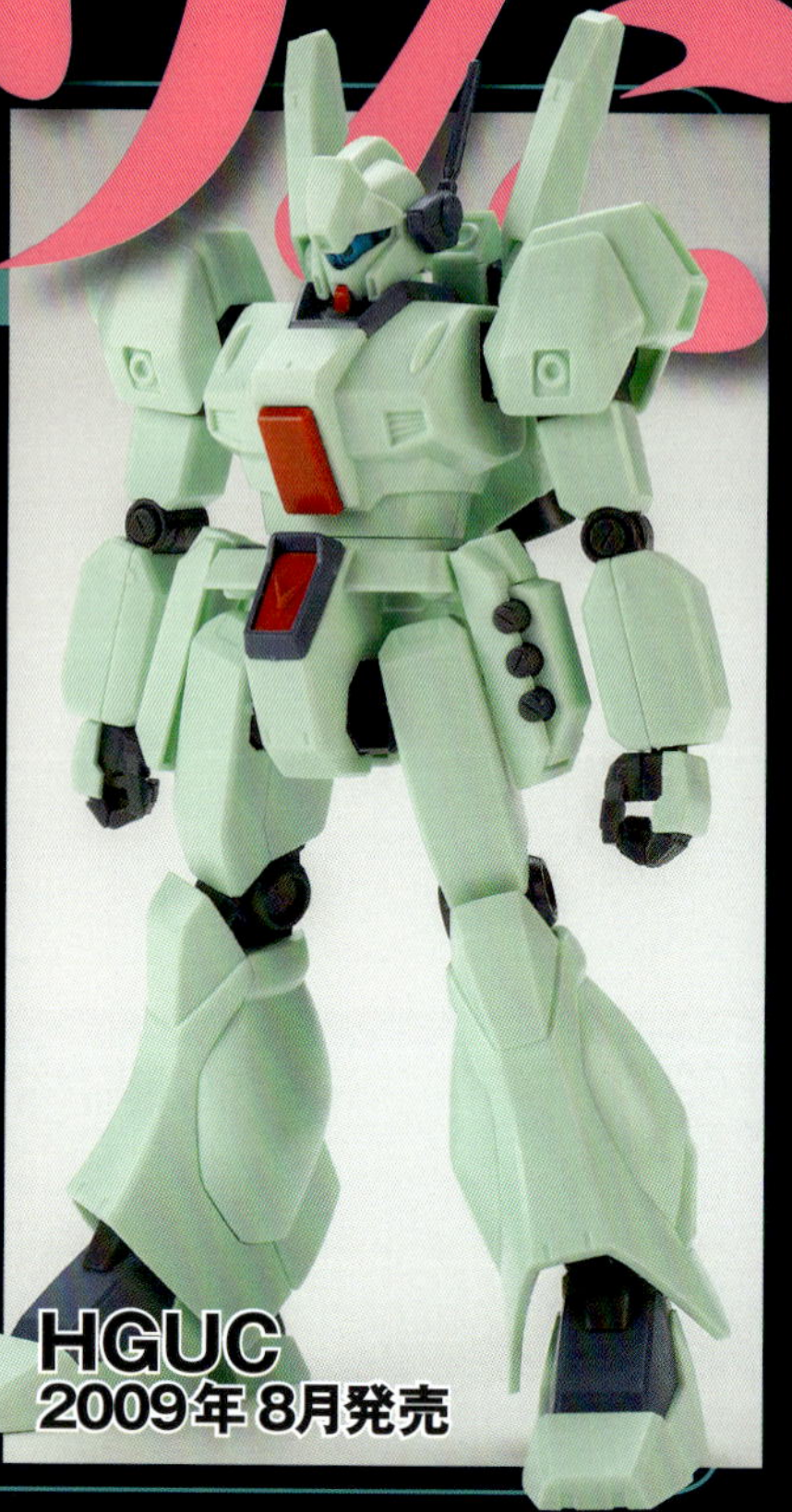

ここからジェガン祭ははじまった HGUC No.97ジェガン

▶HGUCの97作目として発売されたHGUC RGM-89 ジェガン。HGUCのシリーズ開始以降RGMファンはジェガンの発売を心待ちにしていたが、パワード・ジム（№67）がきても、ジム・ストライカー（№72）がきてもジェガンはこない！ となかばあきらめていたところ、ぎりぎり100番内に滑り込みセーフ……しかし、その後の快進撃がすごかった

●RE1/100というフォーマットができたことでマイナーMSの製品化へのハードルが下がったのは喜ばしいことだが、RGMファンには「ジェガンはぜひMGで！」という強い思いがあったはずだ。結果、『逆襲のシャア』アイテムの1/100で残されたヤクト・ドーガはRE1/100、ジェガンはMGに……まさに万々歳。多くのファンが長いあいだHGUCバリエーション祭に参加し続けたことがついに報われたのである

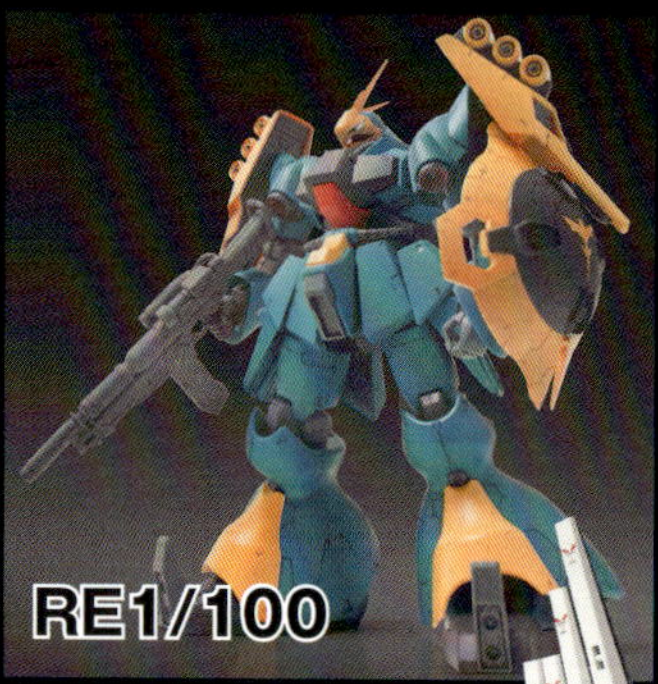

●νガンダムとサザビーは、MG未製品化のジェガンを尻目に'12年と'13年にMG Ver.Kaとして２回目のMG化を果たす。サザビーは今年8月にRGも発売されて実質的には３周目に突入……まあ、この2機はMS界でも屈指の人気アイテムなのでジェガンと比べるのがアレなのかもしれないが、「ジェガンは無視なのね……」と落胆していたRGMファンは多かったことだろう

ブービーはいいとしても 周回遅れとはこれ如何に!? 「逆襲のシャア」の主要MSが これで1/100で揃った！

MGではじめに『逆襲のシャア』アイテムがラインナップされていったのは'00年前後、No.30台のあたりで、サザビー、νガンダム、リ・ガズィが立て続けに発売されるもそこで打ち止め。MGジェガンは当然のように発売されなかった。そしてふたたび巡ってきたチャンスが'12年、MG νガンダム Ver.Kaの発売でまた『逆襲のシャア』MSにスポットがあたる。しかし今度は'13年にMGギラ・ドーガが製品化されたもののジェガンはスルー。残された『逆襲のシャア』の主要MSはヤクト・ドーガとジェガンだけという熾烈なビリ争いの結果……ついにMG化を達成！ ヤクト・ドーガもRE1/100化され、ようやく『逆襲のシャア』主要MSの1/100が揃った。

MG発売で盛り上がりは最高潮へ ジェガン祭はまだ折り返し地点だ

祝！ MGジェガン発売。一時は「もうMG化はないか」といったあきらめの空気も漂い、HGUCの大展開で希望を取り戻してからもじりじりしながら待ち続けてきた全国のRGMファンの皆さん、おめでと

2018年 7月14日、25年越しの悲願達成。マスターグレード 1/100 RGM-89 ジェガン発売。

●ガンプラファン、『逆襲のシャア』ファン、そしてなによりRGMファンが待ちに待ったMGジェガン。長く堪え忍んだコアなファン層でも納得の非常に濃い内容のキットとなった。HGUC同様まずは『逆襲のシャア』バージョンからの発売となったが、製品のパーツ構成を子細に観察するとすべてのバリエーション展開がすでに想定されていることがランナー配置から読み取れる。すでに約束されたMGバリエーションが実現するか、それはアナタ次第だ

RGMファンの皆さんはMGジェガン発売の幸せをかみしめていることと思いますが、「ジェガン祭なんて開催されてたの？」という読者のために、まずは9年に渡る祭の軌跡を振り返ってみましょう。ことのはじまりは'09年８月。20年近くを経てようやくHGUCでジェガンが発売されたところから祭はスタートします。そしてそこからの９年間で発売されたHGジェガンのバリエーションはその数なんと18！　じわじわと続いてきたジェガン祭はMGで最高潮に達します！

ていうか……そもそも25年以上1/100自体がなかったの!!（憤激）

『逆襲のシャア』公開当時の旧キットシリーズでは1/144がラインナップされたが、1/100は製品化されずにシリーズが終わってしまった。この初代1/144、当時の1/144としてはギミックも豊富で形状把握もなかなか優れた秀作キットなのだが、その後『F91』のヘビーガンなどが1/100で発売されていくのを横目に、RGMファンは「ジェガンが1/100だったらよかったのに……でもいつか！」とほぞを噛んだ。しかし、来たるべき日はいつまでたっても訪れない。そして四半世紀を越えついに機は満ちたのである。

▶劇場公開／地上波放映当時の旧キットシリーズでは、連邦量産機は常にキット化の当落線上ギリギリにあるアイテム。1/144でも製品化されれば御の字というのが普通だった

う。そして、予想を上回る「これ以上はないのではないか」と思わせるほど練りに練られた製品仕様を実現した開発担当陣の方々、このたびは本当にお疲れさまでした。

ぶっちゃけ、ジェガンは一般的にはあまり人気がない脇役ＭＳだ。ＲＧＭファンからすると「系譜上、ジムの次に重要なマストアイテム」なのだが、一般に単体で製品化するとなると製品化当落線上……というよりは、かなりムリをしないと線上に浮上してこないアイテム。ＨＧＵＣが発売されるまではそういう扱いだったし、当然のようにＭＧ化の目はなかった。そんな状況を変えたのがＨＧＵＣのジェガンバリエーションだった。ＨＧＵＣ１００作を目前にしてようやく製品化されたＨＧＵＣジェガンはやがて「ジェガンバリエーションを製品化すれば売れる」という状況に突入していく。要因はいろいろあった。ＨＧＵＣジェガン発売とほぼ時を同じくしてはじまったプレミアムバンダイという販売形態との親和性の高さ、『機動戦士ガンダムＵＣ』でのジェガンの再評価、ガンプラファン層の変化などが狙ったかのようにぴたりとはまっていった。しかしもっとも大きかったのは、「製品化される」→「もっと製品化される」→「ファンが買い支える」というプラス方向のスパイラルがファンとメーカーのあいだで構築され、それがどんどん拡大していくことで「ユーザーとメーカーがいっしょに盛り上げるお祭」状態になったことだ。

そんなＨＧＵＣジェガン祭のいったんの区切りを受けて製品化となったＭＧジェガン。これはこの「祭」に参加し続けジェガンフィーバーを支え続けてきたファンへの「ご祝儀」であり、同時にここからはじまるであろう「ＭＧジェガンバリエーション祭」への「参加券」でもある。

祭はいま最高潮に達したがここで終わりではない。ＭＧジェガン発売で祭はいま折り返し地点に到達したところだ。ＨＧＵＣと同じペースでもここから10年、ジェガン祭はファンが参加し続ける限り終わることはない。ジェガンの興廃このＭＧに在り、各員一層奮励努力せよ、なのである。■

RGM-89 ジェガン
BANDAI SPIRITS　1/100
マスターグレードシリーズ
インジェクションプラスチックキット
発売中　税込4320円
出典／『機動戦士ガンダム 逆襲のシャア』
製作・文／**NAOKI**

Model Graphix
2018年11月号
掲載

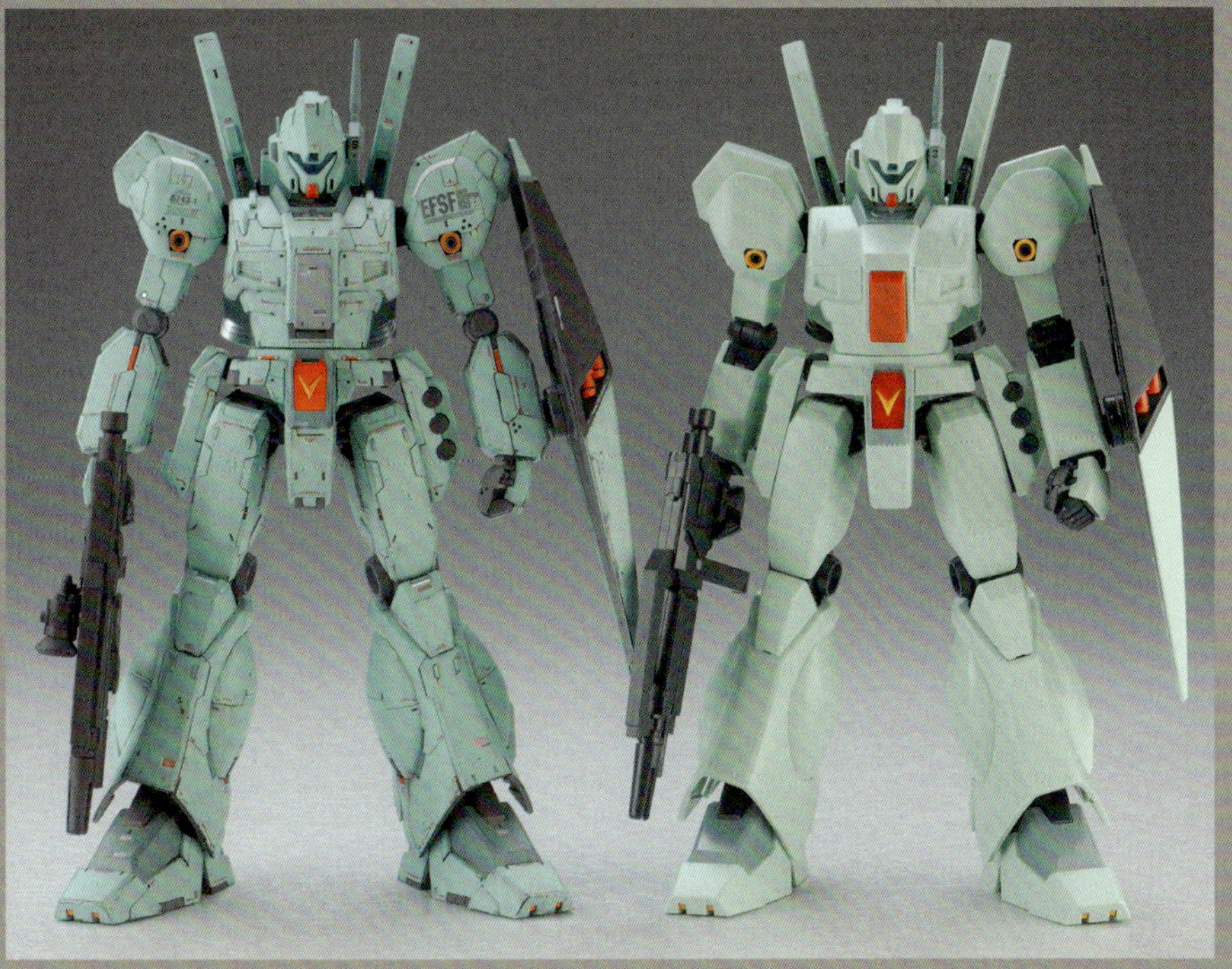

改造ポイントは4つ あとは素を活かして作る

●キットは『逆襲のシャア』版のジェガンを非常にうまく再現しているが、さらにもう少しスマートに見せたいなら腹部を少しだけ延長するのがおすすめ工作。胴体を伸ばすことでよりスマートな印象にするのはRX/RGM系機体では定番の工作で、脚を延ばすよりバランスよく簡単にフォルムバランスを変えて見せることができる
●足首関節部の装甲断面などはディテールを彫り込むことで積層装甲的なリアリティーを出しつつ模型的な密度感を上げるようにしている

まずは“ちょい足し”作例レビューでMGジェガンのポテンシャルを披露。

●頭頂部は『F91』系バリエーションの設定画的な解釈で凹みをなくし前方までつなげた構造にした。同時に、バイザー部分が小さく見えるように、バイザーや頬あて部分の形を変えている
●各部にはスジ彫りなどでディテールを追加。キットはアニメ設定のプレーンでディテールが少ない姿を忠実に再現しているが、1/100MGの作例ということで、大きさなりの見映えやを優先してディテールを追加。当然並べてみたくなるMG νガンダム Ver.Kaのディテーリングとのマッチングもバッチリとなった

RGMファンが25年間待ち続けた1/100ジェガンが作れる日がついにやってきた！　というわけで、早速MGジェガンを作例として製作。非常に組みやすく、合わせ目消しやマスキングをしての塗り分けを必要としない考え抜かれた構成になっているので、初心者からベテランモデラーまで広くオススメできる名キットだが、そのままストレートに製作したのではお祭的にちょっともの足りない。しかしながらすばらしいキットの素性のよさを殺してしまいたくはない……ということで、製品を最大限活かした「ちょい足し」改造を敢行。RGM系機体らしさを残しつつ1/100としての見映えを追求している。

待望の連邦量産機、MGジェガンを製作しました。HGUCも基本設計が優秀だったためいまだにバリエーション機がリリースされていますが、今回のMGもシンプルかつ巧みなパーツ構成で非常に作りやすいうえに非常に拡張性が高い設計で今後のバリエーション展開も楽しみです。設定に忠実にプレーンな形状で、シンプルなジェガンらしさを見事に再現しています。逆にハイディテール派にとっては全身これディテールアップの見せ場になりそうです。こういう基本が優秀なキットはディテール工作に専念できるので楽しいですね♪　というわけで、今回はプロポーションはほぼ変えず、ディテール工作に専念しました。

基本的にはスジ彫りがメインになりますが、自分はほとんどの場合T字定規と自分のブランド、NAZCAから発売している「スジ彫りノギス」を使用しています。これはノギスの外側のジョウの一方の先端が鋭利になっていて普通のノギスのように使用することでスジ彫りが彫れるツールです。辺に対して平行なラインはスジ彫りノギスである程度ガイドとなるスジ彫りを彫ったあと、0・1～0・4㎜のタガネなどで整えています。垂直なラインは、平面であればT字定規を当ててブレないように押さえながら定規をガイドにそのままタガネで一発彫りです。また、ディテールの追加工作とともに各部のエッジの処理も行なっています。ただ闇雲にエッジを処理するのではなく、各部の意味や厚みの違いなどを考えながら工作するようにしています。

プロポーションは一ヵ所だけ、個人的な好みで腹部を3㎜ほど延長しました。外装はそのままに腹部の内部フレームを一度切り離しプラ材で延長するだけの簡単工作です。頭部の形状も少しだけ変えていますが、いずれも個人的な好みや解釈の範疇で、キットのままでもかなりよい出来です。

量産機は複数作りたくなるもの。組みやすくて改造もしやすいMGジェガンは量産機のお手本のようなキットだと思います。バリエーション機が製品化されたら買っちゃうんだろうなぁ（笑）それではまた！■

これでRGMファンはあと10年、
いや20年は戦える。

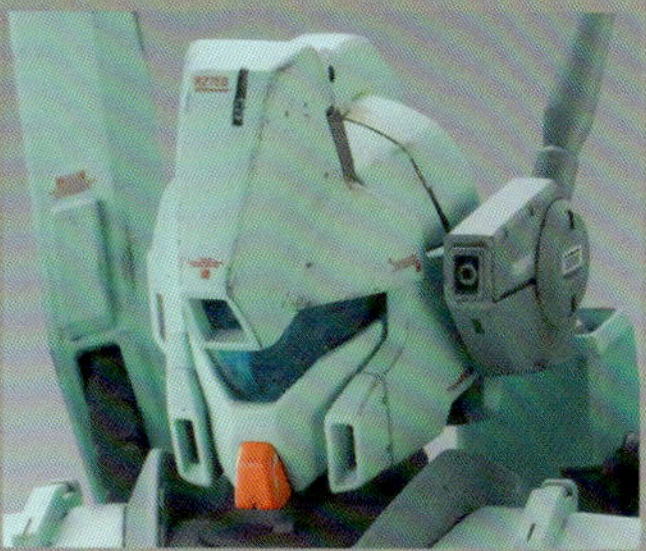

MG 1/100 RGM-89 JEGAN

●使い込まれた量産機にはウェザリングが似合う。傑作機であるがゆえに長く使用され続けたジェガンらしさを演出するために作例でははげしめのウェザリングを施してみることにした。ベース色が鮮やかなペールグリーンだけにウェザリングの塩梅が難しいところだが、補色となる赤系の錆び色を適所に適量載せていくことで、基本色をより引き立てつつボロく見えすぎない絶妙なバランスで仕上げられている
●武器はワンポイント工作としてグレネードや補助センサーを追加。流用パーツやプラ材を使ってほどほどに強化されたイメージとした

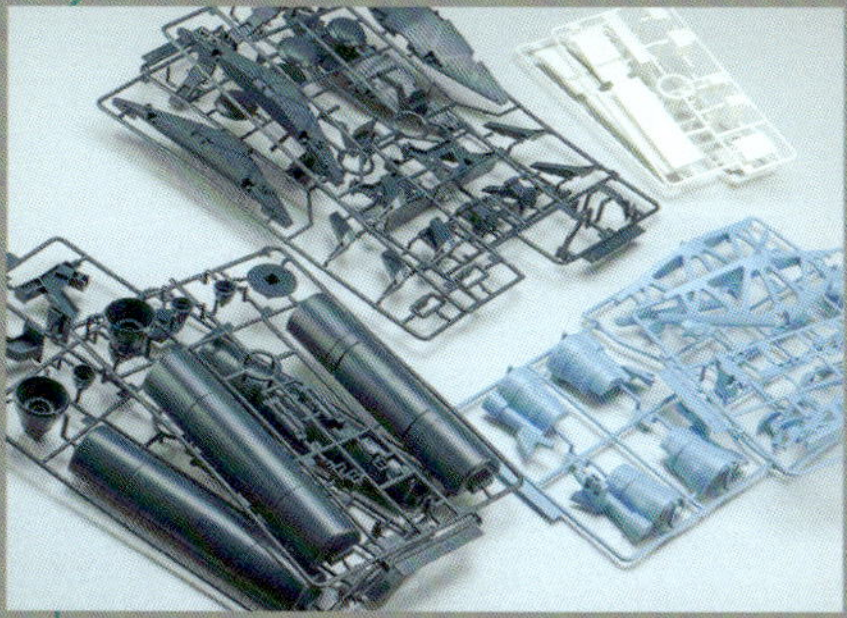

●同じランナーを2枚ずつ使用するいわゆる「倍打ち」構成を徹底することで、大型キットながら低価格を実現
●フットレストには前後可動ギミックと展開機構が盛り込まれMSをフィットさせることができる

●MGジェガンに合わせるようにしてRE/100の89式ベース・ジャバーも発売に！（税込3240円　10月以降順次発送予定 プレミアムバンダイ限定販売）
完全新規設計で、RE/100準拠の細密なディテールが施されており、MGジェガンなどにベストマッチ。専用ジョイントパーツでMSを固定でき、ジョイントはMGジェガン、ジェスタ、ジェスタキャノンに対応。下面のタンクを外すことで上下両面にMSを搭載でき、アクションベースで浮かせて展示することもできる

RE/100

もうひとつRGMファンに朗報です！ベースジャバーRE/100で発売

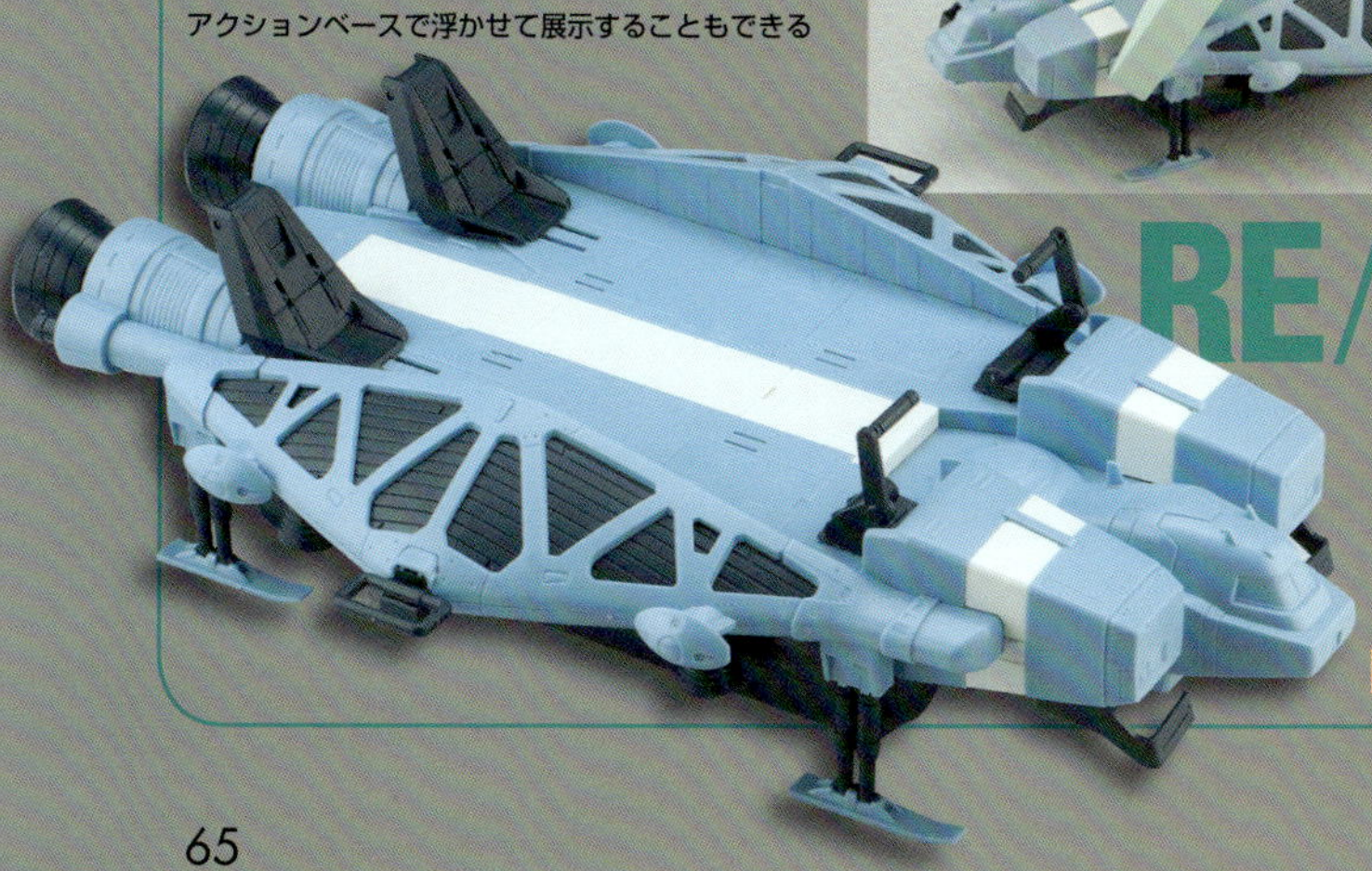

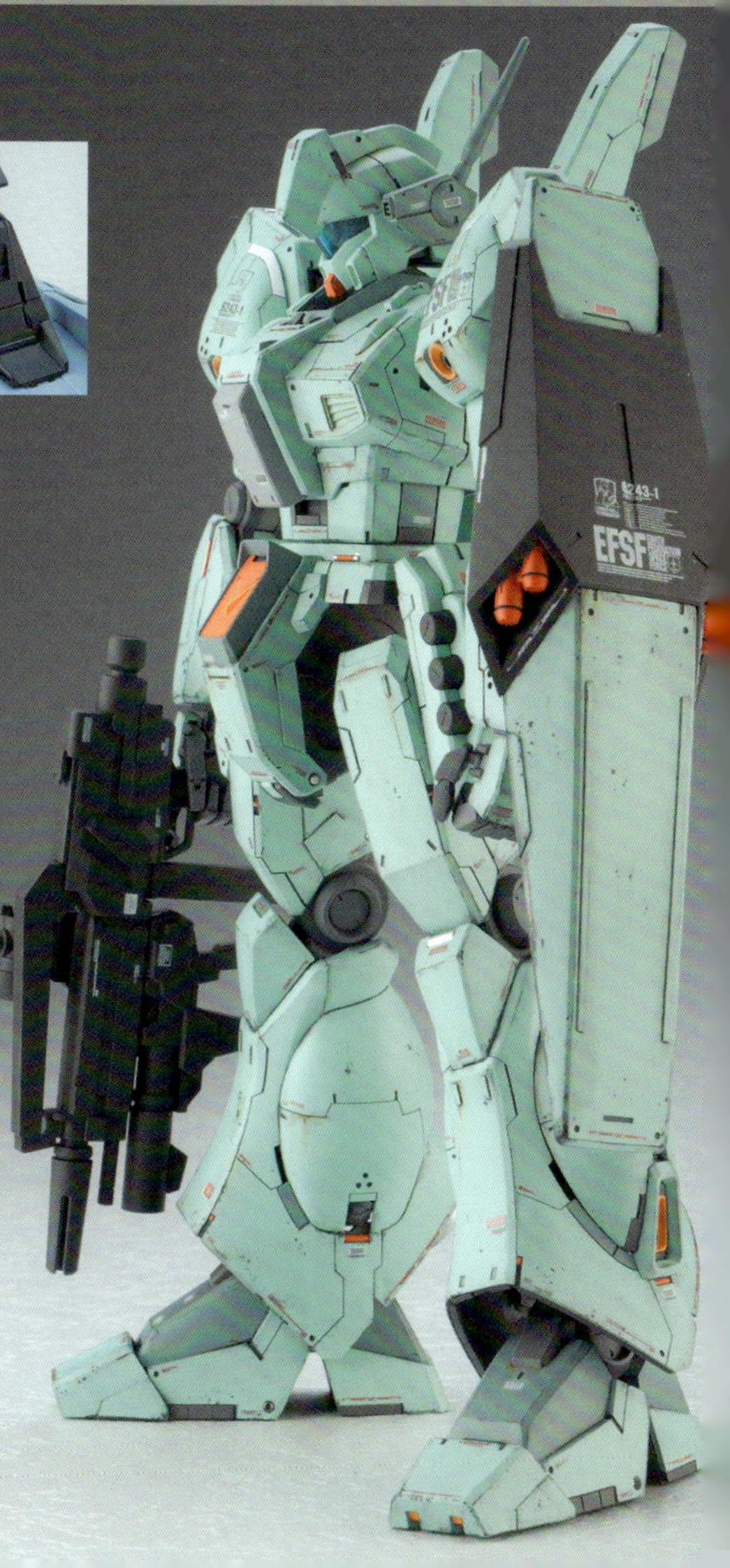

MG RGM フレーム進化論

MG ジェガンのスゴさを知りたければ RGM系MGのフレームを見返してみるべし。

MGジェガンはパチ組みして外見だけ見ていてはその真価がわかりにくい。そこで、ひと皮剥いたフレーム状態で歴代のRGM系MGと比較してみることにしよう。RGM系MGの進化の過程が見えてくると最新作であるMGジェガンのすごさもわかってくるはずだ。

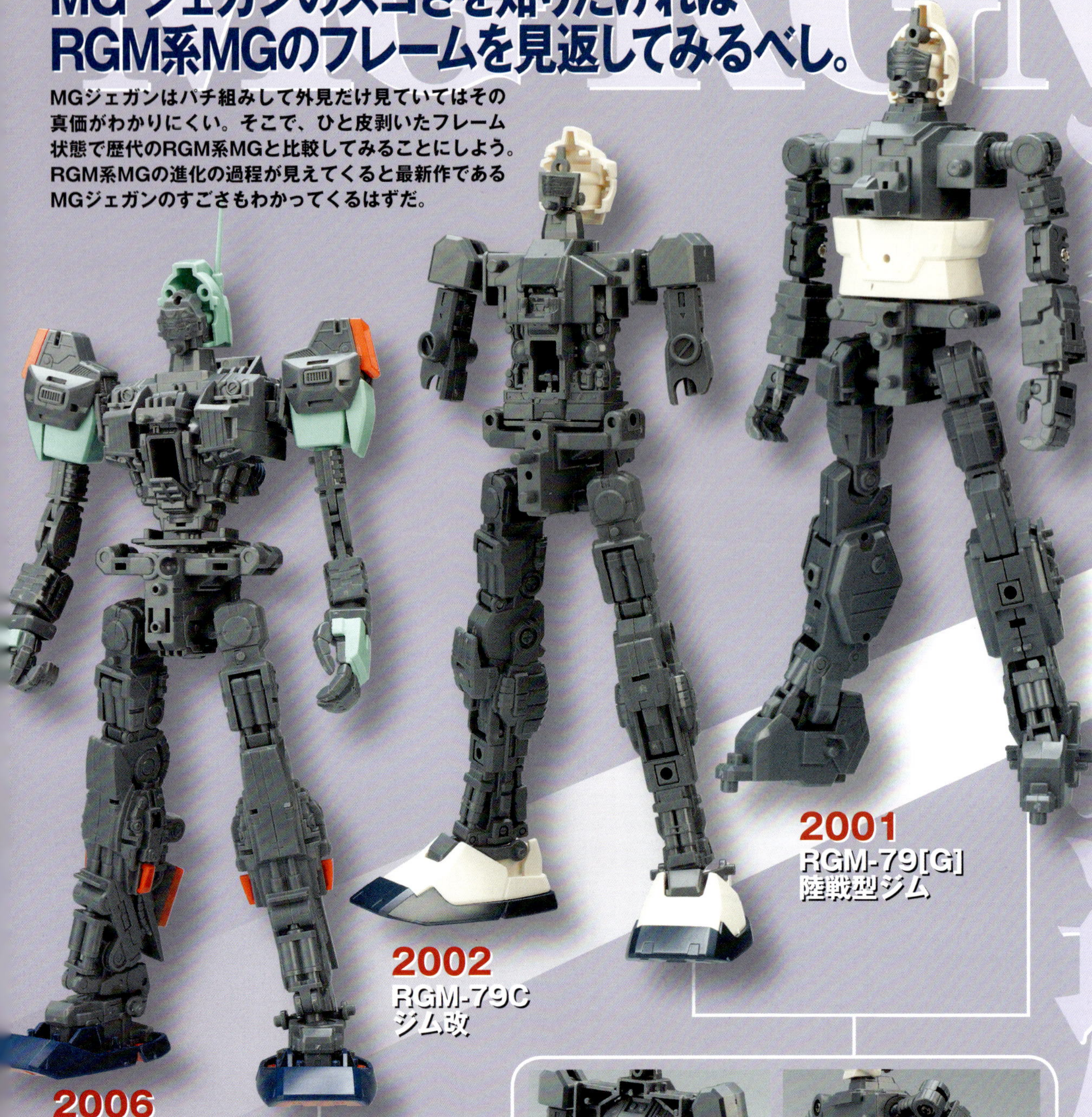

2001
RGM-79[G]
陸戦型ジム

2002
RGM-79C
ジム改

2006
MSA-003
ネモ

RGM系フレーム 実質的Ver.2.0の 先駆けとなったネモ

RGM系MGにおいてほぼ全身のフレーム構造を実現したのはこのMGネモが初。陸戦型ジムの可動ギミックをつきつめつつ、ジム改的なディテール表現をも盛り込んだ、実質的なMG Ver. 2.0クオリティーといえる。

▶肩のせり出しスイング可動や股関節のスイング可動、つま先の独立可動を実現し最新MGにも引けを取らない可動範囲の広さだ。また、外装パーツを介さなくとも本体に接続できるバックパックフレーム構造も採用

ジム改

陸戦型ジム

RGMフレーム黎明期ダブルスタンダードの時代 そしてVer.2.0へと続くのは陸戦型ジムの流れだった

前後して製品化されたMG陸戦型ジム（'01年7月発売 №40 ）とジム改（'02年6月発売 №50）はそれぞれまったく異なるコンセプトの構造だった。陸戦型ジムは肩と股関節がボールジョイントで股関節軸は前後にスイング。ヒザに引き出し式関節を、足首には多軸関節を採用することで、大きなアクションポーズに対応できるよう配慮されている。いっぽうのジム改はMGジムカスタムの流れを汲む構成で、肩は軸ポリキャップで足首がボールジョイント。PG RX-78の意匠を汲むコア・ブロック再現やフレームのディテール再現に注力されていて可動範囲はそこそこだ。ネモ以降のフレームでは、陸戦ジム的で実現された可動指向が洗練されていくこととなる

陸戦型ジム

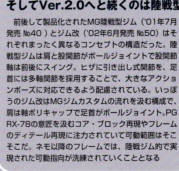

ジェスタと比べると一見後退しているようにも見える MGジェガンの「フレーム設計の妙」とは？

近年のMGはフレームだけで6ランナー以上あるというようなキットも普通だが、MGジェガンは2ランナー×2枚でフレームの基本構造をまかなえるように設計されている。これは、バリエーションを複数作って並べるような楽しみ方をあらかじめ想定しているからで、「これ以上減らせない」というところまでパーツ数を切り詰めることで組み立てやすさを追求している。だからといって可動や再現度が低いというようなことはいっさいなく、バリエーション展開もばっちり想定済み。切り詰めた構成だからこその量産機っぽさが漂う逸品となった。

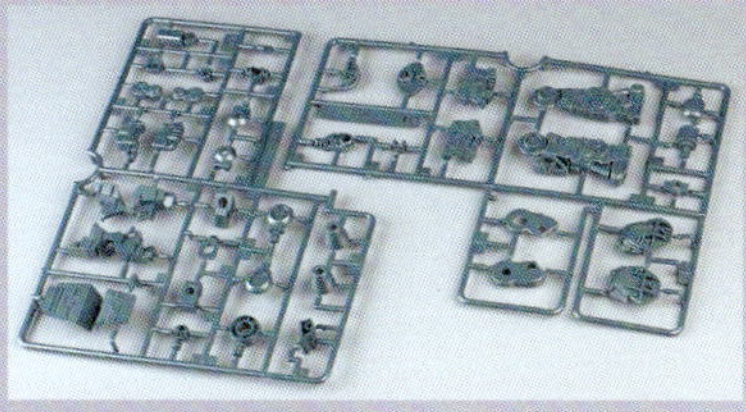

●バックパックのスラスターは基部の組み替えでA型系の凸型配置とD型系の直線状配置を同じパーツで作り分けられる。ふくらはぎとスラスターもパーツを組み替えできるように別パーツ化されている

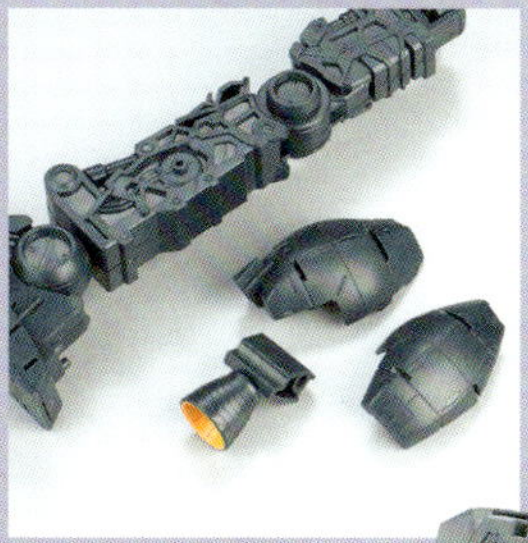

◀コア・ブロックを抜いても外形が保持でき同時に可動も実現した胴体フレーム
▼メカパーツをすべて外すとフレーム素体に。機種に応じたパーツの追加でバリエーションに対応する

恐るべき汎用性の高さで MGバリエーション量産中の Ver.2.0フレーム

装甲基部も含め完全フルフレーム構造となったMG ジム Ver2.0。細密なディテール、広い可動範囲、コア・ブロック周りの巧みな設計にまず目を奪われるが、その本領は、ありとあらゆるRX-78系／RGM-79系機体がひとつのフレームを元に再現できるようになっているところにある。そのすごさはいまだに増殖し続けているVer.2.0ベースのバリエーション群の数の多さを見れば明らかだ。

2009
RGM-79
ジム（Ver.2.0）

2013
RGM-96X
ジェスタ

2018
RGM-89
ジェガン

PG並みのギミックを搭載した 特定機体専用RGM系フレームの最高峰

外装を外してもシルエットを保つ全身フレーム構造、引き出し式で大きな可動範囲の関節、組み立て不要の全指可動マニピュレーター、電飾搭載（LEDユニットは別売）と、当時1/60だからこそ実現したPG RX-78-2のソリューションをさらに洗練したかたちで1/100に落とし込んだのがMGジェスタ。ジェスタの形状に最適化されているため汎用性は低いが、フレーム単体で見た時の完成度と作り込みは非常に高いレベルにある。MGのフレームのひとつの完成形と言えるクオリティーだ。

RGM-89De
(MGジェガン改造)

●U.C.0096のラプラス紛争前後に多く作られた派生型がD型。そのなかでもとくに特殊任務用に特化した装備を施されたのがこのDe型である

MG 1/100
RGM-89

●今回発売されたMGジェガンは『逆襲のシャア』に登場したA型の仕様。ジェガンはA型を起点として数十年にわたって数多くのバリエーションが生産されていった

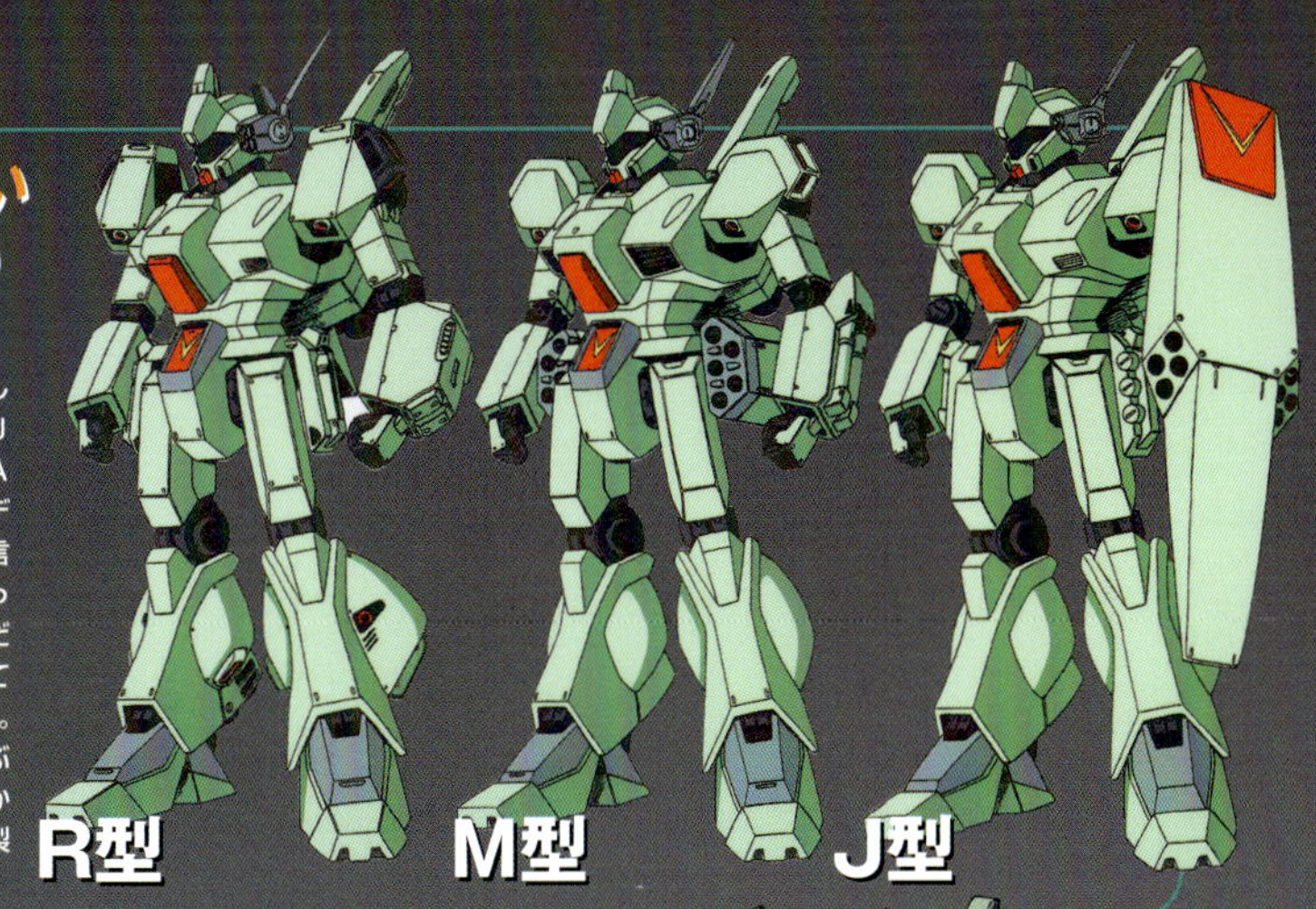

MGではちょっとややこしい『F91』系バリエーションへも対応できるフレームを搭載

ジェガンのバリエーションのなかでもややこしいのが『F91』に登場した3型式。だいたい、J型＝ノーマルタイプ、R型＝Bタイプ、M型＝Aタイプという呼称にも混乱するのだが、細部のディテールも非常にややこしい。武装や腕形状は言わずもがなだが、ももの形状がR型だけが異なっている、スネ下側と足甲の小ディテールがJ型だけなくなっている、など間違い探し的によく見ていくと細部ディテールの特殊性がわかってくる。HGUCではこのあたりの微妙な差異には目をつぶっているところもあったが、MGのパーツ分割からはそこまで再現してくることも予想される。製品化の際にどうなるか、非常に楽しみだ。

RGM-89

▲今回発売されたMGジェガンは『逆襲のシャア』バージョン。比較的丸みを帯びたラインが特徴で、キットではそこも忠実に再現。角張ったエッジの『F91』系バリエーションやラインが異なるD型系機体の形状処理がどうなるか興味深いところだ

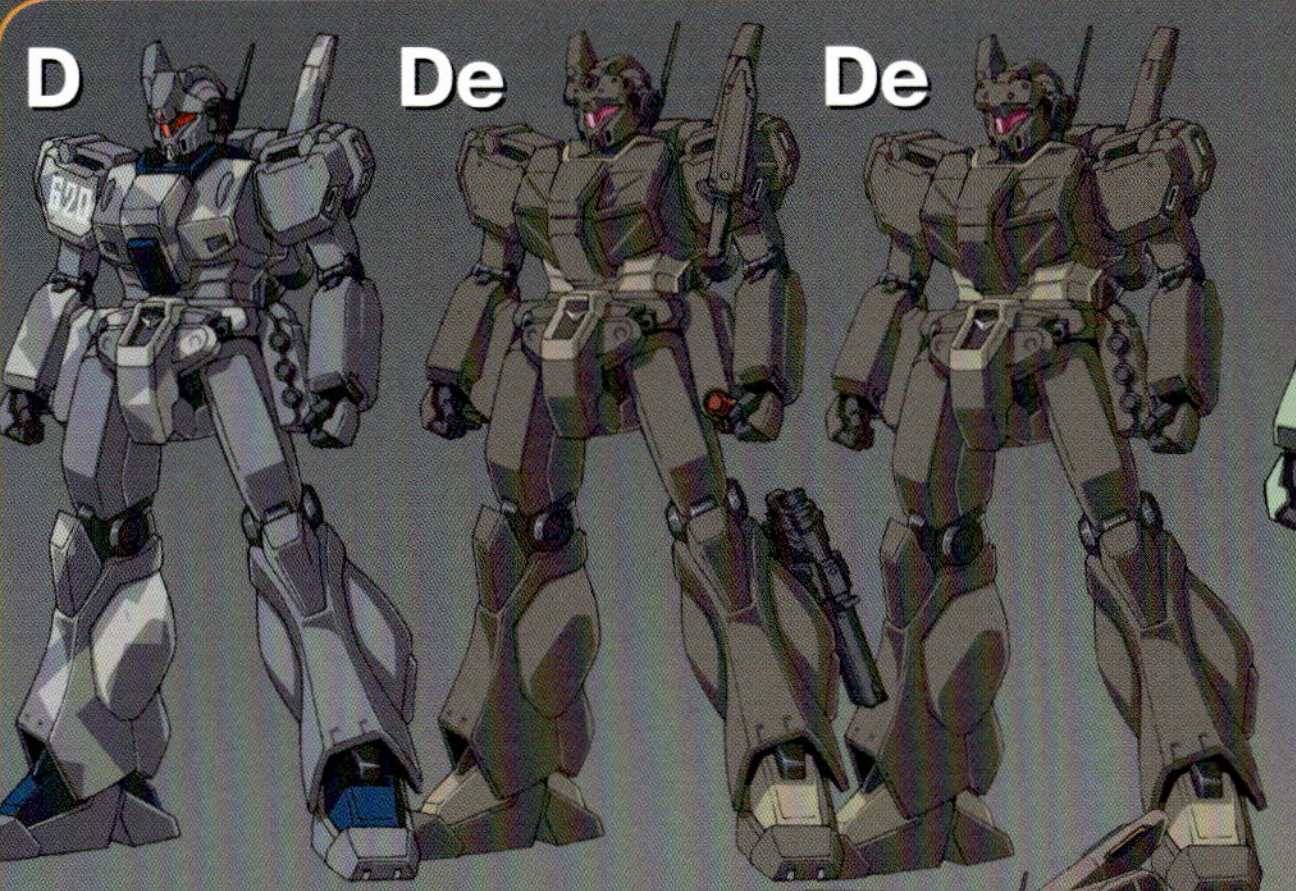

D型

●スタークジェガンのようなユニット追加による派生型開発を容易にするために肩や腰などの形状を変更したのがD型。量産機としての運用の幅を拡げるべく多数の派生型が生産されている。そもそも無理なくユニットを追加できるように設定されているので、ガンプラでのバリエーション化もしやすい派生型群だ

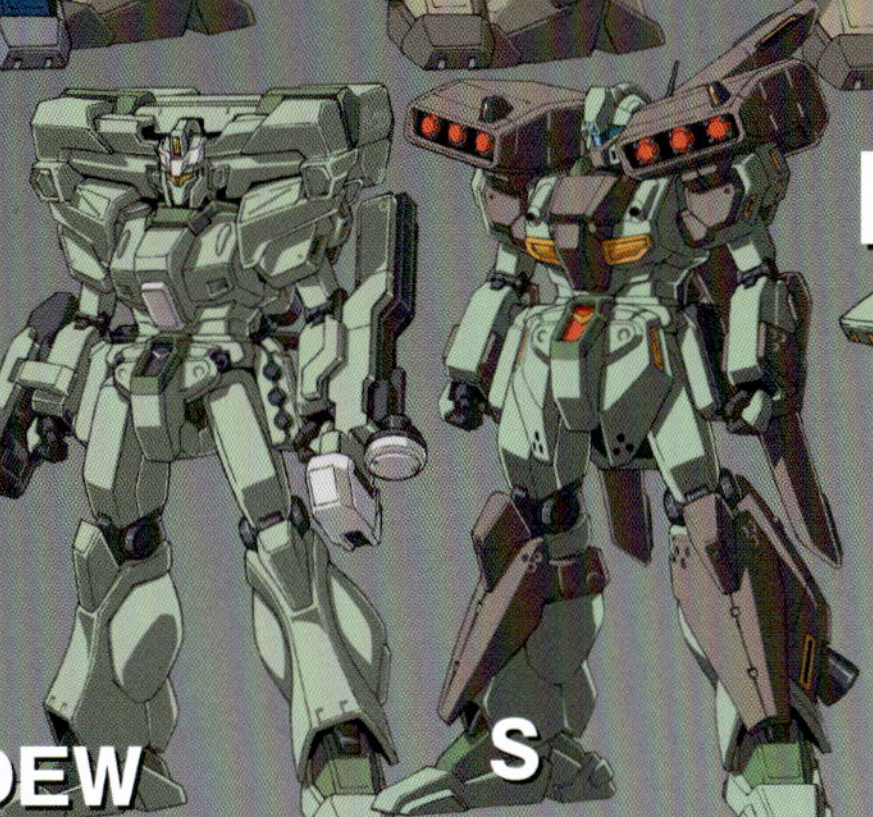

HGUC

▶プレミアムバンダイ初のHGジェガン派生型キットとなったのがこのD型。MG発売に到る「ジェガン祭」の起点となったキットだ。HGではA型と共用の箇所が多かったD型だが、MGではどこまで差異化が図られるかにも注目したいところ

今後のMGバリエーション展開の鍵はD型にあり

HGUCにおけるバリエーション展開の起爆剤となったのがD型の発売。当然MGジェガンはD型への展開を視野に入れたパーツ構成になっており、発売が待たれる。D型系機体は機体の成り立ちからしてバリエーション数が多くてバリエーション化も比較的容易。MGの今後の展開でも鍵となる

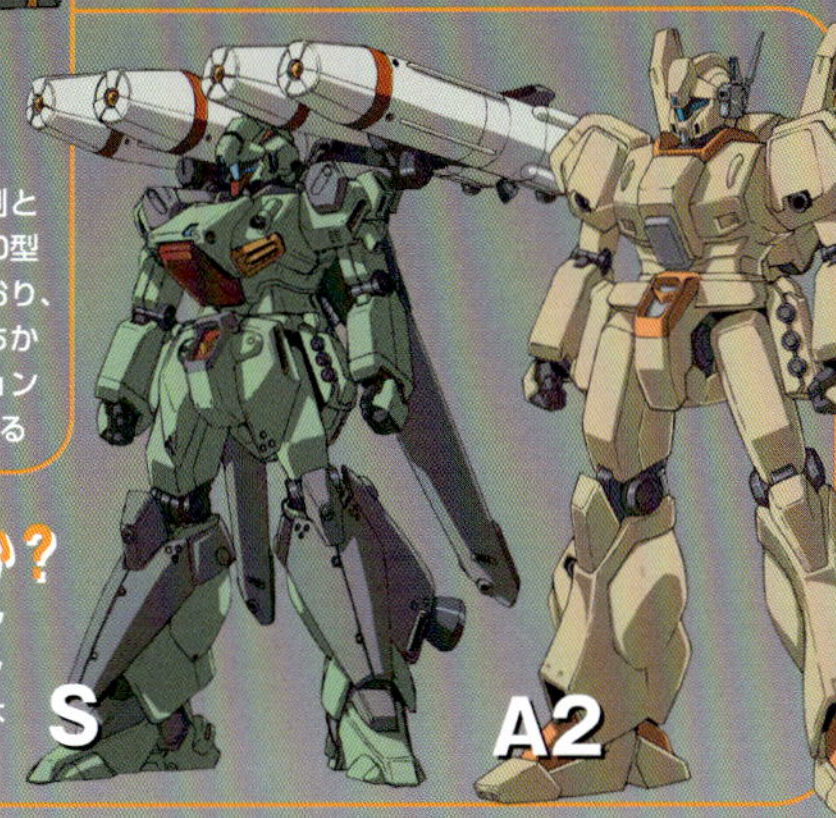

はたしてここまでいける……か？

▶A型やD型と差異が多いA2型やプロト・スタークジェガン。MGジェガンのパーツ構成はこれらのキット化も想定されているが、はたして発売となるかはMGバリエーションの売れ行き次第だろう

▶ジェガンのガンプラがここまでの盛り上がりを見せた大きな要因である『機動戦士ガンダムUC』、画面の端々に登場する豊富なバリエーションの量産機体にRGMファンは歓喜したわけだが、『UC』の1年後を描いた『機動戦士ガンダムNT』でもRGM系機体がいろいろ登場しそうなので要チェック！　すでにジェガンD型の護衛仕様やジェスタの新バリエーションの設定画が公開されている

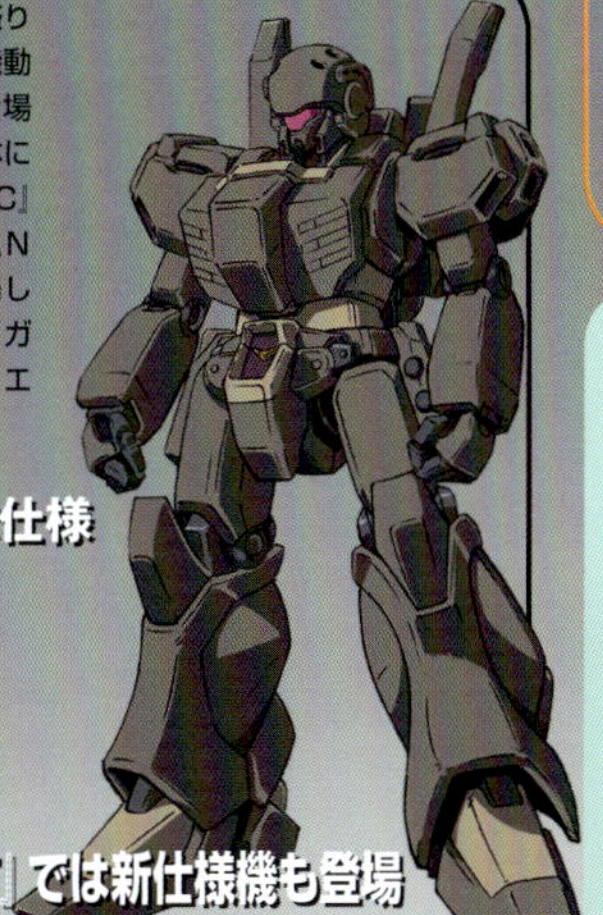

D型 護衛隊仕様

『NT』では新仕様機も登場増えるバリエーションも視野に

『F91』以来27年ぶりの完全新作宇宙世紀シリーズ劇場版となる『機動戦士ガンダムNT』が劇場公開となった。物語の舞台となるのは『UC』で描かれたラプラス紛争から1年後のU.C.0097。ユニコーンガンダム3号機フェネクスを巡って新たな物語がはじまる。

すでにほぼ全バリエーションが想定内。MGジェガンバリエーション祭はここからだ!!

MGジェガンの驚くべきところは、第一弾の発売の時点でほぼすべてのバリエーション展開を想定したパーツ構成をしていること。金型を切り替える「スイッチ」がこれまでにないほど多用され、ここに紹介した数多い派生型を無理なく再現できるよう、練りに練られたランナー配置になっているのだ。とはいえ、MGでバリエーションが製品化されていくかは、もちろん「ジェガン祭」の今後の盛り上がり次第。とくに第一弾の動向は今後を左右する大きなファクターなので、全国のRGMファンは心して祭に参加するべし！

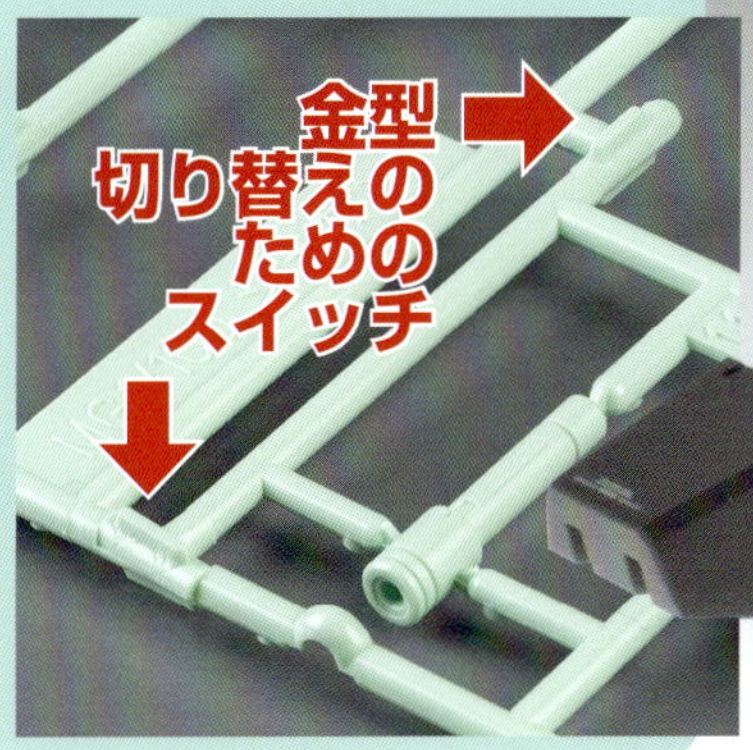

詳しくはP74～のインタビューを読むべし!

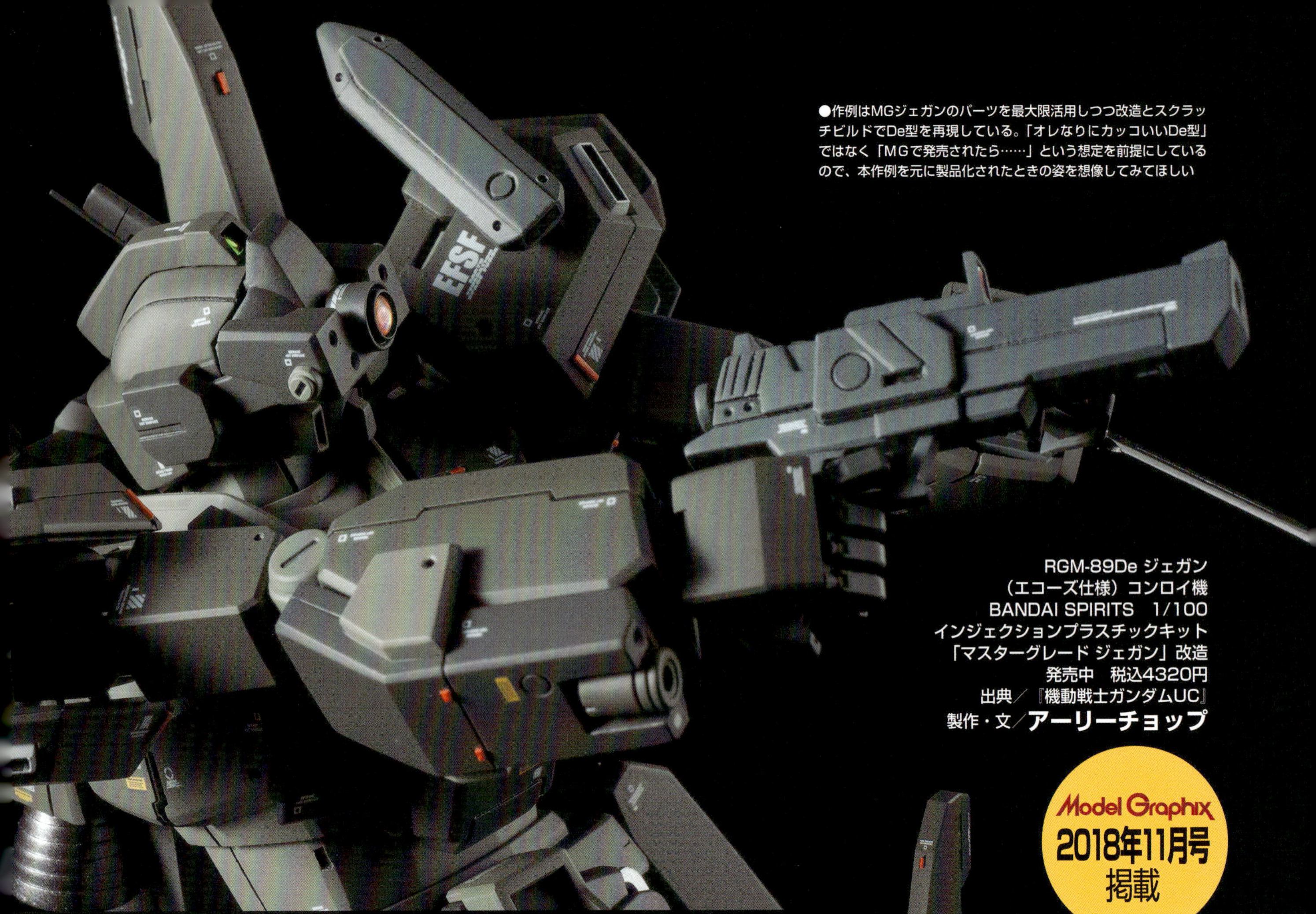

●作例はMGジェガンのパーツを最大限活用しつつ改造とスクラッチビルドでDe型を再現している。「オレなりにカッコいいDe型」ではなく「MGで発売されたら……」という想定を前提にしているので、本作例を元に製品化されたときの姿を想像してみてほしい

RGM-89De ジェガン
(エコーズ仕様) コンロイ機
BANDAI SPIRITS 1/100
インジェクションプラスチックキット
「マスターグレード ジェガン」改造
発売中 税込4320円
出典／『機動戦士ガンダムUC』
製作・文／**アーリーチョップ**

Model Graphix
2018年11月号
掲載

●ユニット追加による派生型展開を想定したD型のなかで、特殊部隊用に増加装甲や射撃用装備を追加したタイプがこのDe型。なかでもこのコンロイ少佐搭乗機は、狙撃装備、近接戦闘用武装が搭載されているのが特徴となっている。モノアイ状の特殊仕様バイザーを使用することでメガ・バズーカ・ランチャーでの狙撃を可能としている

「待ちきれない！」からいま作る。フライングでD型ベース機に大改造 よい子のRGMファンの皆さんは MGジェガンを3個買いしてD型キット化を待とう！

すべてのジェガンバリエーションが想定済みのMGジェガン。当然、派生型大本命のD／De型も再現できるようにランナーが工夫されていて製品化が待ち遠しいところですが、盛り上がりすぎて待てない！ いますぐ1/100で並べてみたい!! という欲求にあらがえずDe型を大改造で作っちゃってみました。いまのところD／De型の製品化アナウンスはまだ。かなり大改造になるので現時点での改造はぶっちゃけおすすめしませんが、この作例を見て気持ちを盛り上げMGジェガン祭に参加してほしい！

M-89De NROY's JEG N

RO
CO

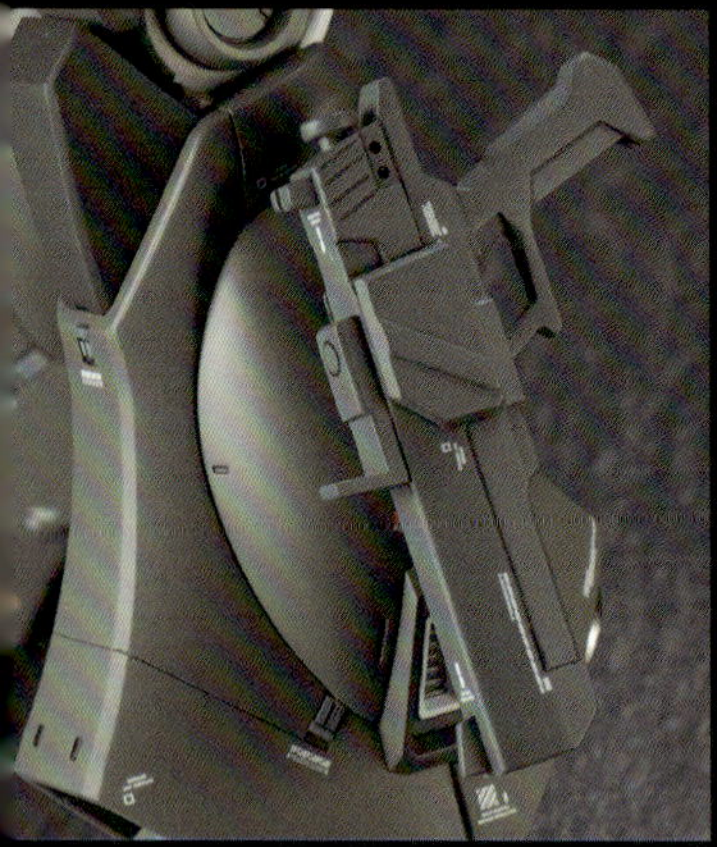

作例は大改造……なんだけど
D型化が準備されていることを実感

●途中写真のグレーの部分はプラ材を使用してスクラッチビルドした部分。A型を改造してD型化しようとすると大改造になるが、ユニットごと置き換えられるようになっているのでバリエーション化は容易そうだ
●頭部はD型の形状へ変更し、De型で追加されたバイザーは各部を採寸しながらプラ板からのスクラッチビルド。可動式にするためにクリアランス確保をしっかり取りながら削り込みつつ形状を出している
●まったく形状が異なる肩は、肩軸との接続パーツのみキットから使用し、そこから位置、形状、構成を考えて内部フレームと外装パーツを分割してスクラッチビルド
●コンロイ機の特徴である追加武装もスクラッチビルド。ハンドガンは磁石で脚に取り付けるようにしている

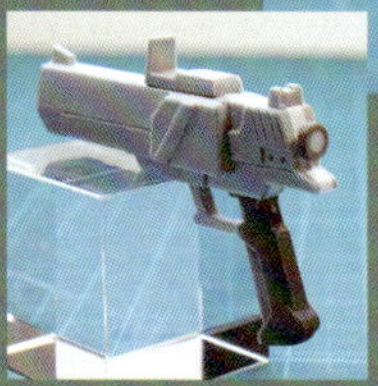

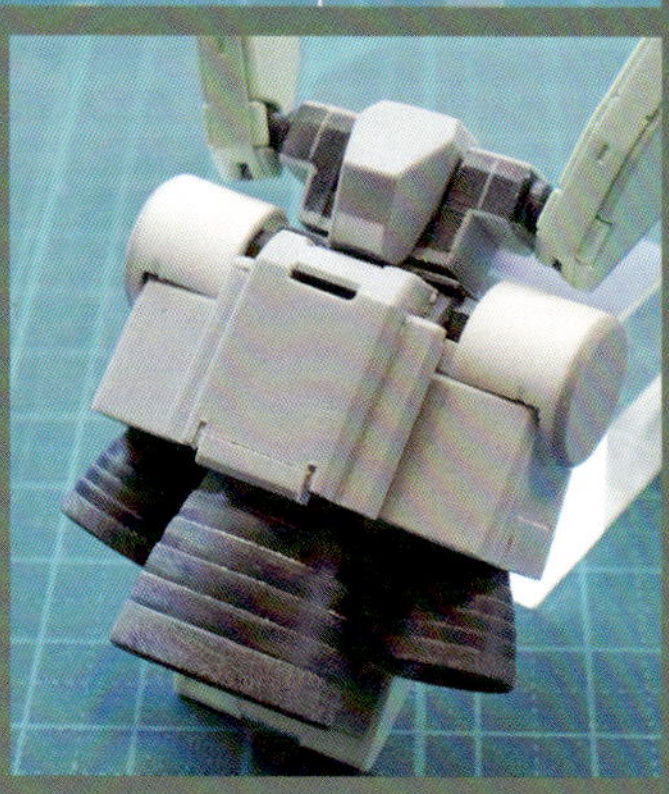

1/100 RGM-89De CONROY's JEGUN

●肩アーマーとバックパックはほぼ新造しているが、キットのフレームはD型化を想定して作られているので、その構造を活かしフレームはなるべくそのまま使用することにしている
●微妙な色合いのミリタリー調カラーリングで特殊部隊っぽさを演出しているDe型。本体色はGSIクレオス Mr.カラーのカーキグリーン+色ノ源 マゼンタ少々をベースに白やジャーマングレーを足して色を構成している

量産機好きなモデラーにとって待ちに待ったMGジェガンの発売！　製品化発表からも発売まで首を長くして待ち、すでにキットを手に取り製作をしたという方も多いのではないでしょうか。パーツを見る限り今後のバリエーション展開には大きな期待が持たれるところですが、今回は派生機のなかでも鍵となるD型をフライングで改造して製作してしまいました。だって、早く1／100でD型を並べてみたいじゃないですか。パーツはどう見てもD型化に対応しているように見えますし、よほどのことがない限りD型の製品化は間違いないとみてよさそうなので、せっかちな方以外は製品化を待つのがおすすめです。さらに今回は、ノーマルのD型では飽き足らずエコーズ仕様のDe型、しかもコンロイ機に大改造！　だって『UC』劇中のコンロイ機めっちゃカッコいいじゃないですか。そんなこんなで、なんとも盛りだくさんな内容での製作となっております。

連邦量産機の雄であるジム以上にシリーズ作品をまたいで登場するジェガン。もちろん登場する時代にあわせてこまかな設定やデザインが異なっています。今回製作するコンロイ機のベースはユニコーンガンダムに登場するD型。カトキハジメ氏がリファインし、捉えようによってはRX-78 Ver Kaやジム改との関連性も感じさせる派生型です。MGでD型が発売されたらどうなるか、またカトキデザイン画のラインを念頭に置きつつ、A型と形状の異なる部分の再現や追加武装のスクラッチビルドをメインに工作していきます。

頭部はアシンメトリーなA型と異なり、シンメトリーなデザインのD型のバイザーを再現。微妙に形状の異なるトサカ部分にも注意が必要です。色が異なるメインカメラ部のクリアーパーツは、2種類のフィルムを重ねて貼り込むことで劇中のイメージに寄せ、コンロイ機の特徴でもあるバイザー部のセンサーは市販レンズパーツやクリアパーツの伸ばしランナーで再現しました。

胴体はキットにプラ板を貼って増加装甲を再現していきます。全体的なバランスが

●MGでバリエーション化されたときを想定しているので本体のプロポーションはほぼそのままだが、腹部とももは2㎜程度延長し、着ぶくれしたカンジにならないよう調整している
●バイザーは可動するように製作。肩のナイフは1/100で鞘への抜き差しを再現するのは難しかったので差し替え式とした。ハンドガンはスクラッチビルドで、シールドとライフルはキットパーツを使っている

ジェガンを語るうえで『機動戦士ガンダムUC』は外せない作品。物語冒頭のスタークジェガンのシーンで心をわしづかみにされたRGMファンは多いと思われるが、多数登場したジェガン派生型のなかでも印象的だったのがDe型、エコーズ隊が使用していた特殊部隊仕様だろう。De型の特徴は「ジェガンなのに強くてカッコいい」という、ちょっと矛盾したところにある。

『機動戦士ガンダム』にはじまりジェガンがはじめて登場する『逆襲のシャア』、『F91』くらいまでの映像作品に登場する量産型はあくまで「やられ役」であって、ドラマで言うとエキストラのようなものだった。しかし、『0083』あたりで連邦量産機にも活躍の場ができ、名もなきエキストラから「存在感を主張し物語に幅をもたらす脇役」へと変わってくる。その流れのなかで非常に洗練されたかたちで「弱いのに強い」をつきつめて見せてくれたのがこのDe型だった。特殊部隊仕様という宇宙世紀世界的にはそれまでになかった設定的リアリティーを持ち込み、きちんと運用法が想定された豊富な武装バリエーションとスペシャルなバイザー装備を持つ機体で、MSV的なギミックと主役を食うほどの存在感を放つ。新たなRGMファン層を開拓しMGでの発売が待たれる名機と言えよう。■

「ジェガン=弱い」の構図を打ち破った『UC』のDe型

●量産機好きといえばしぶいオジサンパイロットは大好物。黒い三連星、バニング大尉などなどたくさんの名脇役が物語を盛り上げてきたが、『UC』で強い存在感を放っていたのがコンロイ・ハーゲンセン少佐だ。副司令としての度量の広さと非常に高い操縦能力を兼ね備え、気遣いと侠気あふれる人柄にファンも多い

崩れないよう留意しながら纏わせます。追加装甲のぶん、どうしてもズングリしてしまうのがいやだったので腰との接続部分で2㎜延長、同様に肩関節の接続部分で1㎜上方へ移動させてバランスを取っています。

今回いちばん難航したのが肩アーマーの再現。ほかのところとは異なりキットパーツを活かすのは困難です。そこでプラ材でのスクラッチビルドでの再現としました。展開図をPCで作成し、それを型紙としてプラスチック材を切り出して組み立てます。スラスター部の角バーニアは市販ディテールパーツをリサイズして使用しています。

腰部はフロントの追加装甲部のみが違うのかと思えばそんなことはなく、大きく形状が異なっています。A型の後方に向かってナナメに切り上がるラインのところを一度カットし、水平なラインになるように形状を変更しました。また、大きく張り出してスクエアなラインの腰前後アーマーはプラスチック材を貼り込んで再現しています。

脚部は大きな形状変更はありません。バランスを調整するために太もも部分で2㎜延長したほか、ヒザ部を1㎜上方にボリュームアップし、スネサイド部の合せ目の形状を変更しています。足首と裾のスキマが若干気になったので1㎜伸ばしました。

バックパックはD型で大きく形状変更されています。キットのパーツは非常に考えられた構成なので、極力活かすよう内部フレームは残して外装パーツをプラ材からスクラッチビルドすることで再現していきました。胴体との接続やスラスターなどはキットのままなのでバランスを崩すことなく構成できます。このあたりからも、このキットがD型のバリエーション製品化を視野に入れていることがよくわかりました。

各部のディテールですが、ユニットを大きく分割しているようなラインのスジ彫りは多用せず、こまかなディテールの彫り込みで解像度を上げていきます。ベースのD型はアタッチメントパーツを接続できるという設定なので、パーツを接続しそうな箇所に接続ラッチ風のメカディテールやハッチディテールを追加しています。■

[interview;]

全バリエーション**想定済み**。**MGジェガン**開発担当者にことの**真相を直撃**インタビュー!!

パーツを検証していくとはじめの段階から「すべての派生型バリエーションの製品化を考慮して設計されている」ように見えるMGジェガン。はたしてどこまで想定して開発が行われたのか、開発担当者に直撃インタビュー!!

「HGジェガン神話」

まず、MGジェガンはなぜ発売にここまで時間がかかったのでしょう?

福田　HGでジェガンのバリエーション展開がはじまるまでは、常に商品化の話題には上がってはいたものの、ジェガンは人気がないと思われていました。大きかったのはプレミアムバンダイで社内に「HGジェガン神話」のようなものができたことです。製品化したジェガンバリエーションに次々反響をいただき、それがやがて「ジェガンバリエーションは好調になる」という神話的な評価になっていったんです。そんなHGのバリエーションがひととおり終わったのが今回MG化に踏み切ったいちばんの理由でした。人気が出たこともあって、ベースとなるはじめの製品は期待に応えられるものにしないといけなくなったので、ハードルは高かったです。一発目で失敗するとその後のバリエーションに暗雲が立ちこめますからね。プレッシャーもあって正直担当するのには及び腰でした（笑）。

ジェガンのMGとなれば、すべての量産機ファンが注視しますよね。

福田　MGはファンがHGでジェガンを買い支えてくれたことへの恩返しでもあります。お陰様でHGジェガンはご好評をいただいたので、『逆襲のシャア』30周年のMGでやらないわけにはいかないだろう、と。

'10年代前半に『逆襲のシャア』アイテムをMGで連続したときに、ギラ・ドーガに続いてMGジェガン、というような話はなかったのでしょうか?

福田　そのころのことは直接はわからないのですが、あえてMGはやらずHGのバリエーションに集中することでプロダクトの進化を追求できたということはあると思います。それと、'00年代末から'10年代前半くらいまで、HGジェガンが発売された時期はプレミアムバンダイの黎明期で、まだジェガンがここまで好評になるという認識がありませんでした。『UC』とともにバリエーション展開していくなかで好評をいただいて「HGジェガン神話」というような

MGジェガンランナー解析
おそるべき拡張性をパーツから読み解く

＊これは本誌独自の解析でありBANDAISPIRITS公式の見解やバリエーション予告ではありません

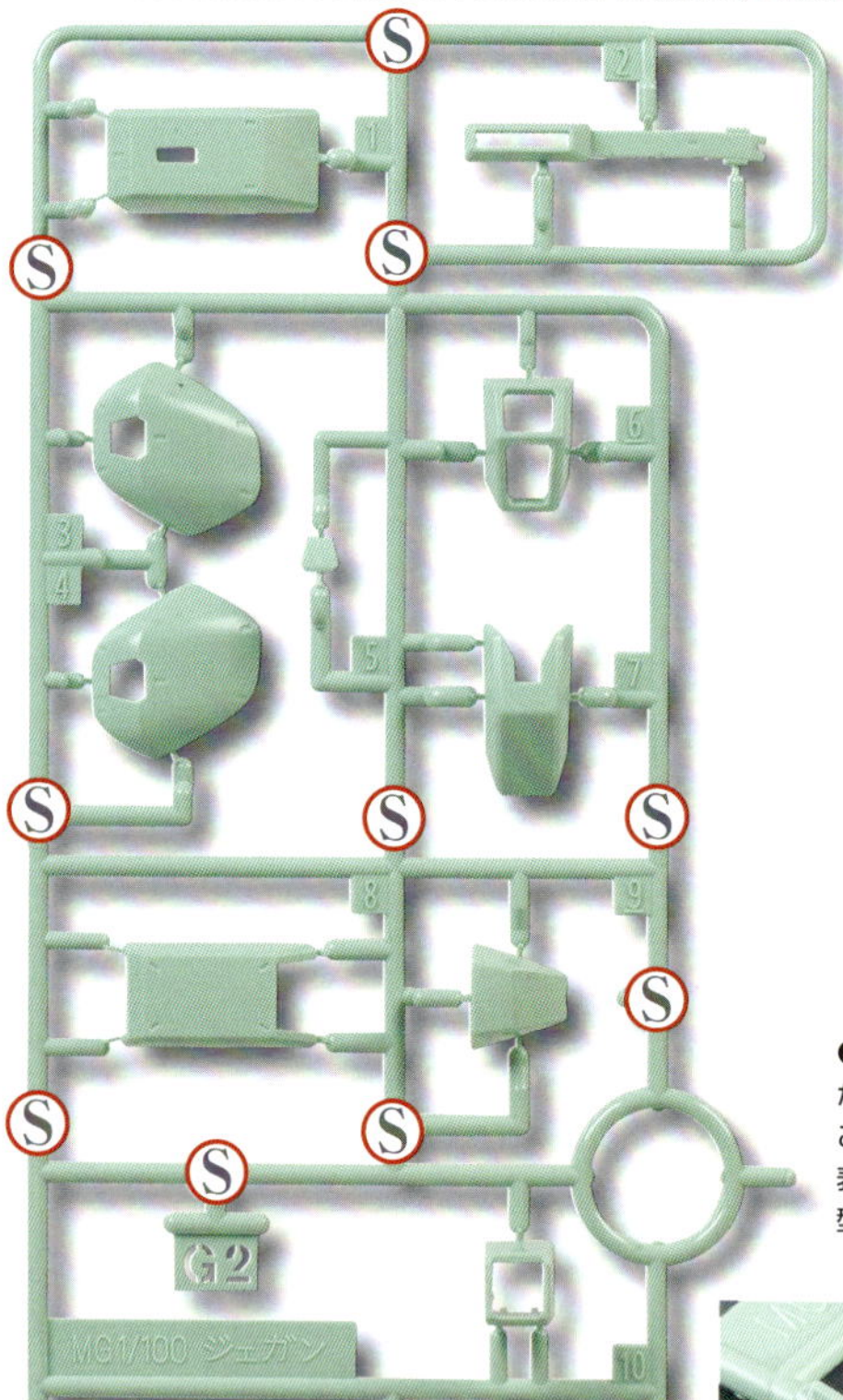

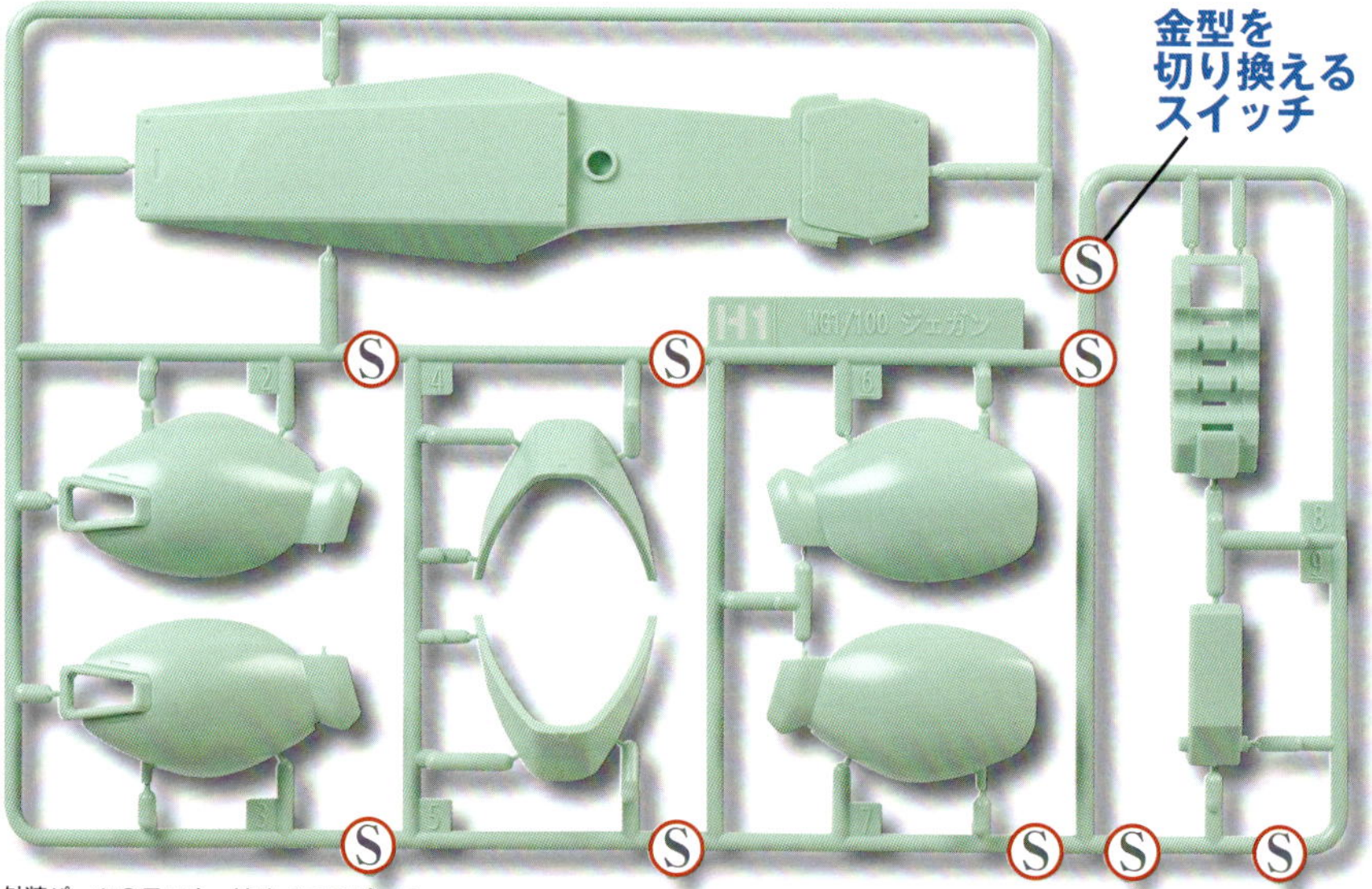

●外装パーツのランナーはすべてのピースが組み替えられるようにスイッチの嵐!! これならスラスターが増設されたA2型や、表面ディテールが細かく異なるJ、M、R型も難なく完全再現できそうだ

ほぼすべてのユニットが組み替え可能　不定形なランナー形状と"スイッチ"の多さ、そして位置に注目!!

●HGUCでのバリエーション展開での経験を踏まえ、MGではじめからすべてのジェガン派生型バリエーション製品化に対応することができるように金型が設計されている。現時点では「できる」というだけで今後の製品化は未定だが、こんなに工夫されたランナーを見せられてしまうと、いやが応にも今後の展開に期待を膨らませてしまう

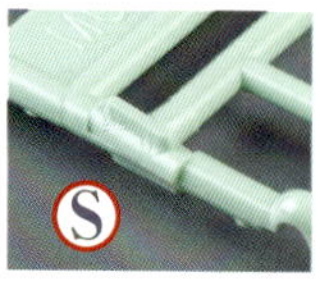

◀「スイッチ」とは成型時に樹脂が流れる方向を変えたり流れないようにしたりする仕組み。金型を置き換えて切り替えることでランナーの構成を変えることができる

金型切り替えのためのスイッチに注目

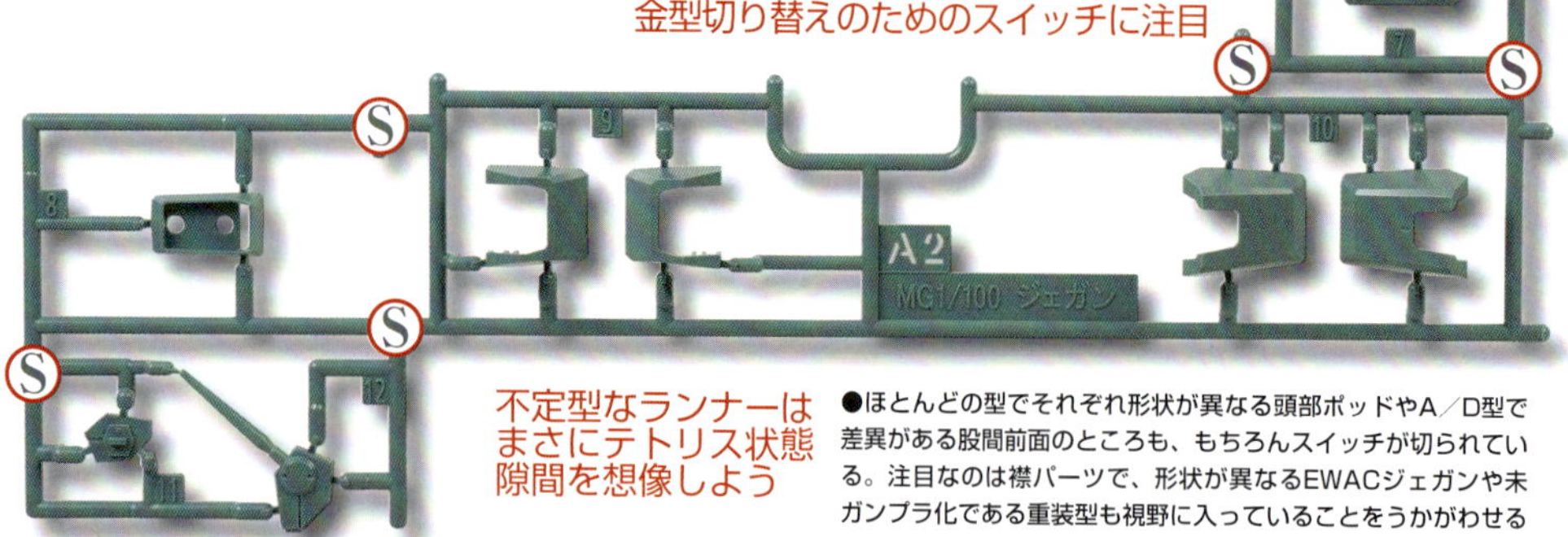

不定型なランナーはまさにテトリス状態　隙間を想像しよう

●ほとんどの型でそれぞれ形状が異なる頭部ポッドやA／D型で差異がある股間前面のところも、もちろんスイッチが切られている。注目なのは襟パーツで、形状が異なるEWACジェガンや未ガンプラ化である重装型も視野に入っていることをうかがわせる

福田 瑞樹●ふくだみずき／BANDAI SPIRITS ホビー事業部 企画開発チーム所属。1990年生まれ、埼玉県出身。HGUCジェガンシリーズでは『F91』バリエーションなど多くの製品の開発に関わり、近年はMGブランドでMG ZZガンダムVer.Kaなどの企画を担当する

感触が醸成されていったことでMG化が可能になっていったのですが、HGバリエーションの成功によって期待値があがったことで、逆に「中途半端なものは作れない」という意味でのMGジェガン製品化のハードルが自然と上がったというのもあります。

HGからのフィードバックを活かさなければならないと。

福田　そこは今回のMGジェガンではかなり意識しています。量産機は好きなのですが、MGジェガンは担当になるのを尻込みしたくなるほどのビッグアイテムでした。プレミアムバンダイを含めたHGでの好評を裏切れない、そういうプレッシャーのなかでとくに気合いを入れて開発しました。

HGではあまりに的確にバリエーションが展開されていくので、恐ろしいジェガンマニアが開発陣にいるのではないかというような憶測もあったのですが……。

福田　そんなことはないですよ（笑）。私も量産機は好きですが、ジェガンだけのマニアというわけではないです。じつはHGのジェガンバリエーションは若手の登竜門でして、ランナーの精査がまず作業として入るので、製品開発業務を学ぶうえではとてもよい題材なんです。バリエーションごとに形状が微妙に違うので、それを整理して製品に反映することを学べますし、予算内でどこまで作り込んでいくのかの判断をし、同時にどのような作りにすればやりたいことが実現できるか考えることができるので、企画的発想と製品内容を具体的に構成する発想を同時に鍛えてくれるよい題材なんです。もちろん難しさもありますけれど。僕は一年目に『F91』のジェガンバリエーション、二年目にCCA-MSVを担当させていただいていくうちに、「ジェガンだったら彼」というような扱いになってきて、いつのまにか「ジェガンマスター」的な称号が与えられていました。

HGという厳しめの制限があるなかで、どこまでプランニングとこだわりが通用するかを試されるわけですね。

福田　そうです。逆にいうと、だからこそ制約の元となるバリエーション第一弾のキットを開発する側は責任重大です。はじめにヘタなフォーマットを作ってしまうわけにはいかないことを、HGでバリエーションを担当させてもらったからこそよくわかっていますから。だからこそ、MGジェガンには気合いが入ったということなんです。

HGからの教訓

HGでの『F91』バリエーション発売にはRGMファンが狂喜乱舞しました。「本当に3タイプ全部やるの!?」と。

福田　あれは大変でした。当初からD型やスタークジェガンあたりまでは意識したランナー構成だったのですが、『F91』のジェガンバリエーションまでは想定されてなかったんです。開発をはじめるときには「共用で使うパーツ」「不要なパーツ」「新規設計しなければならないパーツ」を割り出すのですが、それを精査するのがまずものすごく大変でした。それから、HGではパーツ数の制約などがあってやりきれない部分もありました。やりたくても泣く泣く諦めたところもけっこうあったんです。そういうことはMGは今回絶対やりたくなかった。HGバリエーションでの苦労とノウハウは今回のMGにすべて活かされています。

バックパックエンジンノズルの差し替えによる位置変更などには執念のようなものを感じさせられました。

福田　不定形なランナーの形を見ていただければ、勘のいい方ならバリエーション展開の可能性がわかるようになっています。

ランナーの形がテトリスみたいになってますよね（笑）。

福田　スイッチを多用してパーツを入れ替える前提で、いずれ必要になるスペースは開けてあります。次のバリエーションの新設計パーツの金型を追加で彫っていけるようになっているんです。この金型の配置、割り付けがものすごく大変でした。HGでの反省を活かすと、いちばんはじめの段階で考えておかなきゃまずい。たとえば、HGだとランナー配置の都合で『UC』の先行配備機ができなかったんですよ。そこまで想定されていなかったので。HGジェガンのパーツ分割を活かすと色再現ができなくなってしまう。同じ形のランナーを色だけ変えて二枚入れるようなことをやらないと作れない。でもMGでは成型色とスイッチの変更でできる構成を想定しています。

具体的にはどうしたのでしょうか？

福田　まずは設定画とにらめっこです。そして設定画の情報をどこまで拾うのかを精査していきます。ジェガンのバリエーションはカトキさんや出渕さんなど複数のデザイナーさんが描かれてるので、機体形状の違いなのか、絵としてのニュアンスの違いなのか、というところまで精査しないといけません。今回は現時点ですでにすべてのジェガンバリエーションについてこのような精査を終えています。設定画で形の違うところをひたすらリストアップしたあと、カラーパターンを確認します。今度は「このパーツとこのパーツは同じ型じゃないといけない」「色は同じだけど別ランナーにしないといけない」というようなランナーの構成をひとつずつ洗い出していきます。これを終えてようやくパーツをランナーの枠に収めて配置していく作業になります。

圧倒される作業量ですね。

RE1／100とMGの境界

1／100キットを待ち望んだRGMファンとしては、ジェガンがRE／100ではなくMGとなったことに安堵したのですが、RE／100ではなくMGになった理由はどのあたりにあったのでしょうか？

福田　部内でもどちらにするかという話はありました。MGはバリエーション化がしやすいんです。それでRE1／100ではなくMGでやるべきだという話になりました。RE1／100はMGよりもパーツ単品が大きいシンプルな割り方なのでMGくらいこまかく割ったほうがバリエーション化のときの効率がいいんですね。なぜジェガンは『逆襲のシャア』から『F91』まで運用できたのか、という思いも個人的にはあって、そういう長いあいだ活躍できたMSのプラットフォームをMGのフレームでかたちにしたいということもありました。

『HGUCジェガン神話』がMGを生み出し、MGの仕様にも大きな影響を与えています。

●各型で共用となるであろう四肢の基本フレームパーツは2枚のランナーの倍打ちで構成されている。パーツ数を抑えることで組みやすくしつつ可動範囲やディテール表現にいっさい抜かりはない。近年使用が増えている軟質スチロール素材「KPS」の使用でポリキャップを廃したことも組みやすさの向上にひと役買っている。よく見ていくとつま先が分割されていて、可動への配慮とともに、足が大型なスタークジェガンにも対応していることがわかる

2種×2ランナーで四肢フレーム基本構造を構成する練り込まれたパーツ構成

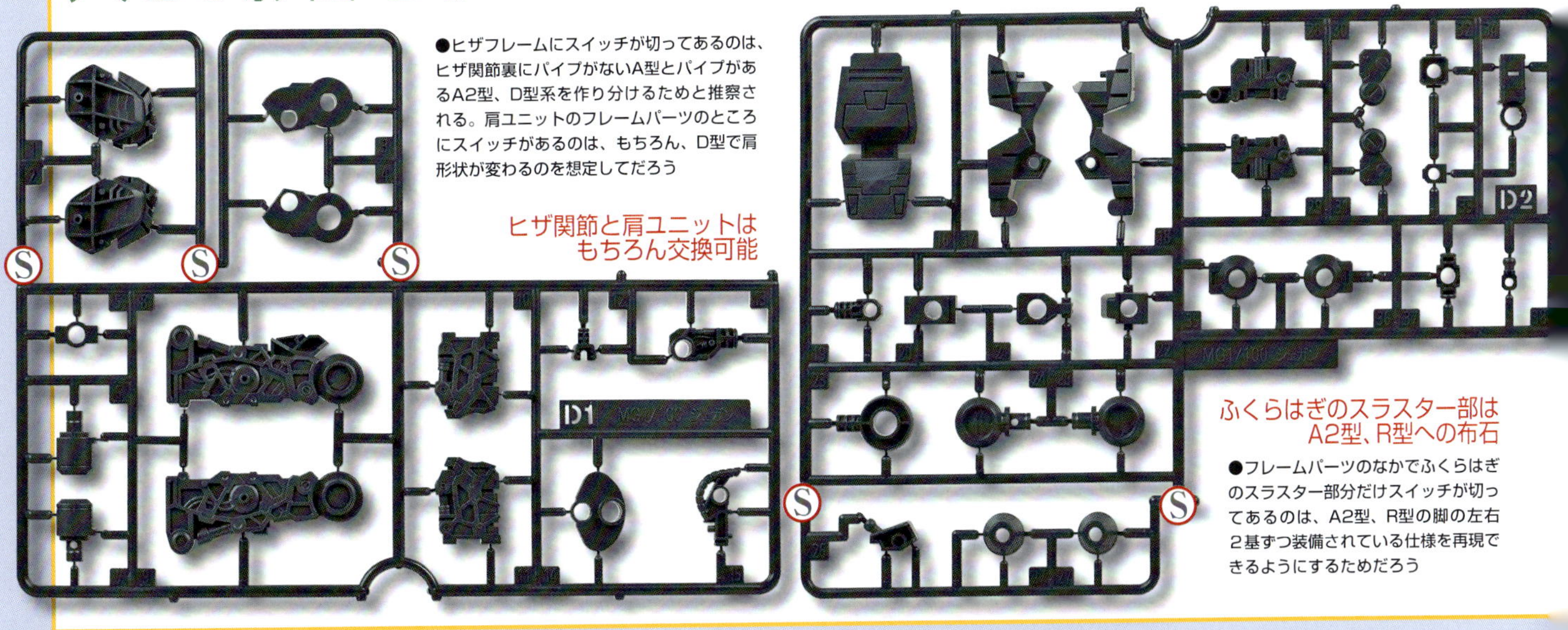

●ヒザフレームにスイッチが切ってあるのは、ヒザ関節裏にパイプがないA型とパイプがあるA2型、D型系を作り分けるためと推察される。肩ユニットのフレームパーツのところにスイッチがあるのは、もちろん、D型で肩形状が変わるのを想定してだろう

ヒザ関節と肩ユニットはもちろん交換可能

ふくらはぎのスラスター部はA2型、R型への布石

●フレームパーツのなかでふくらはぎのスラスター部分だけスイッチが切ってあるのは、A2型、R型の脚の左右2基ずつ装備されている仕様を再現できるようにするためだろう

サクサク組めて色分けもパーフェクト。あっという間に組み上がって「これ本当にMGなの?」と思ってしまうほどですよね。近年のパーツが多く構造が複雑化したMGと比べると物足りなさを感じる方もいるのではないかと思ってしまうのですが。

福田　そこが狙いなんです。バリエーション展開を考えると、ユーザーの皆さんは同じフレームを何個も作ることになりますよね。そこで、単品でのバリューではなくバリエーションを作り並べていくときの作りやすさを重視することを最初に考えました。バリエーション展開の製品化をスムーズに展開するために、ランナー構成は複雑にする代わり作るキットとしてのパーツ構成はシンプルに作ろうという発想です。

最低限のパーツ数のフレームながらバリエーションのためにふくらはぎを分割しているあたりに合理主義を感じました。こういうところが結果的に「量産機っぽさ」を演出することにひと役買っているというようにも見えたのですが。

福田　そこは感じてもらいたかったところですね。宇宙世紀世界で30年戦った量産MSのフレームっぽさと言いますか。

KPSを使うことでポリキャップレスとなったのも、組みやすさとパーツ構成の簡素化に影響していますね。

福田　そうですね。昨今はKPSの使い方にも習熟してきましたし、なによりポリキャップレスだと、ポリキャップを切り出して挟み込むというひと手間をなくすことができます。こまかいことのようですが、そういうことの積み重ねによって組みやすさが生まれるんです。そのあたりは設計担当の努力の賜ですね。今回はMGジェガン1作目ということでベテランが担当したんですけれど、形状の追い込みやパーツ構成など、感心させられることが多くありました。

テストショットが届いたときに組み立て説明書がまだなかったんですが、それでも直感的に組めたのには驚かされました。

福田　かなり作り込まれたものすごくいい設計になったと思っています。現時点では「MGにしては簡素すぎるのでは」という声もあるようですが、今後のバリエーションを見ていただければ納得していただけると思います。今後のバリエーションを組んでいただいて、「ここが変わるからこういうパーツ分けだったのか!」というのがわかってきてからが、このMGジェガンの本当の評価だと自信を持っています。

シンプルであることの意味

連邦量産機のMGというと、名キットと名高いジェスタが先に発売されていますが、ジェガンではいっさいジェスタのパーツが使われていませんよね。

福田　そうですね。フレームを共用するとプロポーションが左右されるので、刷新することにしました。ジェスタの段階でジェガンを視野に入れた設計自体はしていたので、部分的に使うことも考えはしましたが使うとランナー数が増えてしまう。だったらジェガンはジェガンとして完全に新規設計することでシンプルに作ろうと。

ジェスタのフレームは「最高級品質」感があって、関節可動部の数も多いし、LED電飾が入るなど、凄まじく贅沢な作りですよね。それに対して切り詰めた構成のジェガンフレームというのが際立ったかたちになっていると思いました。豪華なフレームというとMG Ver2・0ジムのフレームがあって、あちらも多数のバリエーション展開で成功していますが?

福田　多数のバリエーションが作れるフレームという意味では同じですが、フレーム自体の構成や作りは完全に逆をいっていると思います。キャラクターごとの作り分けというのもありますね。RX-78は1年戦争のワンオフ機体なのでしっかり作り込みたい。その派生型であるジムは当然それを反映した構造になるでしょう。ジェガンはそれとはちょっと違っていて、やっぱりバリエーションの存在それ自体がキャラクター性なんです。そのキャラクターの特徴を最大限引き出せるプロダクトを作っていこうとしたときにそれぞれ当然あるべき方向に行ったということだと思っています。

外装のシンプルさもキャラクター性をよく現していますね。

福田　待望のMGジェガン一発目ということで、できるだけシンプルにという志向で作りました。アレンジを加える勇気がなかったとも言えますけれど(苦笑)。

そういう意味では、いま改めて見るとHGは意外とアレンジされていますよね。MGはとてもニュートラルというか、設定に素直な印象を受けました。

福田　そうですね。HGは出渕版でもカトキ版でもない中間的なアレンジのジェガンになっています。HGの場合は最大限パーツを共用しないといけないので、結果的にバリエーションを展開するうえではよい方に転んだんですけれど、MGでは、それぞれの特徴を活かしてそれぞれにしっかり作り上げたいよね、と思っています。こういったところも、この『逆襲のシャア』仕様のディテールが少ないところに繋がっているかもしれないですね。

バリエーションは想定済み

パーツを眺めているだけでもバリエーションの壮大なプランが見えてきますね。

福田　そうですね。たとえばIのランナーは『逆襲のシャア』のジェガン専用の枠なので、ここに入るパーツはあとですべて代わるようにしてあります。

肩アーマーのうしろ側でフタがされているところはA2型でスラスターが入ることを考えてですよね。

福田　もちろんそうです。そういうこまかいところのパーツ形状や構成は、僕もパーツ設計が上がってきて驚きました。設計担当がすごくうまくやってくれています。正直、「そうなるんだ、スゴイ!」って思いながら見ていました(笑)。

記事でも解説していきますが、MGジェガンを見たら「ここにはきっと●●のパーツが入るに違いない!」というような予想が舞い飛ぶと思うのですが。

福田　そういうところはMGにしてよかったと思うところですね。この構成はフレームがあってこそだと思うので。ぜひいろいろな予想をしながら楽しんでください。■

●MGジェガンではスラスター内側が色分けできるように別パーツ化されているが、肩の小さな丸いスラスターパーツ(F2の2)の下側があからさまに空けられているのは、A2型にある肩後面のスラスターパーツを追加するためだろう。A/D型で形状が変わる肩側面スラスターやふくらはぎ側面のスラスターパーツのところにもスイッチが切られている

色分け再現されたスラスター内側パーツから見えること

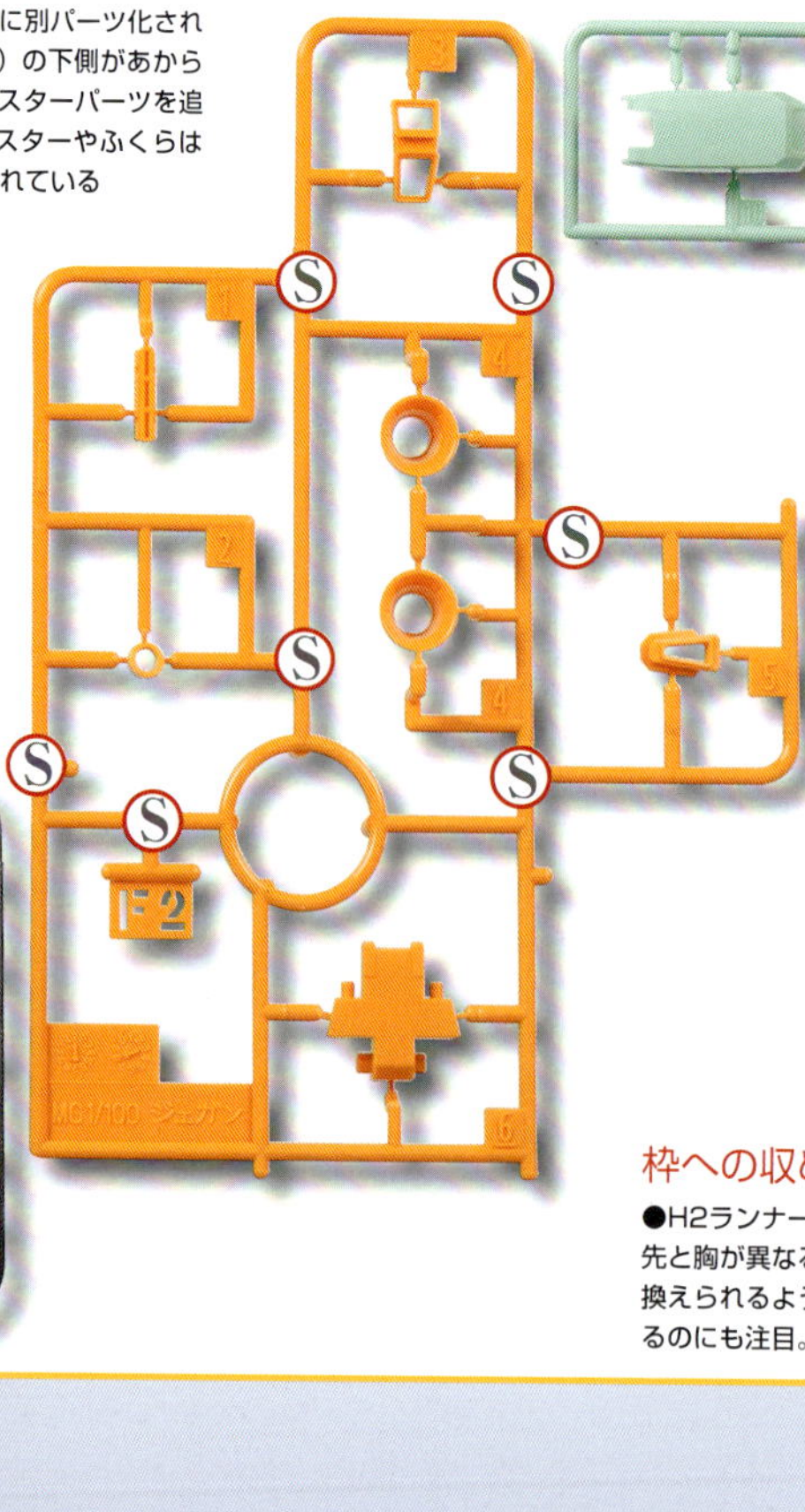

●ハンドパーツはジェスタで採用された全指可動のエモーション・マニピュレーターはあえて使用せず、固定指差し替え式のMG ガンダムAGEシリーズで使われていた「MSハンドA」のランナーが使われている。全指可動でないぶん扱いやすく、武器がしっかりと持ててシルエットもきれいに出せる優れたパーツだ

固定指差し替え式ハンドパーツはガンダムAGEと同じもの

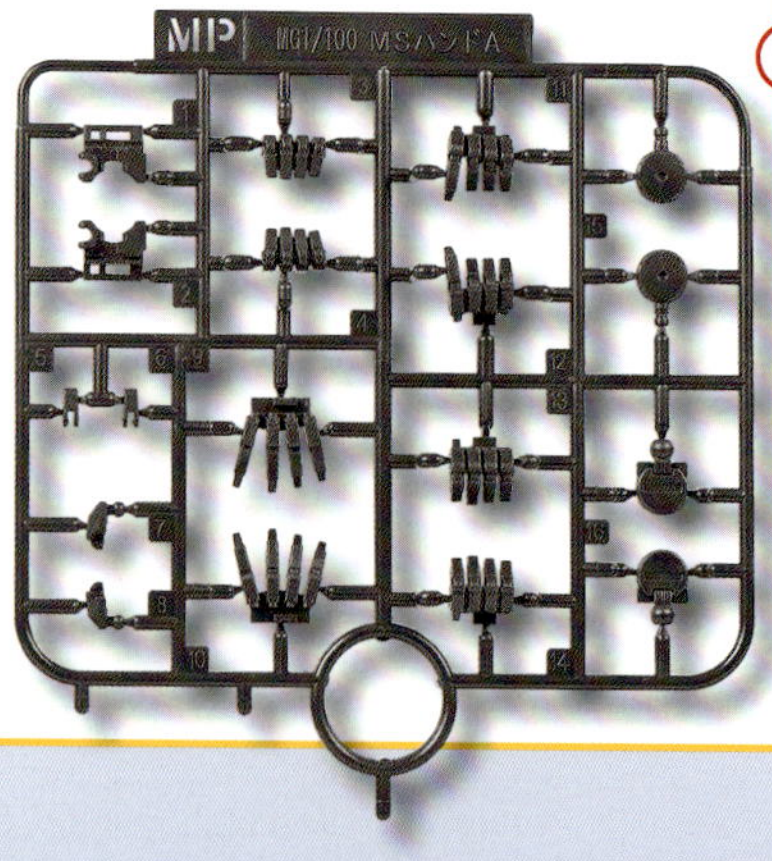

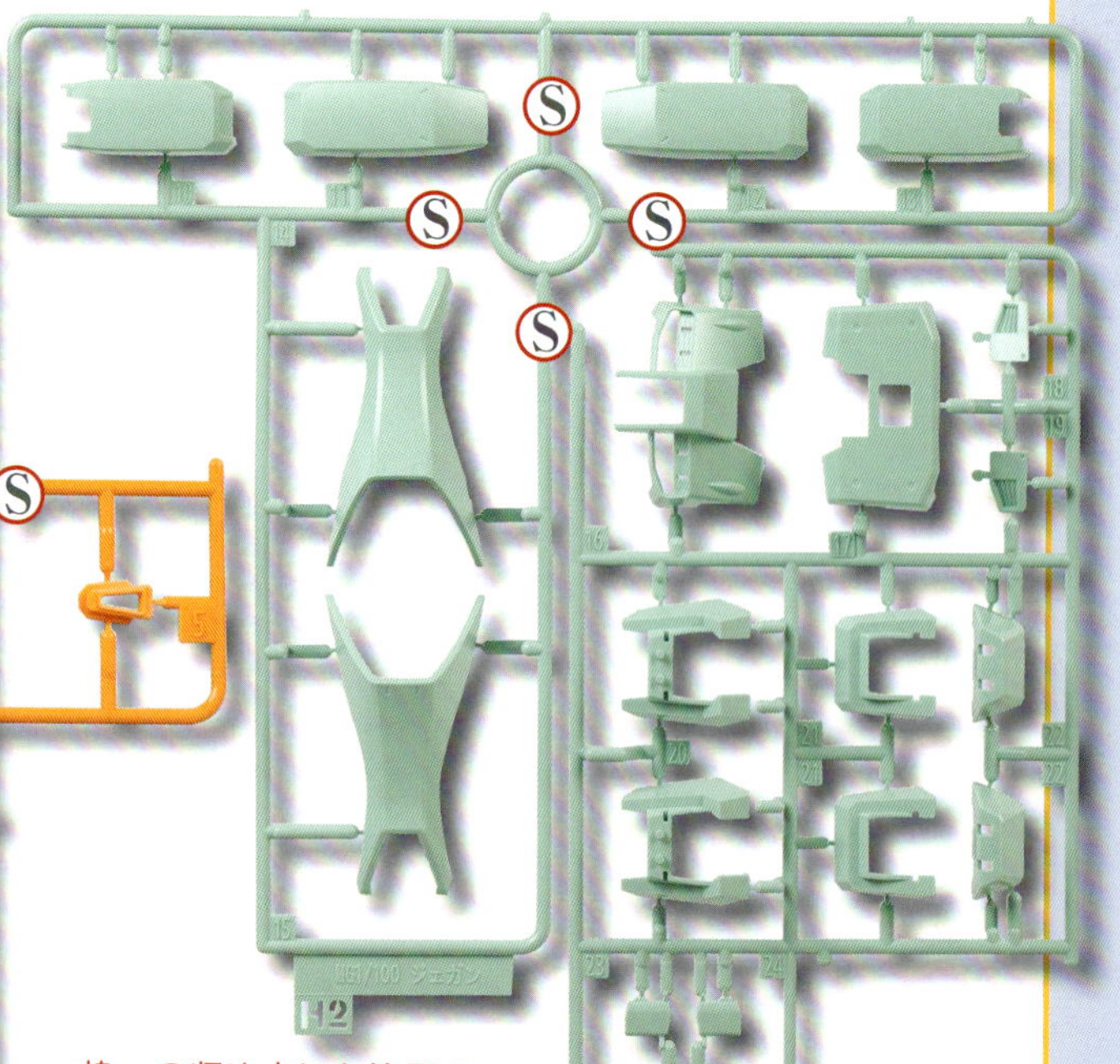

枠への収め方にも注目!

●H2ランナーで注目したいのは、つま先と胸が同じ枠内に収まっているところ。つま先と胸が異なると言えばスタークジェガンで、ここはスタークジェガンでまるごと置き換えられるようになっている。また、もも外装が周辺部に置かれスイッチが切られているのにも注目。M型で異なっているもも形状を再現するためと思われる

[対談]けんたろう×東海村原八

MGジェガンを肴に語り明かす

モデラー的連邦量産機よもやま話

とにかくジェガンが大好きすぎてMG発売前は夜も寝られなかったけんたろう君とガンプラの酸いも甘いもかみ分けたベテランモデラー東海村原八のおふた方による突発的対談を開催。この際ですので、連邦量産機とジェガンについてなれそめから現状に到るまで、じっくりダラダラと語り合っていただきました。

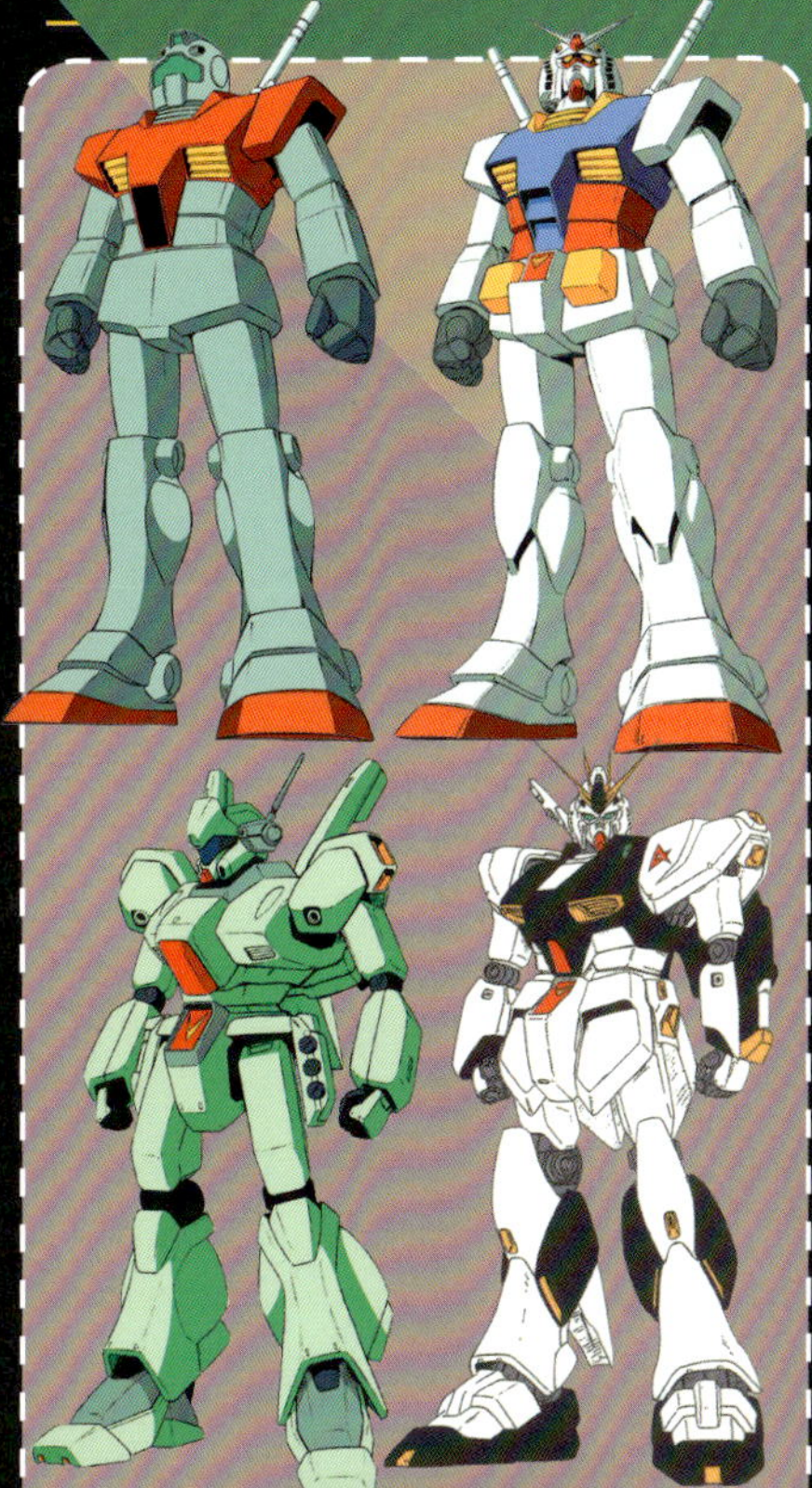

▲主役機と量産機が同じフォーマットであるところにミリタリズム的リアリティーを感じさせたガンダムとジムだったが、時代が変わって、強いモノをより引き立てるために別物としてデザインされた機体がジェガンだった。弱さの演出は形状デザインから色に到るまで徹底されていて、説明されなくても脇役とわかるところがすごい

▲けんたろうがジェガンに目覚めたときにやっていたのがファミコン用シミュレーションゲーム、『ガシャポン戦士2 カプセル戦記』、『ガシャポン戦士3 英雄戦記』（各'89年、'90年発売）だ。2は横向きアクション、3は大戦形式のコマンドバトル。たとえば3では、νガンダム×5のコストが9999に対してジェガン×5のコストは250……だいたいνガンダム1機のコストでジェガンを40機作れちゃうのでどんどん作りたくなるのにもうなずける。映像とゲーム、どちらから入ったかでジェガンの評価は大きく分かれる

ゲームからはじまったジェガン体験

けんたろう（以下け） おめでとうございます！ ありがとうございます!!

東海村原八（以下東） いきなりテンション高いなあ（笑）。

け 一生に一度の慶事ですから。

東 そこまで!?

け これ以上となるとPGジェガン発売……それはさすがにないでしょ～。

東 そもそも、けんたろう君はなんでそんなにジェガン命なの？

け 自分が物心ついたのがだいたい『逆襲のシャア』のあとくらいだったので。

東 それならνガンダム大好き、になるんじゃないの？

け あまりにコストが高いんですよ、νガンダムとかリ・ガズィとかは。

東 コスト……？

け ゲームです。

東 そっちね（笑）。

け νガンダムは高すぎるから戦略的には生産したくない。まずジェガンを作ってから……ってなるので、そこでなじみました。

東 じゃあ、映像作品としての『逆襲のシャア』はゲームのあとに見てるんだ。てことは、リアルタイムで劇場版を観たわけじゃないってことだよね。

け そうですね。でもボクのころはビデオあったりして見られる環境だったから、たぶん、風邪引いたときとかに親がビデオで見せてくれたような。

東 懐かしトークだね、それ。初めて映像でジェガン見たときって……？

け ああ、こんななんだ、意外といっぱいでてくるんだなあ、くらいの。

東 名のあるパイロットも出てこないしね。でも当時からジム好きの延長でジェガンが好き、っていう人はいたよ。

け ボクは映像から入った人でジェガン好きにはあんまり出逢ったことがないです。ていうか、ジムよりジェガンが好き……もっというと、ジェガン好きが昂じてジムも好きになったんですよ。

東 へ～！ そうなんだ。私の世代からすると考えられないなあ。

け それはわかります。当時ジェガン好きっていうと変な人扱いされてた。そのころの大人の人からするとジェガンって弱いし、出渕デザインということでレイバーの亜種、みたいなことを言われることも多かった。そういう扱いに対して愛想笑いでかわすのに疲れる……みたいな。

東 愛想笑いはするんだ（笑）。カミーユパンチ！ とかではなく。

け しないですよ、アニメじゃないし（笑）。その後『パトレイバー』の人気が出たことで、むしろジェガンのポジションがいじられにくくなって、それでも平和にたしなめるようになるまでけっこうかかったような気がする。プラモ屋にいくと、隣のレイバーのプラモデルのところにジェガンのガンプラを戻すヤツとかがいて、「キーッ」っていいつつそっと元の位置に戻して置いたりとか。

東 壮絶な戦いがあったのね（笑）。

け あと、自分は当時からドラマの水戸黄門が好きで、話すと長くなるんですけど、最高のエンタメだと思ってて……。

東 話飛ぶなあ。

け 助さんとか格さんが強く見えるのって、切られ役がうまいからなんだって。

東 それはそうだね。殺陣としてちゃんと組み立てられている。

け それと同じで、ジェガンがやられるのってとても大事な役割なんだって当時から思っていて。そういう意味で、ジェガンって尊敬できるんですよね。

東 MSを尊敬している人初めて見た（笑）。私の場合だと、映像より先に模型雑誌、そのころだと『模型情報』だね、で設定画を見たのが初めかな。そのころはもう模型雑誌編集部に出入りしはじめてた時期だと思う。で、設定画を見て思ったのは、「明確に弱そうにデザインされてる」ってこと。

け あ～、なるほど。

東 ジムはガンダムから線を引いたもので、それはそれでカッコいいしリアルだったんだけど、それとは違って、ガンダムをより強くしたνガンダムに対して、ジェガンはジムよりさらに弱く見えるようにデザインされている。劇中ではちゃんと性能がいいということになっているんだけど、線を減らしている感じとか、足首ガードやスカートがなくなっているとか。ああ、なるほど、「いい弱さ」だな、初めからきちんと弱そうに描き分けられてるのがいいなって思った。

け ギラ・ドーガより後に作られたのに弱いとか突っ込みどころはあるけれど、そこもそれでいいんです。いちばん輝いてたのはアクシズをみんなで押し戻そうぜ、ってとこだったかもしれない。

東 次々燃えてたけどね（笑）。『F91』のときはどうだったの？

け 『F91』のジェガンも好きですよ、弱くて。

東 『F91』ではジェガンの設定画がトレースし直されていて、「なんでこんなに違うの!?」と思った。

け ボクは時代が経ったから外形も変わったのね、って思うことにしてました。『逆襲のシャア』とか『UC』は映像をコマ送りして作画をチェックしたりするんですけど、『F91』はあまりそこまでしないので。

東 劇中で動くと同じジェガンに見えるんだけどね。それから、小型MSが出てきて20m級と15m級が混在するんだけど、それほどない大きさの違いをシーンによってはかなりちゃんと描いていた。デナン・ゲーがジェガンの頭を蹴るシーンとか、ちゃんとジェガンが大きく見えるようになってる。

け　デナン・ゲーといえば、インターネットの掲示板とかでジェガンについて語り合おうとすると、いつもデナン・ゲーが貼り付けられるんですよね。

東　そうなんだ（笑）。

け　サッカーしようぜ、って。要はジェガン弱いじゃんって言いたいんだろうけど、いいかげんにしろよっていう（笑）。

東　いまここに並んでて気づいたんだけど、HGUCの『F91』のジェガンってちゃんと3タイプとも製品化されてたんだね。

け　そうなんですよ。しかもジェガン通でもわかりにくいところまでかなりちゃんと作り分けされてるんです。

東　ジェガン通……（笑）。あ、よく見ていくとちまちまと全部変わっているね。

け　すごいちゃんと作り分けされてます。

東　いまHGUCのジェガンバリエーションって全部でいくつくらいあるの？

け　18です。

東　すごいね！　へえ～。

け　9年くらいかけてどんどん増えてきました。HGUCジェガンを買うとデカールがもらえるキャンペーンがあったりとかもして、買うと次々製品化されるから、ガンプラモデラーとメーカーのいい意味での共犯関係ができてきた。

東　それはそうなんだろうけど、そもそもジェガンにそんなに機種の設定があったんだってところに驚くよ（笑）。

け　まあ、まだ製品化されてないバリエーションもあるんですけどね。『機動戦士ガンダムNT』でも新機種がでるから楽しみ。ジェガンは宇宙世紀で30年以上使われているから、バリエーションもまだまだいける。

東　そこは現実世界の戦闘機とかが反映されているんだろうね。F・4なんかは60年使っててバリエーションもたくさんある。

揃える、という夢

東　このHGUCジェガンを見て思ったのは、よく言うんだけど、フォーマットを揃えたいのってオタクの夢なんだよね。

け　あー。わかります、ものすごく。

東　MG Ver 2・0フレームを共通で使うのとか、『THE ORIGIN』のMSDで全部揃えていこう、とかまさにそれだよね。ザクとかガンダムから流れていく系譜を共通のフォーマットで揃えていきたいという。「これですべて揃えれば……」っていうのは、誰もが一度は夢みるよね。昔だと、みんなそれを思いつつも3作目くらいでそもそも頭身が変わっちゃったり、新しい技術でフレームを全部作り直しちゃったりしていたんだけど、技術的にも出揃ってきた感じがあって、いまだったら10年以上使えるようなフォーマットが作れるようになったのかもしれないという気がする。

け　MGジムコマンド系なんかがそうなんですけど、そうはいってもそのままだと揃えるのが難しいところがあったりして、そういうところはこまごまとパーツを換えるみたいな工夫をしてうまいことやってます。

東　とにかく倍打ち（左右や上下のパーツを共用にして同じランナーを×2ずつ入れる手法）にしておくと汎用性があがるんだけど、このMGジェガンではそのあたりとてもうまくやってる感じがする。

け　フレームパーツランナー2枚の倍打ちだけで手足ができあがるようになってるんですよね、MGジェガンって。

東　これよくできてるなー。ひとつだけあえて苦言を呈するとすると、ランナーの倍打ちや組み替えが多用されるようになったせいで、ランナー名が「B1の2」とか「A2のB」となっちゃってて、作るときに「どれ!?」ってなることがよくある（笑）。

け　プレミアムバンダイ製品だと組み立て説明書が分かれているので余計わかりにくいですね。でも、製品形態を考えると製品化されるだけでも本当にありがたいので、そこは見て見ぬ振りをします。ちゃんと組み立て説明書見て作れば普通に組めますし。

東　おそらく、いまがそういう組み替えがごちゃごちゃしているピークなんじゃないかなあ。あと何年か経つともっと整理されてわかりやすい番号の振り方みたいなのが確立されるような気がするけど、見ているぶんにはいまのキットはおもしろいよねえ。

け　HGUCのジェガンとかこのMGは、そういう意味では一歩進化した感じがするところがあります。HGUCだと、ポリキャップの構成が整理されて、組み間違いがおきにくいようになってるんです。MGジェガンではポリキャップ自体がなくなっちゃってさらに組み間違えにくくなってる。

旧キット礼賛

東　HGUCが製品化されるまではこの1／144しかなかったんだよね。

け　そうですね。手が左右方向にしか拡げられなかったとかいろいろありますけど、当時としては豪華なキットだったような。

東　そうだよね。そもそもジェガンは単純に似せやすいというのもあってよくできてると思う。ジェガンみたいなラインはていねいに設定画を拾っていけば似る。やっぱり、サザビーとかヤクト・ドーガみたいなデザインは似せて立体化するのが難しい。角がラインとして描かれているものはやりやすいんだけれど、サザビーやザクなんかは角が描かれていなくて輪郭線しかないから、絵心がないとうまく立体にできない。

け　ジェガンって外れキットがないんですよね。なかなか製品化されないけど。

東　旧キットは当たりキットだったと思う。

け　それと、このあたりがガンプラでついに接着剤を使わなくなったはじめのころでしたよね、たしか。ビス留めはあるけど。

東　当時買ってた？

け　買いました、大量に。手首がすごくよくできてて、流用パーツになっちゃった結果、手首がないジェガンが大量発生みたいな。

東　そこだけ伝承として残ってるわけね。

『UC』が生んだ新潮流

東　ジェガンに出逢って、ジェガン不遇の時代があって、インターネットで強いか弱いかケンカする時代があって……。

け　そのあとは、結局『機動戦士ガンダムUC』なんですよね。転機というか。

東　それはそうだね。

け　デナン・ゲーが出てくるのと戦いながら『UC』を見続けていったら（笑）、「強いジェガン」がついに出てきた。ガザDの渾身の一撃をシールドで防いじゃうジェガンとか。ジェガン強いじゃん、って。クシャトリヤに挑んでやられたりはしているんだけど、斬られ方がカッコいいんですよね。弱そうなだけだったジェガンにカスタム機が出てくるところにもしびれました。

東　弱そう、安そう、というのがアイデンティティーだったのが、何十年も触れているうちに、みんなどんどん気持ちが入ってきて、「ちょっとでも強く、ちょっとでもカッコよく」ってなってきたんだろうね。許されるぎりぎりまで強くしたいみたいな。

け　そうそう。

東　で、かなり強くなっちゃった。「高級量産機」……どっちだよ、みたいな（笑）。「ほぼガンダムに匹敵する」って、すでに量産機じゃないでしょ、それ。そういうの個人的には大っキライ！（笑）

け　あははは（笑）。あの表紙になった1／100ヌーベルGMⅢの作例（本誌00年1月号掲載）のときとかは……？

東　あれはいろいろ付いているだけで、じつは全然強くはないでしょ。『ガンダム・センチネル』のなかでも雑魚だったし、立場はわきまえてるつもり。

け　あははははは（笑）。

東　ただ、この流れのジム系特集も今回で5回目なわけだし、『UC』なんかを見ていても、このどんどん強くなる流れにはあらがえないなあ。もう流されるしかない（笑）。「俺たちがアニメプラモにガンプラで革命を起こした」みたいな人たちはとっくにいなくなっていて、「実際に自分が乗るなら……」みたいな人が多数派になっちゃったら、そりゃ強いのがいいよね、って。

け　ボクなんかからすると、もう「オレの時代が来た！」って感じっす。

東　そうだろうね～。それでいいと思う。いま、ちょうどジェガン特集をやるのにいいときなんだろうね。去ってしまった人たちからすると18種類もジェガンがガンプラになってるってのが理解できないだろうし。ただまあ、それがほとんどプレミアムバンダイ限定っていうのは、自分なんかからすると世の中まだ「正常」に機能しているなって安心はするけどね。

け　プレミアムバンダイって発売よりかなり先に注文するのもあって、どんどん注文しちゃうんですよね。あとで製品と請求が

フォーマットを揃えたいというのはオタクの夢だよね
（東海村原八）

こまかい違いがちゃんと再現されてるとニコニコしちゃう♥
（けんたろう）

どどんと来てびびるんですけど。『F91』のときは、3タイプだけでサッカーの試合が開けるくらいの頭数が揃っちゃった……。
東 それはすごいなあ（笑）。
け そういう人がほかにも結構いたはずなんです。「オレがジェガンを育てた」とまでいうつもりはないですけど、みんなで育てたカンジはあったと思う。
東 そこはもう「オレが育てた！」でいいんじゃないかな。実際、18種類も製品化されるのって相当なことだと思うよ。ちなみに、けんたろう君のなかでのHGUCジェガン評ってどんな感じなの？
け ちょうどHGUCジェガンが製品化されたころにHGUCでも合わせ目レスなものが出てきて……。
東 「合わせ目レス」って言葉、はじめて聞いたかも（笑）。表面に合わせ目ができないパーツ構成ってことね。
け ちょうどそのころだったので、合わせ目がほとんどなくて、とてもよくできていると思います。ただ……A型とD型、つまり、『逆襲のシャア』版と『UC』のカトキ版の中間というか、共通のアレンジに落とし込まれているので、どちらかとして見るとラインからして手を入れたくなる、っていうのはあります。どちらでいくか選択を迫られるというか。もちろん、共通のアレンジにしたからこそここまでHGUCでバリエーション化できたのはあるんですけど。
東 うまいこと中間を取ってるよね。そこそこ強そうなアレンジになってる。たいしたものだなあと思うのは、顔の「弱そう」な感じはちゃんと一貫して残しているところ。そこはMGでも同じだけれど。ジムの顔はなかにこれでもかと具が入ってる感じ。ここにエンジンがあって、排気管があるからこういうふくらみになる、というようなカンジなんだけど、ジェガンはなかに具がない感じでそれがうまく出ていると思う。
け ジムの顔はパンパンにふくれてます。
東 量産機系の顔をここまで男前にしようとしたのってジェガンが初めてじゃない？ それまではジムがそうだけれど、下ぶくれだよね。ネモも耳でごまかしているけれど、それほど顔が下すぼまりにはなってなくて、顆はジムと同じ系統。下すぼまりの顆になったのはジェガンからだったと思う。

そしてMGへ

東 で、本題なんだけど、今回のMGはけんたろう君的にはどう？
け これは完璧ですね。
東 いい意味でってことだよね。
け もちろん！ 外見はいい意味で薄味で、新しいなと思ったのはヒジ。ジェガンのヒジってこれまですべて1軸だったんですけど、切り欠きができてメカパーツが入っているって解釈にはじめてなったんです。これが新しいけど違和感がない。普通、新しい解釈を足すと「こんなんじゃない」ってなりがちなんだけど、それがなくてすごい。
東 わかる。わかるんだけど……ジェガンのヒジがどうなってるか、たぶんみんなそこまで気にしてないから（笑）。
け え～！ つま先のフレームが黄色くなってて、色分けを再現するのと同時につま先の可動を実現してたりとかもすごいなあ、って。すごく考えられたいい構成ですよね。
東 ジェガンのつま先に黄色いところがあるっていま気づいた（笑）。
け え、え～!! 設定画いろいろ見ていくと、このつま先のところ、黄色いほかにグレーのとかがあってややこしいんですよ。
東 そこには葛藤ないなあ（笑）。メカ色に塗っちゃえばいいじゃない。
け じゃあ、バックパック。バックパックすごいんですよ。差し替えで、あらかじめA／J型とD型のスラスターの配置を変えられるようになってるんですよ。
東 へー。それって前から知ってた？
け それぞれバックパックが違うから当たり前というか。おしりのところの形とかも元々違ってますしね！
東 ふーん……。
け ……リアクション薄くなってません？
東 すいません。でも個人的にはそこ本当にどうでもいい（笑）。でもまあ、ジェガンとかプレミアムバンダイを支えているのはそこが大事な人たちだから、ちょうどいいというかすごくいいキットなんだと思うよ。HGUC18種で培われたノウハウがすべて注ぎ込まれているのはよくわかる。
け そう！ そうなんです。こういうこまかい違いがちゃんと再現されているとそれだけでうれしくなっちゃう。
東 そこ、そんなにうれしいんだ？
け うれしいですよー。ニコニコしちゃう。
東 昔ハセガワが1／72 F-14を一気にバリエーション化したときに、当時は若かったから「やったー！」ってなったんだけど、いま考えると、そこはどうでもいいなって思っちゃう自分がいる。
け NACAダクトが作り分けられているところとかサイコーじゃないですか。
東 そこだけが考証マニア同士の戦いの種になっちゃうでしょ。「え、キミそこ再現してないの？ 常識でしょ」みたいな。ああ、なんかメンドクサイ人だなーっていう（笑）。
け え～（笑）。そこが楽しいのに～。■

▲すでにひとつのインターネットミームとして根づいた感がある、デナン・ゲーがジェガンを蹴り飛ばすカット。「そうはいってもジェガンだって……」と話をはじめるとこれを貼り付けられる、という攻防がいまもどこかで繰り広げられている……（許諾なくキャプチャーを取って拡散するのは違法なので絶対やめてね）。なお、ガンプラは残念ながらデナン・ゾンしか発売されていない

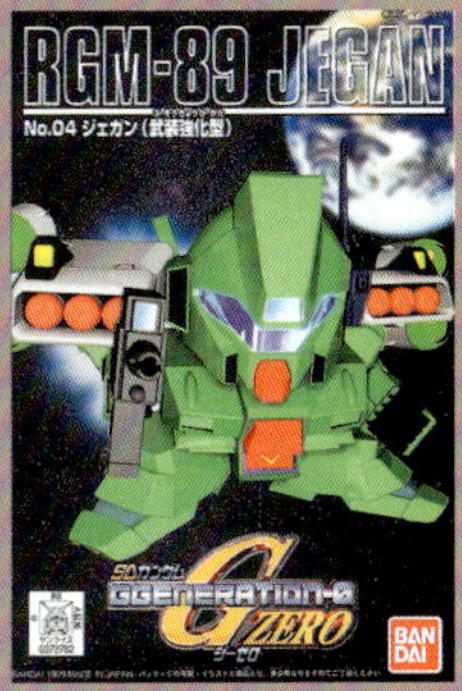

▲旧キットのほかにもうひとつだけガンプラ化されていたのがSDガンダム ジージェネレーションシリーズのジェガン（武装強化型）。CCA-MSVスタークジェガンっぽい見た目だが、あくまでジェガンに武装強化を施したという体で、特徴をうまくとらえデフォルメした好キット

●なにせ30年間使用された機体なので、UC0090以降を舞台とする外伝的な作品にはジェガンやジェガンの派生型が数多く登場している。ガンプラになっていないものでいうと、小説『機動戦士ガンダム 逆襲のシャア（ハイ・ストリーマー）』のジェダ、マンガ『ダブルフェイク アンダー・ザ・ガンダム』のジェガン改、マンガ『機動戦士ガンダム シルエットフォーミュラ91』のファイアボール、マンガ『機動戦士ガンダムF90』のSTガン、マンガ『機動戦士ガンダム ムーンクライシス』のESMジェガンなどがあるが、絵がなかったり設定が漠然としている機体ばかりで、今後の展開は藪のなか。ジェガンのプロトタイプとされるジェダはMGの組み立て説明書にシルエットながら掲載されたのでもしかすると……

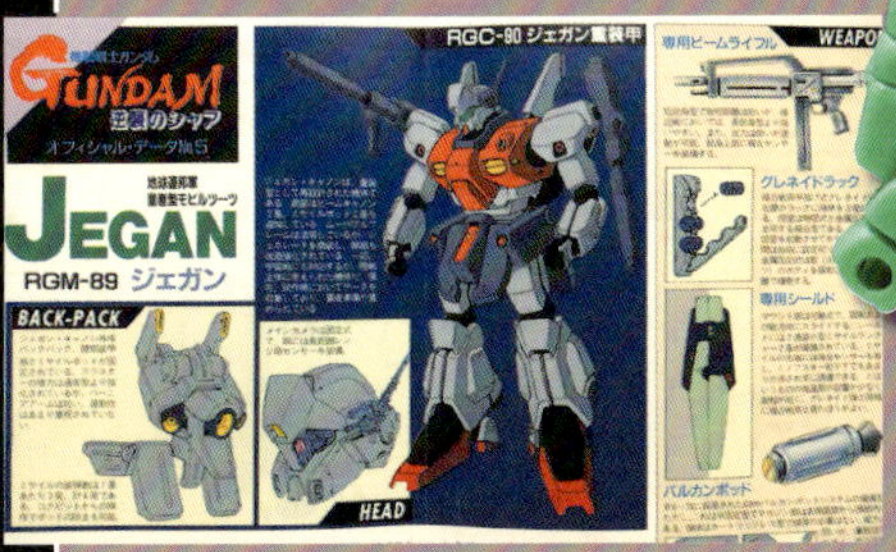

◀▲旧1/144ジェガンの組み立て説明書にはいきなり重装甲の画稿が掲載されているが、もちろんガンプラ化はされておらず、ガレージキットを除くと、ガシャポン戦士の消しゴム（いわゆるガン消し）が唯一の立体物。MGでは、はたしてコイツまで到達できるのだろうか

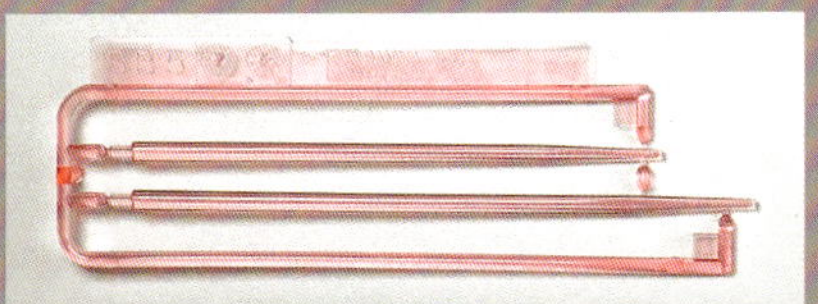

▲ジェガンのビーム・サーベルは強モードと弱モードのふたつのブレードが展開できる……と旧1/144キットの説明書には書かれている。HGUCジェガンのビーム・サーベルパーツは長短2種類がセットされていてそれを再現している……といいたいところだが、新規パーツではないのでたまたま？ でもこのチョイス、ナイスです！

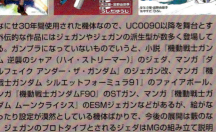

Model Graphix 2018年11月号 掲載

MGジェガンが製品化にこぎ着けることができたのは、ずばりHGUCジェガンのバリエーションがとても好評だったがゆえ。そこで、9年間にわたって18ものアイテムを量産してきたHGUCジェガン派生型の全アイテムをここで振り返ってみよう。今後予想されるMGジェガンバリエーションの展開を占ううえでもHGUCは非常に参考になるぞ。

HGUC ジェガンマニアックス

現在のバリエーション総数なんと18！ MGジェガンの展開を読む鍵はHGUCにあり

監修／**けんたろう**（ジェガンマニア）

1/144 HGシリーズ ジェガン発売リスト

2009/8月	ジェガン №97
2010/2月	スタークジェガン №104
2012/3月	ジェガン（エコーズ仕様）№123
2014/5月	ジェガンD型
2014/11月	ジェガン ノーマルタイプ（J）
2015/2月	ジェガン Bタイプ（M）
2015/5月	ジェガン Aタイプ（R）
2015/6月	スタークジェガン（CCA-MSV Ver.）
2015/9月	ジェガンA2型（ゼネラル・レビル配備機）
2016/7月	ゴーストジェガン M
2016/7月	ゴーストジェガン F
2016/9月	プロト・スタークジェガン
2017/4月	ジェガン（エコーズ仕様）コンロイ機
2017/7月	ジェガンD型（迷彩仕様）
2017/11月	ジェガン（バーナム所属機）
2017/11月	ジェガンD型（ピコ・アルティドール専用機）
2018/2月	EWACジェガン
2018/9月	ジェガンブラストマスター

HGUCのジェガンは、'09年に『逆襲のシャア』バージョンが発売されて以降の9年間で18アイテム、平均して年に2アイテムという、それまでになかったスピードと量でバリエーション製品化を重ねてきた。それまで人気がなく売れないと思われていたジェガンの、しかも派生型が次々売れていくためメーカー開発陣のなかでも想定外のジェガンというMSの人気に驚愕と歓喜の声が飛び交ったとのこと。HGUCジェガンバリエーションがここまで売れたのにはいくつも要因があるだろうが、なかでも大きかったのが『機動戦士ガンダムUC』とプレミアムバンダイだ。

プレミアムバンダイでのガンプラの販売形態は、インターネットでの受注式通信販売。ポイントは受注式というところで、限られた期間の販売としつつも、受注量が多ければ2次、3次と販売が続けられていく。メーカー側からすると、3～5カ月の生産スケジュールの組み立てが行ないやすいというメリットに加え、ユーザー需要に合わせた供給ができるため、相当な数が見込めないとゴーサインが出しにくいMGやHGの正式ナンバリングアイテムとは違い、マイナーなアイテムや派生バリエーションの製品化に踏み切りやすい。またバリエーションキットであれば、1アイテムの受注数に縛られず、数種のバリエーションキットの合算の売り上げでコストをペイする、という綿密な商品計画に支えられているからこそ、マイナーなアイテムにも挑戦できるのだろう。

'11年にプレミアムバンダイでのガンプラ販売がはじまったころは、それまでイベントやキャンペーン限定アイテムの定番だったクリアーバージョンや成型色変えといった製品が多かったが、翌年あたりからは『UC』登場MSの派生型が登場し、'14年のジェガンD型発売以降は、こういった派生バリエーション展開はプレミアムバンダイの主軸のひとつとなっていった。ここまでHGUCジェガンバリエーションが潤沢になりMGジェガンまで発売にこぎつけたのはプレミアムバンダイがあったからにほかならない。プレミアムバンダイはRGMファンにとっての救世主となったのだ。

（森 慎二）

◀HGUCジェガンと並んで多数のバリエーションが製品化されつつあるのが、MG ガンダム／ジム Ver.2.0のフレームをベースにしたアイテム。こちらもプレミアムバンダイ限定販売を中心に展開されていてすでに20を超える数となってきている

プレミアムバンダイという販売形態はRGM系ファンの救世主なのである

●すべてのHGUCジェガンバリエーションの礎となった記念碑的キット。見た目の派手さはないが、可動範囲、組み立てやすさなど、数あるHGUCシリーズアイテムのなかでも屈指の高い完成度を誇る

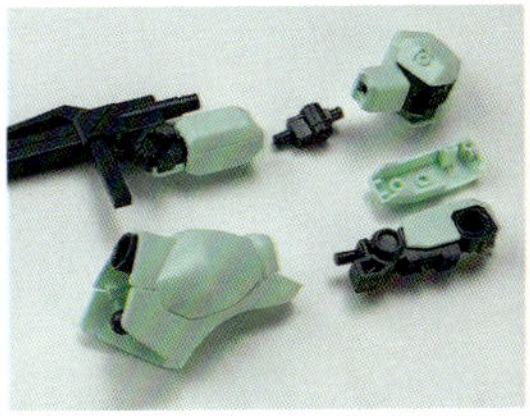

●ヒジやヒザ関節ははじめから後ハメできるような構造になっているので塗装も楽だ。たくさん作って並べたい量産機系キットではこういったこまかな設計上の配慮が効いてくるのだ

HGUC No.97 RGM-89 ジェガン (機動戦士ガンダム 逆襲のシャア)

'09年8月発売　税込1620円。リ・ガズィやνガンダムに続いてリリースされたHGUC通算97番のアイテム。『逆襲のシャア』バージョンということで、シンプルなディテールとゆるい曲面が多用された意匠をうまく立体化しているがD型も視野に入れたアレンジも見て取れる。ヒジ／ヒザ関節はABSパーツで、ポリキャップは軸が太くてヘタリづらい構造、後ハメにも対応している。武装はビーム・ライフル、シールド、ビーム・サーベルが付属。

●本キット発売時点ではD型は未発売、HGUCジェガンのバリエーションがいきなりスタークジェガンからスタートしたことには驚かされた。劇中の精悍な印象を巧みに捉えたバリエーションのスタート地点である

●取り外せるような追加ユニットのパーツ構成は近いD型の発売を予感させジェガンファンを大いに盛り上げた

HGUC No.104 RGM-89S スタークジェガン

'10年2月発売　税込3160円。『UC』Episode 1 冒頭でクシャトリアと切り結んだ姿がとても印象的だったスタークジェガンを立体化。『UC』版スタークジェガンはD型ベースの機体で、A型のパーツをベースにD型の一部のパーツと増加装備のマスクやミサイル、バズーカなどを追加した大ボリュームのキット。成型色は落ち着いたグリーンに変更された。武装はビーム・ライフルに加え先端が二股のジム・ライフル、ハイパー・バズーカ、ビーム・サーベルが付属。

●頭部バイザーは差し替えで下げた状態と上げた状態を再現可能。カメラアイのクリアーパーツはピンクに変更され、側頭部のアンテナユニット形状もきちんとDe型を再現している

●本体の基本形はD型ベース機のスタークジェガンと共用。別パーツの胸部装甲と頭部のバイザーを外して小改造するとD型にすることができるので、D型が発売される以前はD型改造のベースキットとして重宝された

HGUC No.124 RGM-89De ジェガン (エコーズ仕様)

'12年3月発売　税込1728円。ジェガンD型を特殊部隊用にカスタムした機体がこのDe型だ。『UC』Episode３で初登場し、渋いパイロットたちの魅力とともにジェガンと思えぬ強さでファンを魅了した。基本形はD型だが成型色が茶色になり、頭部にはバイザーが追加。胸部装甲やD型のバックパックなども追加された。武装は汎用バズーカ、ビーム・ライフル、ビーム・サーベル、シールドが付属。使用しないバイザーパーツと手首をハメて保管するプレートも付属している。

『逆襲のシャア』と『F91』では弱いMSという演出が前面に出て完全に「その他大勢」的な扱いが目立ったジェガンだったが、『機動戦士ガンダムUC』でその扱いが大きく変わった。

まずRGMファンの度肝を抜いたのが物語冒頭のスタークジェガンのシーン。緻密な作画で描かれたクシャトリヤ戦ではジェガンのカッコ良さと量産機のはかなさが余すところなく描かれた。そしてその後もでてくるわでてくるわ、全編にわたってジェガンの活躍が目白押し。運用法まで想定された豊富な派生型の存在や、多彩な武器運用、宇宙世紀好きをくすぐる各種カラーリングなどなど、見るほどに奥が深い描かれ方がなされ、主役を食うほどの名脇役へと昇格することになった。そこに同調するように次々とHGUCバリエーションが発売されれば……これは買わずにおられまい！『UC』はジェガンのガンプラがここまで育まれた大きな原動力のひとつであったと言えよう。

『UC』はジェガンのためにあったと言っても過言ではない!?

知らなくても困らないけど、知っているとジェガンがもっと楽しくなる武器のお話

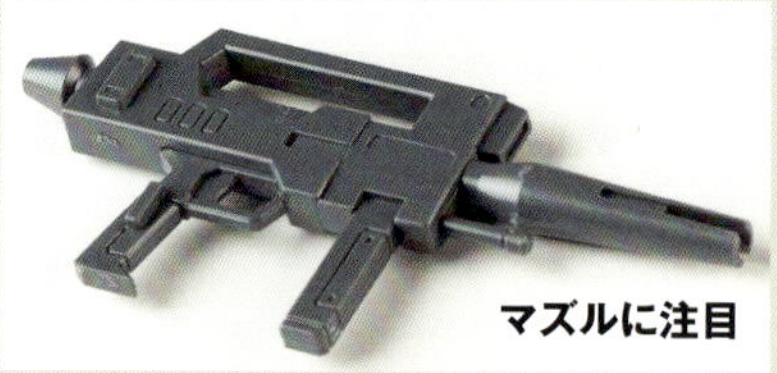

じつはちょっと形が違うんです

◀HGUCジェガンに付属するジム型のビーム・ライフルは、一見ジムⅡやジムⅢのものと同じようだが、あちらが３つ又なのに対しこっちは切り欠きが左右の２箇所。こんなところまで作り分けられているのだ

マラサイと同型のビーム・ライフルも装備可能

▶『UC』を子細に見ていくと連邦量産機ではそれまでの常識に囚われない武器運用がされていて、HGUCでもそれが再現されている。D型迷彩仕様には劇中で装備されていたマラサイのビーム・ライフルが付属

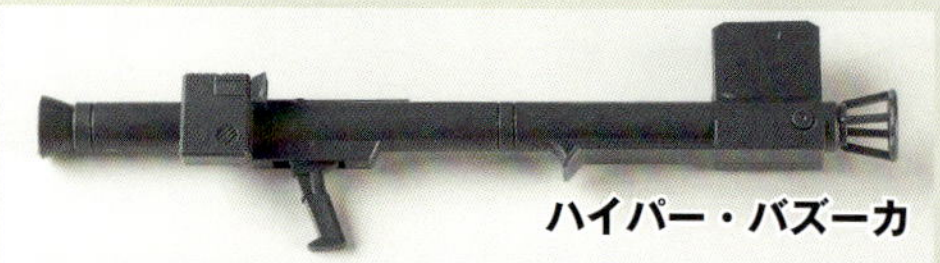

2種類あるバズーカ

◀『UC』に登場するスタークジェガンはD型がよく使用している汎用のものとは形状が異なるハイパー・バズーカを装備していて、HGUCでもそこはきちんと作り分けられている

ハンドパーツにも要注目なのだ

▶HGUCでは左右握り手と右の武器持ち手のみが付属することが多いが、De型 コンロイ機には左の平手が、D型ビコ機には左の武器持ち手が付属する。もちろんほかのHGUCジェガンにも流用可能だ

●スタークジェガンの時点でパーツ構成からD型の製品化展開を予想し待ち焦がれていたファンは、このD型発売でお祭騒ぎになった。このD型のプレミアムバンダイでの成功がその後の展開への弾みとなっていく

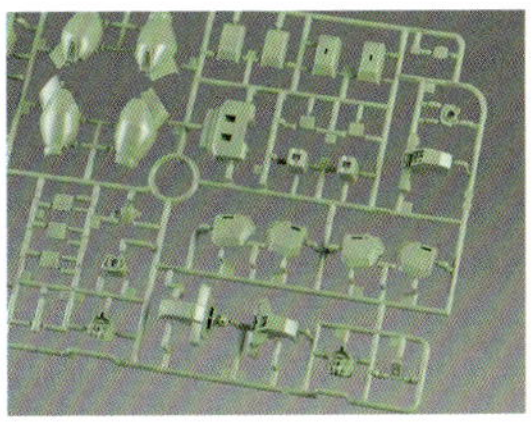

●派生型であるスタークジェガンを通常販売にし基幹型であるD型をプレミアムバンダイ限定にする販売法は斬新だった。

プレミアムバンダイ限定販売

RGM-89D ジェガンD型

'14年5月発売　税込1728円（プレミアムバンダイ限定販売）。『UC』のジェガンの基本型。ほとんどのパーツがDe型と共通だが、頭部右側に装着するインテーク、左側にあるバルカンポッドが新パーツとして追加された。胸部、脚部、腕部などはA型と共通なのだが、それぞれ違和感を感じさせない絶妙なアレンジになっているところがHGUCジェガンバリエーションのポイントだ。武装はビーム・ライフル、汎用バズーカ、ビーム・サーベル1本、シールドが付属。

●HGUCスタークジェガンのミサイルポッドには左右の肩に装着できるようふたつの穴が開いているが、その空いているほうをミサイルラッチ取り付けに使用するなど武装追加のアイディアが光る

●頭部、胴体ともに新規造形となったCCA-MSV版のスタークジェガン。D型と共用部分と新規部分の組み合わせが巧みなアレンジとなっている

プレミアムバンダイ限定販売

RGM-89S スタークジェガン (CCA-MSV Ver.)

'15年6月発売　税込2484円（プレミアムバンダイ限定販売）。『逆襲のシャア』のMSVとして描かれた画稿を『UC』版のスタークジェガンベースで再現した機体。独特　な形状の頭部、成型色を緑にした胸部、ミサイル4発とそれを搭載するためのラッチが追加されている。腰右側にはジム・ライフルを装着するホルスターのパーツも追加されている。武装はハイパー・バズーカと通常のビーム・ライフル、ジム・ライフル、ビーム・サーベル1本が付属する。

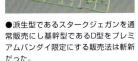

●頭部、胴体の基本形は『逆襲のシャア』版と共用としているが、頭部バルカンポッド、バックパック、武装類などデザイン上のポイントはきちんと作り分けられているのがうれしい

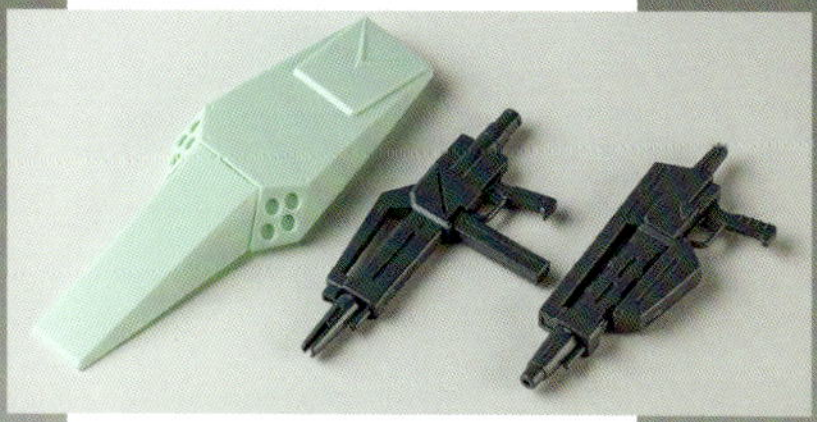

●ジェガンバリエーション製品化の分水嶺だったのが『F91』に登場する3機。同じようでこまかな差異が多く製品化のハードルは高かったが、見事に製品化を決め成功を収めたことでその後の展開にさらなる弾みをつけた

プレミアムバンダイ限定販売

RGM-89J ジェガン ノーマルタイプ（F91 Ver.）

'14年11月発売　税込1836円（プレミアムバンダイ限定販売）。『F91』に登場したU.C.0123年のジェガン。基本形は『逆襲のシャア』版と共用しつつ、側面のスラスターがないスネやバックパックが新パーツとなり、頭部左のバルカンポッドについたアンテナがブレード状に。ビーム・ライフルが短いタイプ（『F91』本編のほか、『UC』のEpisode6でも登場している）、そのほか通常のビーム・ライフル、ビーム・サーベル、新パーツの分厚いシールドが武装として付属している。

●M／R型はこの２型式でしか使用されないパーツが多いが、M型はダクトが大型化された胸部が特徴。改造するとジミに大変だったポイントだ

●『F91』版のバリエーション展開でファンを驚かせたのは、J型のみならずM型とR型もほぼ同時に製品化を果たしたこと。とくにM型はJ型と同じようでいて細かな差異が多いのであきらめていたファンも多かった

プレミアムバンダイ限定販売

RGM-89M ジェガン Bタイプ（F91 Ver.）

'15年2月発売　税込1836円（プレミアムバンダイ限定販売）。胸のインテークが大型になりフィンが別パーツに。腰のグレネードラックは5発ずつ左右に拡張され、ビーム・サーベルは左腕に移動して2本になっている。バックパックはJ型がベースだがブームのスラスターが4基になっている。また頭部バルカンポッドのアンテナはブレード状になっている。武装は長いビーム・ライフルと通常のビーム・ライフル、ビーム・サーベル3本、シールドが付属する。

●J、M、R型の違いというと武装やR型の大型脚にまず目がいくが、むしろややこしいのは本体の基本形状と小ディテール。たとえばバックパックをよく見てみると、Jはメインスラスターが3基でブームの小スラスターは2基、Mはメインが3基でブームが4基、Rは5基でブームが4基と、すべて微妙に異なっていて多数の新規パーツが必要になってくる

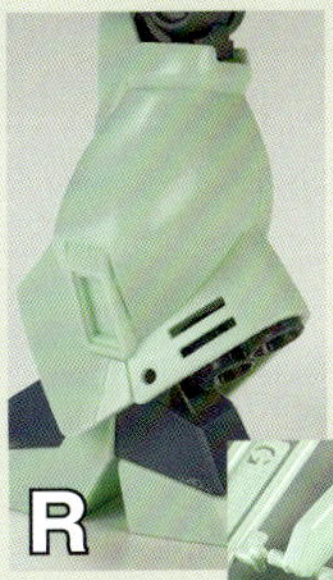

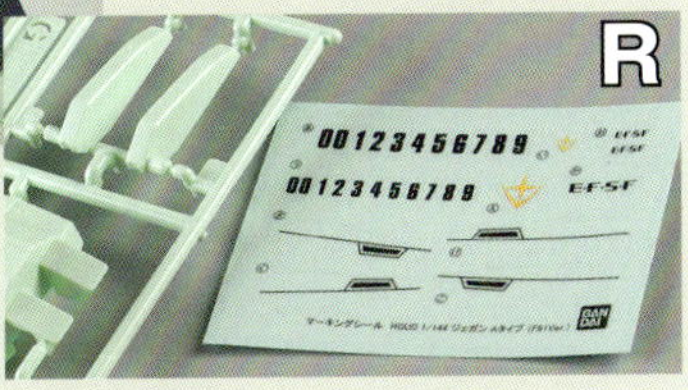

▶R型など一部のバリエーションでは再現しきれないディテールをシールで処理しているところも。パーツ数の制限が厳しいHGUCではいたしかたないところで、今後のMGでの完全再現に期待が高まる

とってもややこしい『F91』のJ、M、R型 ポイントはバックパックとサーベルの搭載法

ジェガンバリエーションのなかでもっとややこしいといってよいのが『F91』に登場するJ、M、R型。基本形は同じように見えてこまかなディテールの違いが山盛りだ。いっぽうD型系はもともと効率的に派生型を作るための型式としてデザインされているので、見た目はハデに変わっていても基本形は同じに描かれていて意外とバリエーション化しやすそうだったりする。

こんなに違ったジェガンのA型とD型 でもこんなにちゃんと作り分けされてます。

一見、肩アーマーと腰前面、バックパック、シールドを変えれば両方再現できそうなA型とD型だが、じつはそんなに簡単ではない。頭部基本形状、スラスター位置など地味なところでもいろいろと変更点がある。HGUCのA型とD型では特徴的なポイントは抑えられているので並べて比べてみよう。

▶頭部左側のポッド形状が型式により異なっているのはパッと見てわかりやすいポイント。もちろんHGUCバリエーションでもそれぞれの形状がしっかり作り分けられているのだが、右側の形状や頭頂部の面構成にも型式ごとに差異があり、製品ではそこまで再現が行き届いている

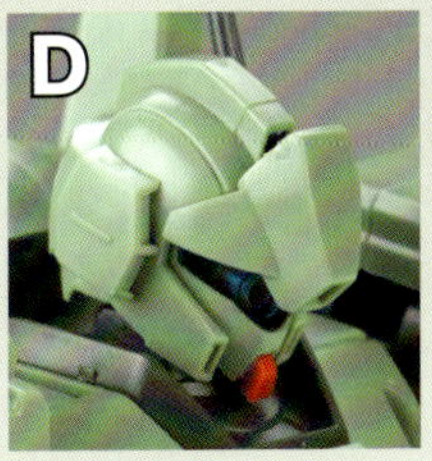

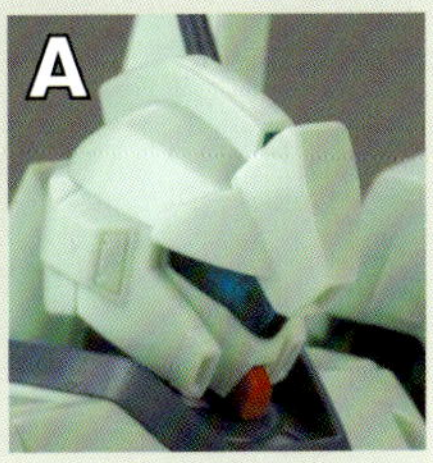

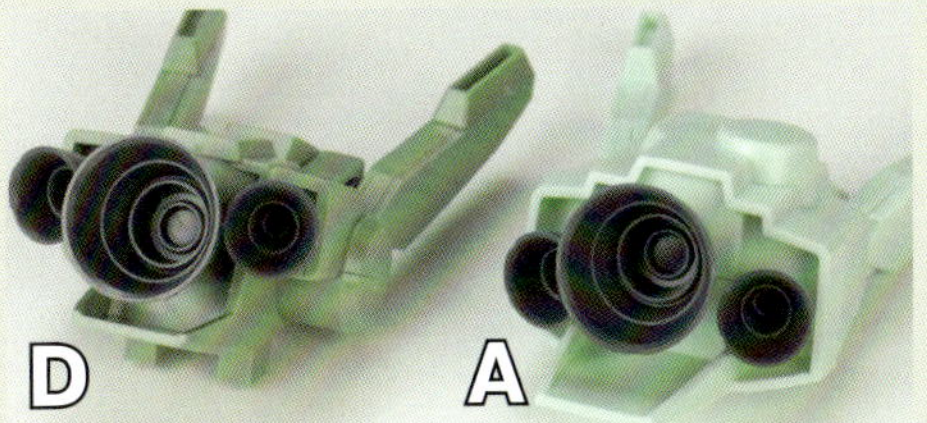

◀A／J型系とD型系で一見してわかるほど大きく形状が異なっているバックパック形状。こまかく見ていくと、メインスラスターの並び方がA／J型は凸型、D型は直線状になっている。HGUCのバリエーションではこの違いをもれなく再現

▶気付きにくいところだが、股間背面の角度がA／J型系は斜めでD型は垂直に近い。HGUCバリエーションではここもきちんと作り分けられている

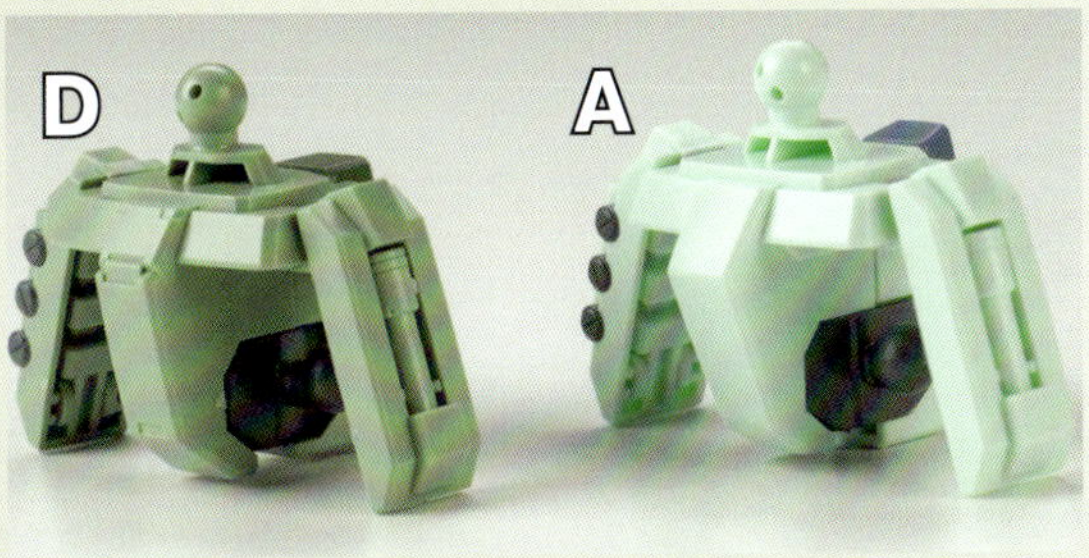

●『F91』版ジェガンの集大成的内容。ちなみにサッカーボールよろしく頭をデナン・ゲーに蹴っ飛ばされるのはこれ。なお『逆襲のシャア』版はA型で、こちらはR型の通称「Aタイプ」。ややこしいのだ

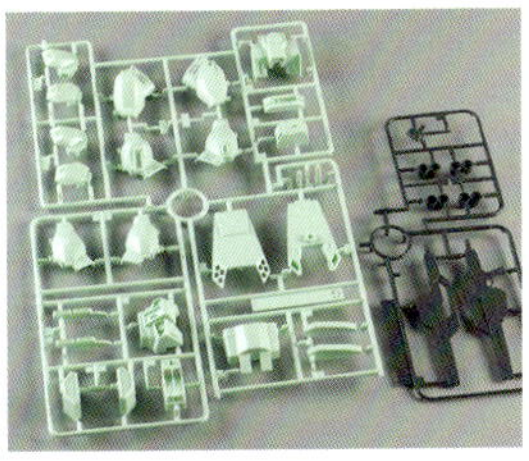

●肩や脚やバックパックなどがわかりやすく大きく変わっているR型。製品では大枠の新設計ランナーによりその特徴を再現できるようになっている

プレミアムバンダイ限定販売

RGM-89R ジェガン Aタイプ（F91 Ver.）

'15年5月発売　税込1836円（プレミアムバンダイ限定販売）。むき出しの肩やふくらみを増したふくらはぎ、全身に増設されたスラスターなど変更点は多岐にわたる。バックパックは5発タイプ。左前腕もM型とは異なっていてグレネード内蔵となり、腰は左右ともビーム・サーベルを装備。バルカンポッドはセンサーが大きく発射口が倍になっている。武装は長いビーム・ライフル、通常のビーム・ライフル、ビーム・サーベル3本、シールドが付属。

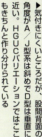

●A型にＪ型のシールドを持たせて塗り替えればいいかと思いきや、よく見ていくとA型と細部が相当異なっているA2型。改造で再現しようとするとジミに大変なバリエーションだっただけにうれしい製品化であった

●こまかなところだが、機動力をアップするために脚部や肩にスラスターが増設されているところもきちんと再現。直衛機らしさを醸し出している

プレミアム
バンダイ
限定販売

RGM-89A2 ジェガンA2型
(ゼネラル・レビル配備機)

'15年9月発売　税込1836円（プレミアムバンダイ限定販売）。A2型は『UC』のepisode5、6に登場したオレンジとベージュのカラーリングの派生型で、多数の新パーツでその特徴をこまかに再現している。5発にスラスターを増強したバックパック、スラスターが追加されたふくらはぎ、上側にセンサーが伸びたバルカンポッドはもちろん、肩の装甲を増強し後面にもスラスターが追加されているところも再現。武装は通常のビーム・ライフル、シールド、ビーム・サーベル1本が付属する。

●この製品化で、なんとついにHGUCでスタークジェガンが3種揃ってしまうこととなる。この時点でファンは「もしや、ここまできたら全ジェガンバリエーションが揃ってしまうのでは……」と思い至る

●CCA-MSV Ver.のスタークジェガンと同じようにみえてまったくの新規造形となった頭部。長いロッドアンテナ、大きめの顎など、こまかな形状の違いを新設計パーツで再現している

プレミアム
バンダイ
限定販売

RGM-89S プロト・スタークジェガン

'16年9月発売　税込2700円（プレミアムバンダイ限定販売）。『UC』Episode3、7で印象的な姿を見せたスタークジェガンのプロトタイプ。一見CCA-MSV Ver.からミサイル部のみが変更されているようだが、頭部、胸、前腕も新パーツになり、成型色も青い緑に変更されている。目を引く肩に装着された4発の大型対艦ミサイルは、可動ギミックにより待機状態と発射状態を両方再現することが可能。武装はジム・ライフル、通常のビーム・ライフル、ビーム・サーベル1本が付属する。

●別売りのメガバズーカランチャー（百式とセット販売。単体はプレミアムバンダイ限定販売）と組み合わせて飾りたくなる。スタークジェガンの増加ユニットを取り付けて遊ぶというようなことも可能だ

●頭部バイザーは差し替えで下げた状態と上げた状態を再現可能。ダガー・ナイフは抜き身と鞘に収めた状態の2パーツが付属し腰左側アーマーはファイア・ナッツを収納した形状を再現

プレミアムバンダイ限定販売

RGM-89De ジェガン (エコーズ仕様) コンロイ機

'17年4月発売　税込1944円（プレミアムバンダイ限定販売）。『UC』Episode7に登場したエコーズ隊コンロイ副司令機を再現。ハンドガンとダガー・ナイフが付属し、それらを装着するための左脚と左肩、またセンサーが追加された頭部の照準バイザーが新規パーツとして追加されている。バイザーのセンサーはピンクで照準バイザーは昇降の両形態を差し替えで再現。そのほか、ビーム・ライフル、ビーム・サーベル、汎用のバズーカ、シールド、左の平手が付属。

●本体は成型色以外はD型と同じパーツで構成。スプリッター迷彩の濃い色が成型色となり、薄いほうの色をデカールで再現する。もちろんマスキング塗り分けで仕上げるのもよいだろう

●劇中で印象的だった迷彩パターンは付属デカールで再現する仕様となっている。デカールには機体番号や連邦マーキングもセットされていて便利

プレミアムバンダイ限定販売

RGM-89D ジェガンD型 (迷彩仕様)

'17年7月発売　税込1944円（プレミアムバンダイ限定販売）。『UC』劇中でシャイアン基地を守っていたD型の迷彩タイプを再現したバリエーション。さすがにHGUCで成型色によるスプリット迷彩の色分け再現は難しいため、水転写デカールでの再現となっている。マラサイのビーム・ライフルを装備するため、HGUCマラサイのランナー（一部）が付属。ほかにも通常のビーム・ライフル、ビーム・サーベル1本、汎用のバズーカ、シールドが付属している。

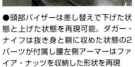

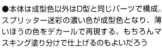

●頭部バイザーのセンサーアイは差し替え式。新規パーツで再現された新型ビーム・ライフルはビーム・ランスの取り外しが可能。ライフル本体を単体で持たせることもできる

●『機動戦士ガンダムUC』から数か月後の世界が描かれた『Twilight AXIS』に登場する、特殊部隊マスティマを襲撃した謎の部隊バーナム所属機。武装や頭部デザインなど『F91』へのつながりを感じさせる機体となっている

プレミアムバンダイ限定販売

RGM-89 ジェガン（バーナム所属機）

'17年11月発売　税込1944円（プレミアムバンダイ限定販売）。外伝『Twilight AXIS』に登場したA型ベースのバリエーション機体。頭部バイザー部が本機の最大の特徴で、部隊内の機体ごとに異なるセンサーアイをパーツ選択式で再現。ポッドや前頭部の差異も新パーツで再現している。武装はビーム・ランス射出機構を有する新型ビーム・ライフルを装備し、クリアー成型のビーム刃パーツも付属。そのほか通常のビーム・ライフル、シールド、ビーム・サーベル1本が付属する。

HGBF／HGBDでも3種のジェガンラインナップ中です

HGUCのジェガンバリエーションは宇宙世紀シリーズに登場した機体のほかに『ビルド』系作品の機体も製品化されているのでお見逃しなく。基本となったHGUCジェガンの出来が良いため、それぞれに完成度が高いバリエーションキットとなっている。

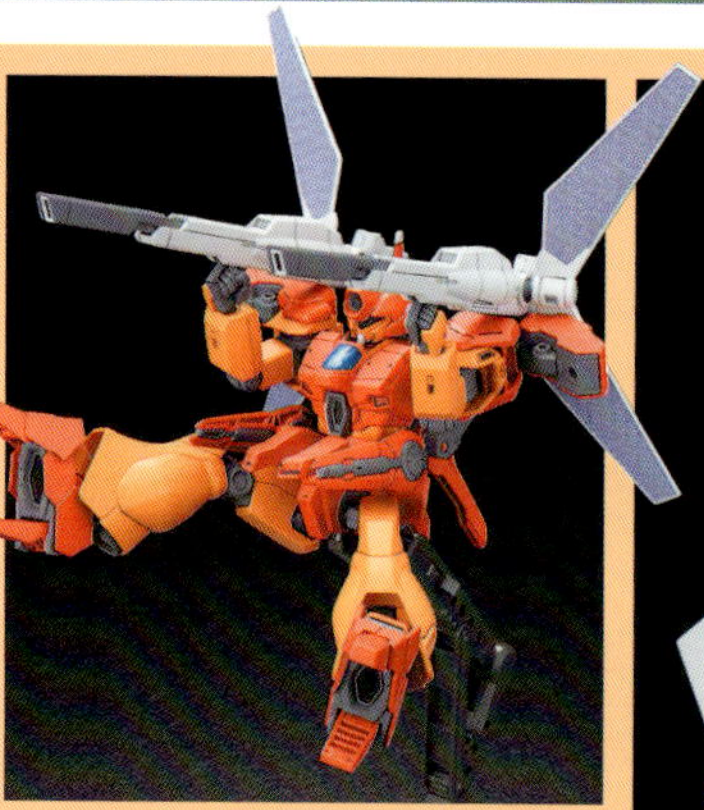

▶ジェガンブラストマスターは『ガンダムビルドダイバーズ』に登場する機体で、HGBDとして一般発売（'18年9月発売 税込2160円）。サテライトキャノン、肩の対艦ビーム砲、腰のビーム砲を展開することでフルブラストモードを再現可能。足裏のGNキャノンも再現されつま先とかかとが可動する

◀『HOBBY HOBBY イメージングビルダーズ』に登場したゴーストジェガン2形態（'16年7月発売 各税込1944円 プレミアムバンダイ限定販売）。両機を組み替えることもできる

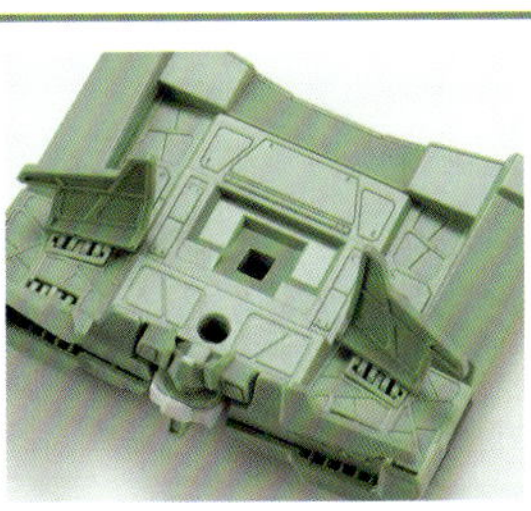

●新規設計の頭部は下面ディテールもこまかく再現されている。肩の追加アーマーは頭部ユニット側に接続され可動するようになっている

●シルエットこそ大きく変わっているが、頭部と腕のセンサーを外してしまうとほぼD型そのままであるEWACジェガン。機体の特徴を踏まえ共用パーツを活かしてバリエーション化されている

プレミアムバンダイ限定販売

RGM-89DEW EWACジェガン

'18年2月発売　税込3240円（プレミアムバンダイ限定販売）。『UC』Episode 7に登場した偵察仕様で、D型をベースに、頭部、左右腕部のセンサーユニットなどが新規パーツ。腕部センサーのレンズ部分用としてジュエルシールが付属する。また、腰後部が新パーツとなりジム・ライフルが取りつけられるようになった。武装は通常のライフル、汎用バズーカ、ハイパー・バズーカ、ジム・ライフル、シールド、ビームサーベル1本が付属する。

●左手用のビーム・ライフルは、それまでに付属していた右手用パーツとは異なる分割の新規パーツとなっている

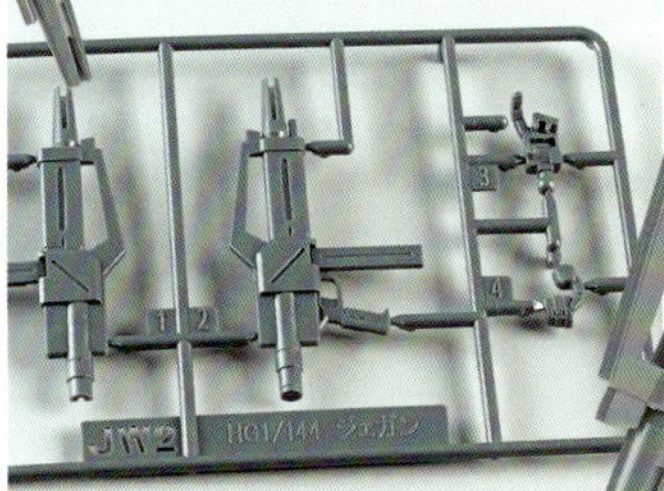

●「ただのD型色替えでしょ」と思いきや新規設計の左手が付属したピコ機。『UC』では両手持ちや左手持ちの機体が結構いたが、これでばっちり再現できるようになった

プレミアムバンダイ限定販売

RGM-89D ジェガンD型（ピコ・アルティドール専用機）

'17年11月発売　税込1728円（プレミアムバンダイ限定販売）。外伝『U.C.0094 アクロス・ザ・スカイ』に登場したアグレッサー部隊「レイヴン」隊長のピコ・アルティドールが搭乗するD型を再現。内容は基本的にD型と同様で成型色が変更されている。ポイントは武装にあり、ピコは2丁拳銃のようにライフルを操るため、左の武器持ち手とダボの位置が変更されたビーム・ライフルパーツが付属。ビーム・サーベル、シールド、汎用のバズーカも付属する。

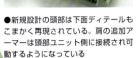

EWAC RGM-89 DEW JEGAN

RGM-89DEW EWACジェガン
BANDAI SPIRITS　1/144
HGUCシリーズ
インジェクションプラスチックキット
税込3240円
プレミアムバンダイ限定販売
出展／『機動戦士ガンダムUC』
製作・文／**HEID**

HGUCではほかの『逆シャア』MSから1年遅れてようやく製品化されたジェガン。それまで立体化には不遇なイメージがつきまとっていたジェガンですがそれを払拭してくれたのが『ガンダムUC』での抜擢。『UC』への登場で晴れて立体化されたスターク・ジェガンや『F91』登場のバリエーションまでまんべんなくガンプラ化され、いまやジェガンに不遇のイメージはまったくなし！　多大な実績も引っさげてマスターグレード化も見事達成することができました。そんなジェガンのアニメ登場バリエーションの真打ちとも言えるEWACジェガンがいよいよプレミアムバンダイで登場。これは作ってお祝いしないわけにはいかないでしょ、ということでツインアイより断然ゴーグル派なHEIDが小説版イメージでEWACジェガンを製作。特異なシルエットをご堪能ください。

Model Graphix
2018年7月号
掲載

真打ち的な大物バリエーション!!

EWACジェガンはもともと『ガンダムUC』のテレビゲーム版にて出演する『UC-MSV』として設定されていた、いわゆる「外伝機体」的なMSでしたが、その後アニメ版『ガンダムUC』のEpisode 6～7に出演。シルエット的には『センチネル』のEWACネロとのつながりも垣間見えるのがウレシイところで、頭と肩にかぶさった巨大なセンサーユニットによって形成されるシルエットは大家族のジェガン・ファミリーのなかでもひと際異質な存在感を示しています。

▼▶キットの頭部はバイザー部にスキマができてしまっている。これを解消するため、マスクを分割してヒサシ裏側をくり抜き、カメラ側が埋まるぶんだけ延長している

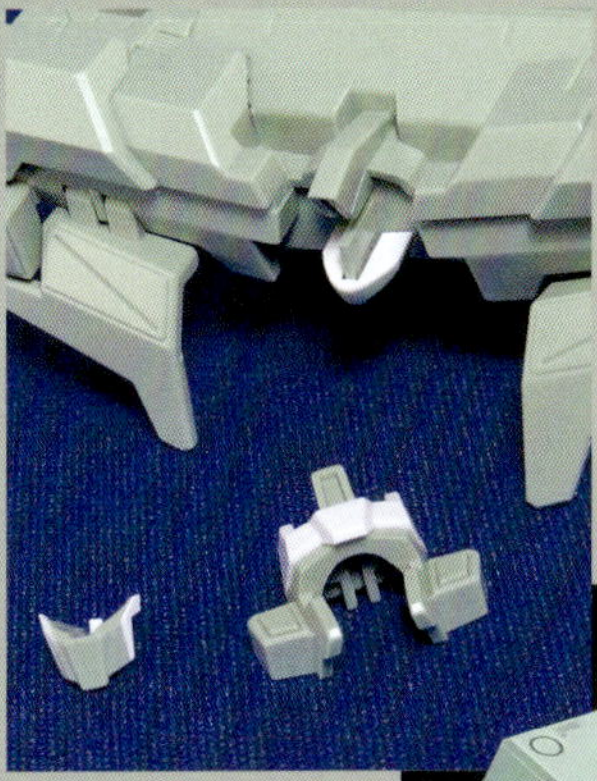

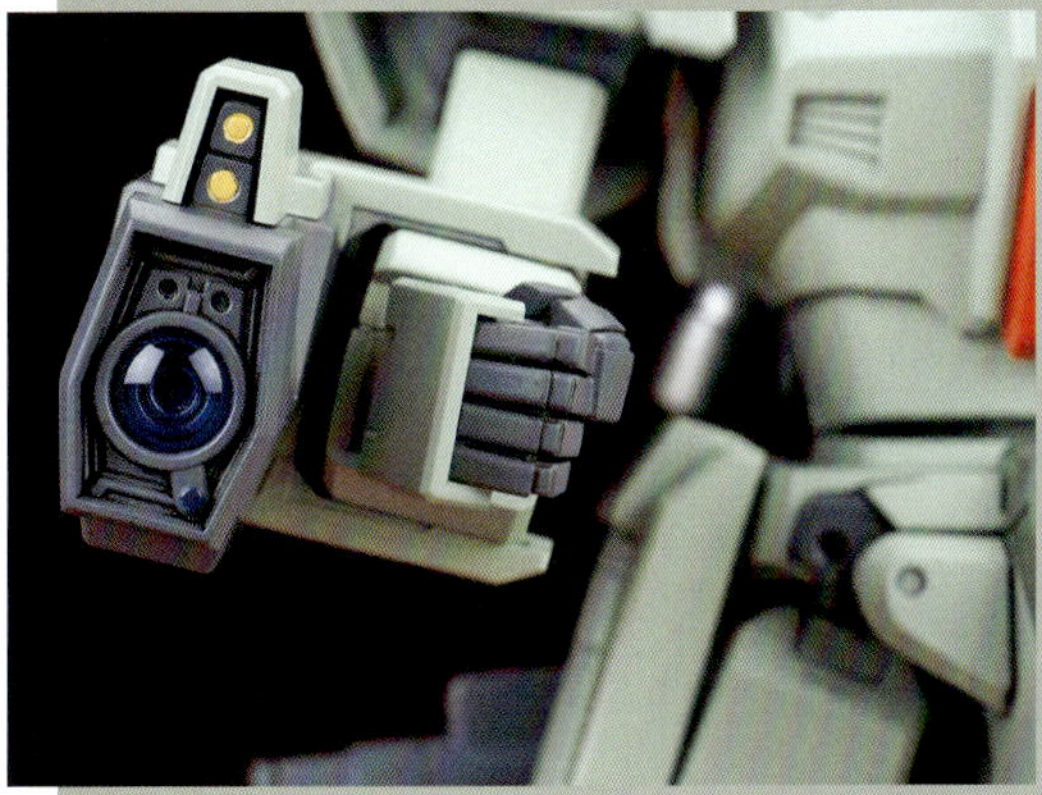

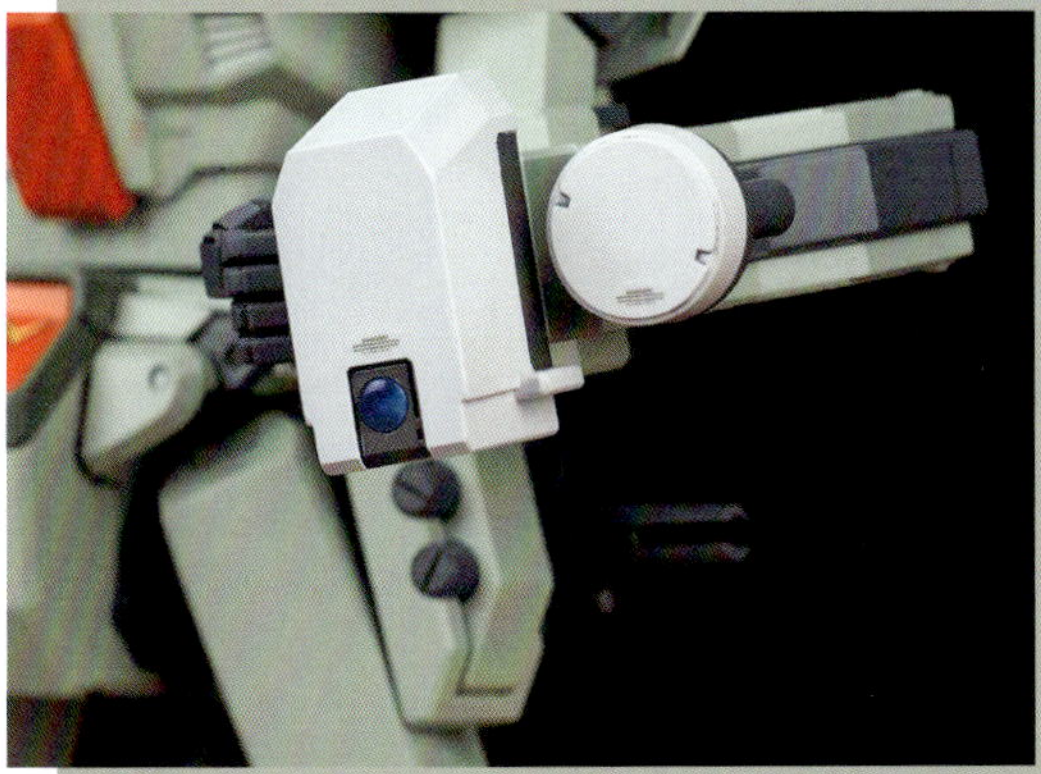

●腕部のカメラユニットは付属のジュエルシールを貼り込む仕様だが、作例ではキットパーツをくり抜いて市販のレンズパーツを貼り付けることで奥行き感を出した

●ビーム・ライフルはキットではジムⅡのものを使うよう指示されているのだが、HEIDの好みでジェガン用のものを携行させた。ジェガン用ライフルは素組みだと腰に懸架できないので、キャリングハンドル部にネオジム磁石を仕込み固定できるようにした

●本体の淡いグリーンは畳用カラー（！）で再現

着ぶくれしないようスリムにダイエットしましょ

ＲＧＭ系譜ＭＳ大好きっ子のＨＥＩＤです。『機動戦士ガンダム』放映当時、幼児ＨＥＩＤくんは「ＭＳはガンキャノンがすきかなー」くらいだったのですが、ジムの登場に心を奪われて以来、ＲＧＭ系のゴーグル顔に魅了されっぱなしとなっております。

そんなワタクシの初ＲＧＭ作例となりますのが、プレミアムバンダイ限定販売の１／１４４ ＲＧＭ-89ＤＥＷ ＥＷＡＣジェガンです。機体はＤＥＷが示すとおり、Ｄ型ジェガンのＥＷＡＣタイプです。この製品化は、世界中の全レーダー及びロートドーム付きフリークが歓喜したとかしないとか。スタイルとしては異形ですが、中身はバッチリ素のジェガンですので、ジェガン各タイプにも共通する箇所を重点的に製作を進めました。

まず大きな改造箇所として、腕を小型化しています。ジェガンのキットは設定よりも腕が逞しく、単体としてはかっこよいのですが、追加武装等を付けると着ぶくれ感が出てしま

電子戦機の魁偉なフォルムを楽しむ。

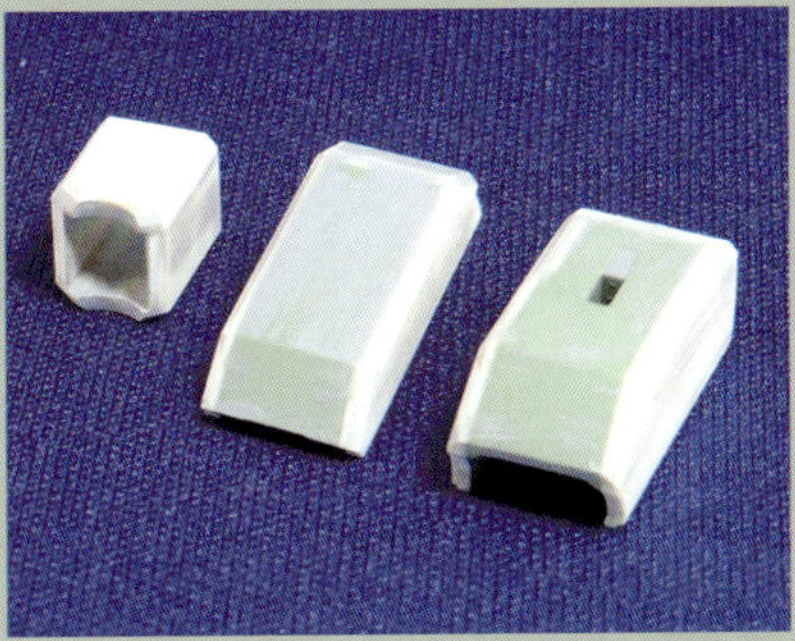

●前腕はキットのパーツの幅を細く加工し、上腕はプラ板でひと回り小さいものを新造してスリム化。複製して数を揃えている。武器を持たない機体なのでハンドパーツは見目麗しいものを……ということでギュっと握りこんだ拳が封入された「HGBC 次元ビルドナックルズ［角］」から流用
●腹部はプラ板を貼って1㎜延長し、コクピットハッチのカバーもそれに合わせて延長している

います。そのため、前腕はキットパーツをベースに幅詰めし、上腕はひと回り小さいものをプラ板にて新造しています。胴体は腹部の下で1㎜延長し、コクピットハッチもそれに合わせて下側に延長しておきます。

顔はバイザー部の隙間がどうしても気になったため、フェイス部とヘルメット部を分割し、バイザーがヘルメット部の裏に潜り込むように加工しています。また、頬のセンサー部が立体感に乏しかったので、ヘルメット部とのキワに凹溝を入れ、外周に面取りをしています。肩にかぶさる追加装甲の前面側と腰部背面の武器マウント部はネオジム磁石による接続にしてあります。また、武器は個人的な好みでジムⅡライフルではなくジェガンライフルにしています。握り手は「次元ビルドナックルズ」の中サイズの握り手に変更し、甲の部分をジェガンのものに変えています。

右腕武装のカメラ部分はキット付属のジュエルシールを使う予定でしたが、思っていたものと違っていたので、開口して市販パーツで再現しています。左腕武装のセンサー部分も開口し、個人的に集めていた色付きクリアーランナーに差し換えています。

塗装は『UC-MSV』版のカラーリングにしています。本体色として使った色はGSークレオスの城カラーCK6 畳色という廃番のものです。ジェガンからGキャノンあたりまでに使うのに最適な色だと思うので、ぜひとも復活もしくはガンダムカラーとして連邦標準色として発売していただきたいと思います。

◆カラーレシピ

以下、とくに表記のないものはGSークレオス Mr.カラー、(G) はガイアノーツガイアカラーを使用しています。

本体色／城カラーCK6 畳色、グレー／ガンダムカラーMSグレージオン系、緑／ガンダムカラーMSディープグリーン、赤／VO《バーチャロン》カラー レッドピンク (G)、白／VOカラー コールドホワイト (G)、黄色／VOカラー マイルドオレンジ (G)、ノズル／VOカラー フレームメタリック2 (G) ■

●型式からわかるように、技術的にはMSN-00100百式やRMS-099（MSA-099）リック・ディアスの廉価量産機であるネモ。ここで蓄積されたノウハウはジェガンに活かされていく

●実質的に1機種で戦争に勝利を収めたという実績はRGM-79の地位を絶対的なものとした。結果、U.C.0080年代の連邦制式機はその派生型であるRMS-179（RGM-79R）ジムⅡ、RGM-86R ジムⅢが占め続けることとなった

MG 1/100
U.C.0087
MSA-003

MG 1/100
U.C.0083
RMS-179

MG Ver.2.0 1/100
U.C.0079
RGM-79

U.C.0090以降の30年を支えた RGM史に残る超傑作量産機ジェガン

連邦軍量産機の系譜を語るうえで、その始祖であるジムを別とすればもっとも重要なピースは間違いなくジェガン U.C.0090年代以降の30年間に渡って地球連邦軍の主力を担い続けたジェガンが生まれた経緯と意義を生みの親であるアナハイム・エレクトロニクスの視点から改めて読み解いてみよう

「一年戦争におけるガンダム神話」などといわれることがあるが、一年戦争後の地球連邦の実務レベルにおいては、「一年戦争はRGM-79で勝った」というのはいわずもがなの常識だった。「ガンダムタイプ」を信奉する将官に対する現場レベルの「現実はそんなに簡単なものじゃない」という反発もあったことだろう。軍の現場から「ジム神話」が醸成されていくに至ってRGM-79は数々の派生型を生み出し、UC0080年代に大量に配備されていくこととなる。

このような状況に目をつけたのがアナハイム・エレクトロニクスだった。地球連邦の制式量産機を受注できれば社が飛躍できることは間違いない。そこでUC0083に始動させたのがガンダム開発計画だった。V作戦に習い、まずはガンダムタイプを開発し技術力をアピールすることで軍へと食い込もうとしたが、この計画は紆余曲折の末頓挫することとなり、むしろ軍に対する心証を損なう結果となった。

このような状況に対する打開策として同社が切った裏技的なカードがMSA-003ネモだった。外部勢力の排除を狙うティターンズを潰すために対抗勢力であるエゥーゴにMSA-003を提供したのはかなり巧妙な戦略だったと言える。連邦が独自の技術で開発したガンダムタイプのMk-Ⅱに相対する、見るからにジムの後継機を意識した意匠のネモ。先鋭的なエリート集団が駆るガンダムタイプとそれに対抗するジムの後継機という構図に、連邦軍の大多数を占める実務レベルの軍人がそのどちらに肩入れしたかは言うまでもないだろう。UC0080年代末にはRGM-79系派生機体が陳腐化してきたこともあり、「RGM系の制式後継機」の機運が高まっていくが、現場レベルの調達担当技官に対してMSA-003は絶好のプレゼン機となったはずだ。とどめとなったのはMSA-003の開発だ。当時まだ新しい技術だったムーバブル・フレームを高いレベルで使いこなし可変ガンダムタイプを実戦運用してみせることで一線級の技術力を持つことを証明したことで、次期制式量産機開発レース最有力候補の座

＊本項での考証は公式設定に基づいていますが公式設定ではありません。あくまで模型を楽しむための考察です

●ジェスタはユニコーンガンダムがNT-D非発動時に護衛するための随伴機で、ユニコーンガンダムに比する強大な推力比を実現し、νガンダムの８割とも9割ともいわれる性能を誇る特務仕様。連邦量産機のひとつのピークとなった多機能機で、このあたりを性能的なピークとして連邦の量産機は省コスト化、小型化へと舵を切っていくこととなる

1/100

MG
1/100

MG
1/100

U.C.0109 RGM-109

U.C.0096 RGM-96X

U.C.0089 RGM-89

傑作機であったがゆえの後世へ与えた大きな影響

●量産機としてのパッケージングの完成度が非常に高かったため、30年に渡り配備され、のちのMSに大きな影響を与え続けたRGM-89ジェガン。直接の後継であるRGM-109 ヘビーガンはRGM-89をほぼそのまま小型化したものだったし、RGM-119 ジェムズガンとその派生型であるRGM-122 ジャベリンでもジェガンの設計は踏襲された。RGM系の見た目を持つ量産機がジェガンの影響から完全に脱するのは、UC0140年代に入りRGMナンバーではないOLM111E02 ガンイージが登場してからとなる。ここまで長期にわたり大きな影響を与え続けた量産MS、それがジェガンなのである

OLM111E02

RGM-122

●RGM-89系統がすごいのは、正規戦、特殊戦、局地戦、偵察、狙撃、爆撃、護衛に到るまでありとあらゆる戦況に対応する派生型パッケージが想定されているところ。なんでもできるどこにでもいる制式機、RGM-89はまさに「ザ・量産機」なのである。『UC』公開以降のシーンでは、ジェガンのキャラクター性はこの「バリエーション展開」にこそある。ガンプラでもこの派生型展開を再現してこそのジェガン。バリエーション展開は正義、なのだ

高い汎用性が生んだ膨大なバリエーション群

をついに獲得することとなる。

ここまでの周到なお膳立てをしたうえで満を持して開発投入されたのがＲＧＭ-89ジェガンだった。連邦軍次期主力量産機の受注はアナハイム・エレクトロニクスにとっては社運を賭けたプロジェクトだ。相応に高いバリューのパッケージが周到に組まれたことは想像に難くない。次世代機としての高い運動性能、豊富な武器パッケージ、ＲＧＭ-79系を戦訓とした潤沢な派生型へ対応できるポテンシャル、高い生産性……制式機受注獲得のために練り込まれた仕様のジェガンがのちに傑作機と呼ばれる機体となったのは当然の帰結だったと言えよう。

こうしてＲＧＭ-89の次期制式機受注を実現したアナハイム・エレクトロニクスが次に打った手がＲＧＭ-89Ｄ型の投入だった。ＲＧＭ-79系派生型は非常に数多く生産されたが、元の設計がそこまでの派生型を想定していなかったため換装に際してはフレームも含む大幅な改装が必要でコストと生産性はあまりよくなかった。そこでＲＧＭ-89Ｄ型ではアタッチメント型の外装／フレームを採用することで基本形を変えずに多数の派生型への換装を実現する。これにより特殊戦や局地戦用ＭＳの受注を包括的に獲得することに成功し、ＲＧＭ-89は名実ともにＵＣ００９０以降の地球圏のスタンダードとなった。これはアナハイム・エレクトロニクスが一年戦争後10年に渡って水面下で繰り広げられてきた他勢力との戦いに完全なる勝利を迎えた瞬間でもある。

かような経緯を経てスタンダード化したＲＧＭ-89は連邦軍の主力機として使用され続けていくことになる。ＵＣ０１００年代後半に入ると、軍は肥大化し老朽化したＲＧＭ-89装備体系を嫌い新たな小型ＭＳ計画を立案するが、アナハイム・エレクトロニクスはすでに巨大な既得権益と化したＲＧＭ-89を手放そうとはしなかった。ＲＧＭ-１０９とＦ71Ｇキャノンのダブルスタンダードで次々世代機の仕様を混乱させる手に出る。その隙を縫うようにしてＲＧＭ-89ジェガンはＵＣ０１２０年代まで長く使われ続けることとなるのである。■

MG 1/100をベースにHGUC ネモを踏まえつつ『UC』以降な イメージでちょっと強そうなネモに

▶『UC』に登場したあとに発売されたHGUCのネモは、MGのアレンジを踏襲しつつもさらにメリハリが効いた精悍な印象。HGUCと『UC』の画稿を参考にしつつ、それらをそのまま再現するのではなく、「いまの最新MGと並べられるカッコいいネモ」を目指す

ジムとジェガンを繋ぐ重要なピース MGネモをいまの視点で読み解き製作する

MSA-003 NEMO

Model Graphix 2018年11月号 掲載

ネモはジムっぽい外観の連邦量産機でありながらRGMナンバーではないという異端児だが、ジム以降の連邦量産機を1/100で並べていくなら外すことはできない重要なピースである。MGシリーズではNo.84と意外と早いタイミングで製品化されたこともあってか、その出来のよさとは裏腹に当時はいまひとつ話題に上らず地味な存在だったMGネモ。これを機会に改めて見直してみませんか？

▼つま先の独立可動、股関節軸のスイング可動、引き出し式のヒザ関節などの採用できれいな片ヒザ立ちができるフレームを内蔵。シリンダーやスラスターユニットの可動ギミック、メカニカルなディテールを備え、その後のMGジェスタ、今回のMGジェガンのフレーム構造へと繋がる技術の源流が見て取れる

▶'06年に『Z』系の主要MSがMG Ver.2.0として再製品化されていく流れのなかで初めてMGとして製品化されたネモ。MGガンダムMk-II Ver. 2.0などと同等の次世代フレーム構造を持ち、広い可動範囲とリアルなフレームディテール再現を実現した、ジミな量産機ながら非常に凝った作りのキットだ

実質的内容はVer.2.0クラス 早生の秀作、MGネモを再評価しよう。

MSA-003 ネモ
BANDAI SPIRITS　1/100
マスターグレードシリーズ
インジェクションプラスチックキット
発売中（2006年2月発売）　税込3024円
出典／『機動戦士Zガンダム』
製作・文／**朱凰@カワグチ**

MSAという型式番号が現しているように、ネモは百式の廉価量産版ともいえる機体。目立った戦果をあげることなく表舞台から消えていった……のだが、『UC』でそんないいところのなかったネモに改めてスポットライトが当てられた。旧式機として基地防衛隊に配備されたネモが大奮戦、連邦量産機ファンに「ネモは死なず」という強烈な印象を与えたのだ。

そんなネモのMGは'06年発売。ゼータガンダムとMk-ⅡのVer2・0に挟まれるようにして開発された製品で、初MG化だったためVer2・0でこそないが内容は完全にVer2・0準拠。よく動きディテールも緻密なフルフレーム構造は現在の眼で見てもよくできており隠れた名作MGといえる。このMGネモ、発売当初は『Z』の設定画とはテイストが異なるアレンジに賛否が分かれ、ゼータガンダムとMk-Ⅱの影に隠れていまひとつパッとしない印象があった。しかし『UC』の画稿を見てびっくり。デザインラインがMGに寄せられ、『UC』版と考えると非常に再現度が高いキットなった。元々出来がよかった内部構造と併せて再評価されることとなる。■

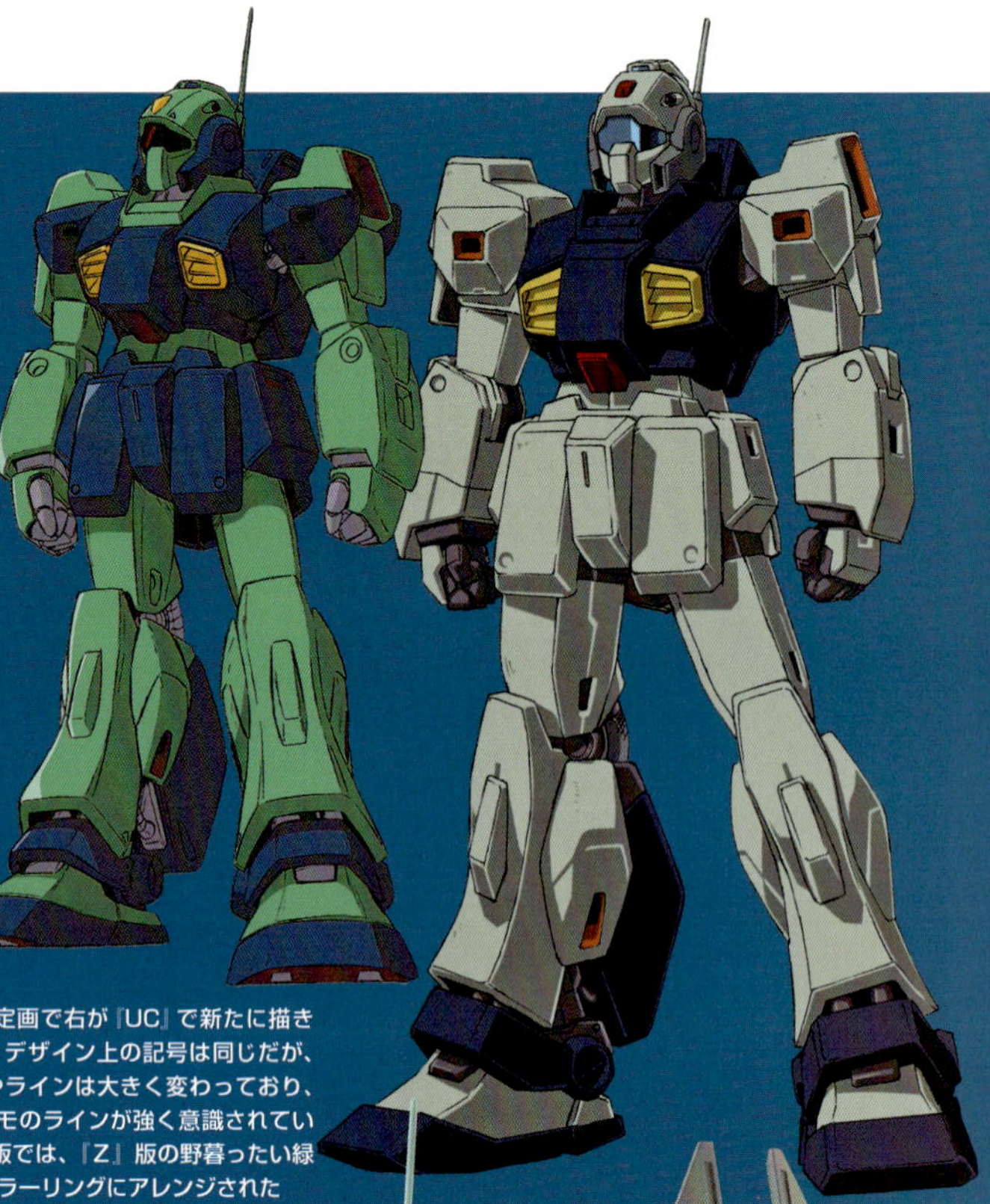

●左は『Z』の設定画で右が『UC』で新たに描き起こされた画稿。デザイン上の記号は同じだが、プロポーションやラインは大きく変わっており、『UC』版はMGネモのラインが強く意識されている。また『UC』版では、『Z』版の野暮ったい緑からスマートなカラーリングにアレンジされた

『UC』でRGM系列機として再評価された異端児ネモ

▶『UC』episode4では冒頭から全編でネモが登場。『UC』に登場したカラーリングのバリエーションキットがHGUCとMGで発売となった

MG 1/100 MSA-003 NEMO

●作例は『UC』画稿のラインを意識しつつさらにスマートで洗練されたイメージになるようフォルムを改修。これはネモにしてはちょっとカッコよすぎる……!?（笑）
●武器はMGガンダムMk-Ⅱ Ver.2.0のビーム・ライフルのパーツをそのまま使用。シールドは下部の曲面が気になったので、真っ直ぐになるよう切り落としている

●頭部は小顔化し『UC』版よりもさらに精悍な印象に改修。併せて胸部の面構成を変更することで、RG Mk-IIのフォルムなどに通じるスマートな印象へと改造。ネモの記号は残しつつ今風のカッコよさを追求してみた

●量産機としてのネモらしさを残すためにあまりディテールを追加しすぎないようにし、キットのモールドを活かした最小限のディテール追加で密度感をアップ

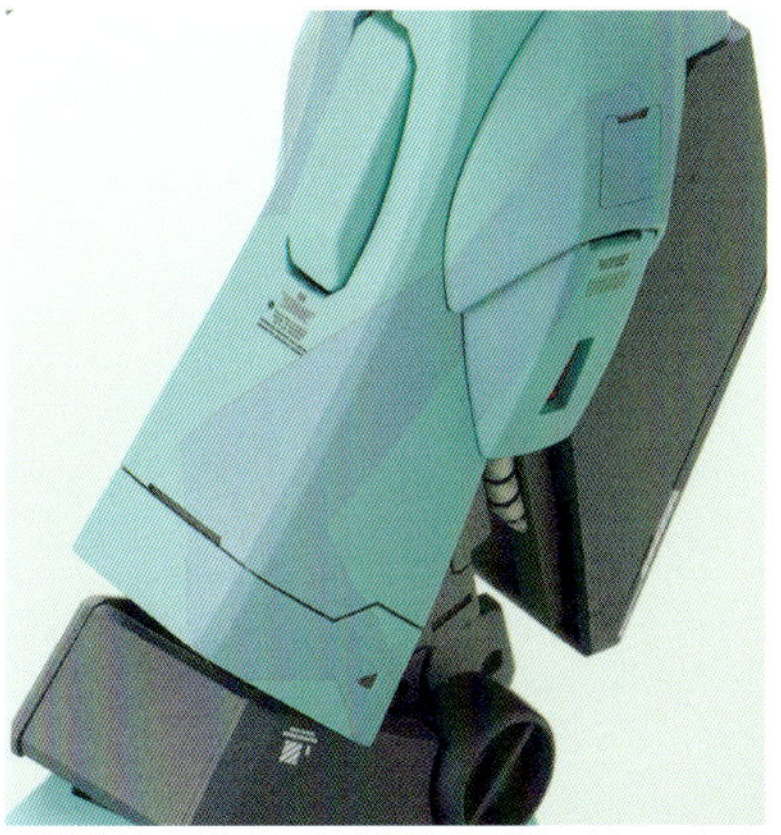

●カラーリングは『UC』に登場したジェガンをモチーフに緑を淡くしつつ模型映えするような鮮やかな色に変更。同時に『UC』に一瞬だけ登場した迷彩バージョンのジェガンをモチーフとして迷彩塗装を施している

ジム的な意匠を持つ連邦量産機のなかでは異彩を放っている機体、ネモ。ところどころにザクっぽい動力パイプがあるなどジオン系の技術が入っていたり、ムーバブル・フレームやガンダリウム合金を採用した高性能な量産型という設定がありつつも作中で目立った活躍が少ないという不遇な機体ですが、そんな立ち位置に負けない量産機的カッコよさが魅力だったりします。個人的にはジム系列（直系のRGMナンバーではありませんが連邦量産機ということで）のなかでもいつか作ってみたかったキットのひとつでしたが、発売からけっこうな時間も経っていますし、まさか作例として作れる日が来ようとは思ってませんでした。

さて、キットは12年前の'06年に発売されたものながらフレームまでよくできていて、がっしりした堅牢な量産機の無骨なカッコよさを感じさせます。今回はこれを昨今のMGのスタイリングに寄せる、というのをコンセプトとし、なるべくディテールの追加は抑えつつプロポーションバランスの調整で各部改修を行なってみました。

頭部は丸い小顔に見えるように改修しています。口部分を一度切り落としアゴ部分を奥に引っ込めるよう角度をつけ、頬当てのパーツもアゴのラインに揃うよう角度を調整。アンテナはバランスを考えてうしろに短いものを1本追加しました。

胴体はコクピットカバーが若干長く感じたので下部を切り詰めて短縮。併せて赤い部分の角度が合うよう調整しました。これに伴い両胸のダクト位置も上へ移動、天板部分はプラ板を貼って角度を変えダクトはプラ材で新造しました。ジムっぽく左胸天板部分にセンサーも付けています。肩の軸部分は、腕部接続時に胴体へより密着するようにストッパーとなる段差を削り落としています。フロントアーマーとサイドアーマーは、脚部延長に合わせて各2㎜延長。

腕は、肩内側の関節部分で1㎜程度短縮し、上腕は2㎜程度延長し、スライド装甲よろしく、プラ板を貼ってパネル分けしました。脚部は、太ももをフレームの付け根でいったん切り落として4㎜延長。太もものカバーパーツは上部で1㎜延長した程度です。ヒザの関節パーツが見えてしまいますが気にならなかったのでそのままに。付け根部分を延長したのと合わせてヒザで1㎜、足首裾部分で2㎜、装甲パーツをそれぞれ延長しバランスをとっています。ヒザ下の凸ディテール部分は切り抜いて内部フレームに接着し、よりそれらしく見えるようにしました。それから、ヒザ裏のパイプはガンダムMk-IIっぽく繊維チューブに置き換えました。足のスリッパ部分は面に若干アールがついているので、金属ヤスリでしっかり削って平面を出しています。手間がかかる作業ですが、それにより足を小型化したように見せることができます。■

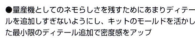

ジェガンの〝心臓〟を持つ連邦次世代小型量産機

RGM-109 ヘビーガン
BANDAI SPIRITS　1/100
インジェクションプラスチックキット
発売中　税込864円
出典／『機動戦士ガンダムF91』
製作・文／**堀越智弘**

UC0100年代には軍縮の要請から小型MS構想が生まれるが、機体価格や装備規模が縮小されることを危惧したアナハイム・エレクトロニクスは積極的にMSの小型化を推進しようとはしなかった。軍からの圧力をのらりくらりとかわしつつ数年後にようやくプレゼンしたのが実質的にジェガンを小型化しただけのヘビーガンである。その中途半端な性能に不満を持った軍は研究所の一部門であるサナリィにて独自の小型MS構想フォーミュラ計画を立案、そこでF70キャノンガンダムが開発されることとなる。その高性能ぶりに危機感をもったアナハイム・エレクトロニクスは政治的圧力をもってデチューンしたOEM機の生産権を獲得、そうして生産されたのがGキャノンだった。ここでアナハイム・エレクトロニクスが狡猾だったのは、あえてヘビーガンも生産することで新型小型MSをダブルスタンダード化したところにある。

Gキャノンは中距離支援機扱いかと思えば、「肩のキャノンを外せば全領域対応できる」という仕様とし、汎用機として若干性能が劣るヘビーガンをあえて残すことでアップデートを分散させ性能を適度に抑えていく。こういったダブルスタンダード化によりUC0120年代くらいまでジェガンを完全に退役させるには到らない状況を生み出した。制式機がいくつも併存する状況は、軍縮の要請に反して連邦軍装備をむしろ複雑化させることとなり、それがアナハイム・エレクトロニクスに大きな利潤をもたらしたことは想像に難くない。■

ジェガンが傑作すぎたがゆえの「次世代小型機構想」の迷走

▶ヘビーガンが傑作量産機をそのまま縮小した「小型ジェガン」であったいっぽう、小型機として新たに開発されたガンダムタイプの長距離支援型を量産化したのがF71Gキャノン。1／100が発売されているのでこちらも並べてみたいところだ

●パイロットによっては奮闘を見せたヘビーガン。「ジェガンと同等の機能性」ということは、機体が小型化したぶん推力重量比などの性能は向上していたということか

RGM-109 HEAVY GUN

RGM好きなら、ジェガンがきたら次にほしいのはコイツでしょ!!

Model Graphix
2018年11月号
掲載

30年以上に渡り運用され続けたジェガンはその後の連邦量産機にも大きな影響を与えた。なかでも直接の後継機となったヘビーガンは、ジェガンと同級のジェネレーターを流用するなど「小型ジェガン」といってもよいものだった……そんなこんなで、ジェガンの系譜で真っ先に思いつく機体がこのヘビーガン。RGMファンとしてはせひとも1/100で並べてみたい、ということで旧キットを使って今風に改造してみたぞ。

●F91 Ver2.0やビギナ・ギナの発売は順当なところとしても、量産機ファンとして意外で喜ばしかったのが12月発売予定のRE1／100ガンイージのキット化。これを機に旧キットではガンイージ同様1／144しか存在しなかったジャベリンやジェムズガンの1／100キット発売が果たされればRGMファンとしては狂喜乱舞だろう

いま確実に来はじめている“U.C.0100”以降な流れ

『機動戦士ガンダムNT』とともに発表された「UC NexT 0100 PROJECT」では、宇宙世紀0100年以降の世界を描いていく構想が語られたが、ガンプラの世界でもMG F91 Ver.2.0やRE1/100 ビギナ・ギナ、ガンイージといったU.C.0100以降に登場するMSのキット化が相次いできている。この流れでくれば、ヘビーガンやGキャノンのリニューアルキット化も夢ではない……!? (といいなあ)

●ミキシングビルド＋改造で近年のMG RGM系機体と並べても遜色ない仕上がりとなった。小型前のＲＧＭナンバーであるMGジェガンやMGジェスタと並べてみるとその大きさの違いに改めて驚かされる

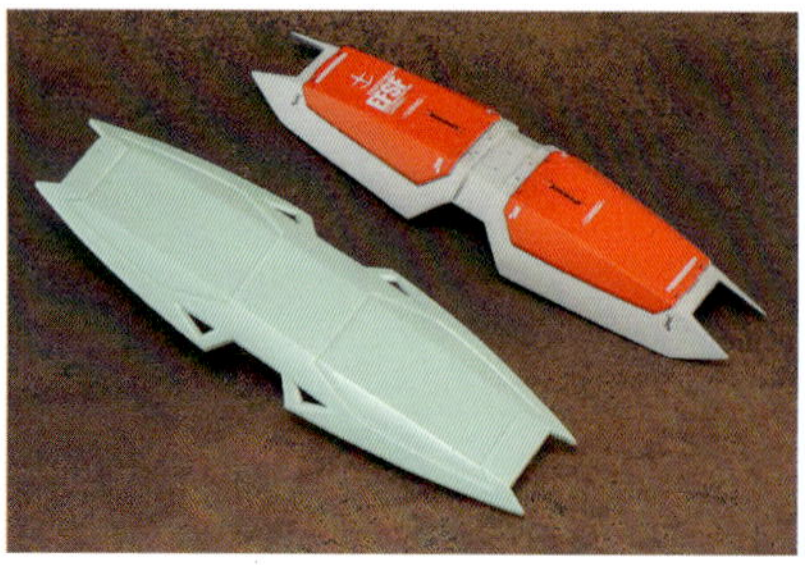

●1/100ヘビーガンに付属するシールドパーツは平べったいので、RGガンダムMk-Ⅱのシールドの下側のパーツをふたつ合わせて製作。メリハリのある形状となった。腕部へのシールド装着には磁石を使用している

●ビーム・ライフルは1/100ヘビーガンとMG F91 Ver.2.0のパーツを組み合わせている。今回はついでにMG F91 Ver.2.0の余ったパーツを使って、設定では装備していないビーム・バズーカとビーム・シールドも製作してみた。クロスボーン戦での惨敗を受けて攻防のレベルアップを図った後期生産型では……という想定だ

同級のジェネレーターを搭載し小型化した、ジェガンの親戚みたいなヘビーガンです。劇中ではやられっぱなしで最後はバグによって切り刻まれてしまいますが、れっきとしたＲＧＭナンバーでジムの正統な後継機でもあります。そのフォルムは「特徴がないのが特徴」。今回は「ＭＧジェガンやＦ91の横に並べられるような１／１００ヘビーガンがほしい！」というがお題です。

使用したキットは27年前の劇場公開当時のもの。当時の連邦系機体特有の、お腹が短く下半身にボリュームがあるスタイルとなっています。ひとつひとつのパーツを見るとヘビーガンの特徴をよく捉えていますね。そこを踏まえて、ＭＧ Ｆ91 Ｖｅｒ２・０やＭＧジェガン、ジェスタのパーツを使って製作していきます。

頭部がヘルメットと一体となったフェイス部分をエッチングソーできれいに切り取り、ＭＧ Ｆ91の内部フレームを使用してヘルメットを被せるようにします。胴体ですが、胸はキットそのままで幅も変えていません。上面にそれらしくセンサー類を左右に配置しています。コックピットハッチはＲＥ／１００のＧＰ04のパーツを加工しています。赤い部分は大きめにプラ板で作っています。お腹周りはＭＧジェスタのパーツを５㎜幅詰めして使用。股関節フレームはＭＧ Ｆ91のパーツをベースにし、腰アーマーはヘビーガンのパーツをそのまま使用。ヘリウムコア（？）はＭＧ ＲＸ-78-２（GUNDAM THE ORIGIN版）を使用。リアアーマーはＭＧ Ｆ91そのままです。バックパックはスジ彫りを彫り直して市販パーツでディテールを追加しました。腕部はＭＧ Ｆ91を使用しますがちょっと短いので前腕で２・５㎜延長。ついでにヒジとシールドラッチをヘビーガンから移植します。肩はヘビーガンのものを先端カットして小型化。上側はプラ板とＲＧガンダムＭｋ-Ⅱの肩スラスターを２機ぶん使用して形にしました。脚部ですが、太ももはＭＧジェスタのパーツを幅詰め、内部フレームは、太ももはＭＧ Ｆ91、スネはジェスタの肩と上腕フレームを組み合わせました。スネは４㎜幅詰め。足首は爪先とかかとを切り離し、ＭＧ Ｆ91の足首フレームに装着できるように調整します。かかとは２㎜幅詰めましたが爪先はアンクルアーマーを切り離して角度を変更した以外はそのままです。全体のディテールはＭＧジェガンに合わせて控えめにしました。スラスター類は市販パーツを使ったりＭＧ Ｆ91からパーツを拝借したりしています。■

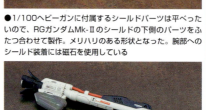

RGM-109 HEAVY GUN

1/100ジェガンを作ったら……ぜひともコイツを横に並べたい!

RGM史を語るなら外せない機体ヘビーガン旧キットを元に、いまのMGスタイルに改造!

●作例は1/100の旧キットを元に、現在のMGやRE1/100のラインを想定して改造を施している。旧シリーズの1/100ヘビーガンは設定の特徴をよく捉えた好キットなので、基本構成は活かしつつ、プロポーションバランスをMG F91 Ver.2.0やRE1/100のビギナ・ギナに寄せスマートにしている
●元となるキットはほぼモナカ状態なので、MG F91Ver.2.0のフレームやMGジェガン、ジェスタのパーツを流用。現行最新キットと並べても違和感がないディテーリングを目指した
●ジェガンから引き継がれた薄緑が連邦量産機の伝統を現しているヘビーガンだが、今回はより精悍なイメージとすべくニュートラルなグレーに振ったカラーリングとしている。また、分散している赤を中央部にまとめて再配置することでスマートさを増している

❶製品の頭はスクエアでマッシヴな印象で、装甲を強化されたイメージ（後期生産型とか？）。それは活かしつつ後頭部に金属線で通信アンテナを追加した
❷ついでに「HG UCHG RX-79[G] 陸戦型ガンダム地上戦セット」（'09年発売、税込2376円）に付属するオマケのジムヘッドを流用してみた。HGUC陸ジムとはまったく別の解釈で造形されており、丸みをおびたフォルムは適度な「弱そう感」がステキ。耳の部分だけHGUC陸ジムのパーツに置き換えている
❸胸部中央のコクピットブロックは、アニメ設定画ではもっと前方へ突き出ている印象。作例は1㎜プラ板を前方に貼り付けてボリュームアップしている

RGM-79[G] 陸戦型ジム
BANDAI SPIRITS　1/144
HGUCシリーズ
インジェクションプラスチックキット
発売中　税込1620円
出典／『機動戦士ガンダム
第08MS小隊』
製作・文／**小森章次**

ネットガン初立体化!!
すべてが新造形の
HGUC陸戦型ジム

●かつての1/144HG陸戦型ジムの発売から21年、ついに発売されたHGUC版は既発売のHGUC陸戦型ガンダムやEz-8のバリエーションではなく、なんと完全新規金型。最新の可動設計が盛り込まれよく動く陸ジムがここに爆誕した。武装は100㎜マシンガン、ロケットランチャー、シールド、ビーム・サーベル×2、そしてネットガンが付属する。ネットガンは、OVA『第08MS小隊』第6話でアプサラスⅡの捕獲任務についた陸戦型ガンダムが使用した装備。なにげに初立体化の貴重な装備だ
◀シールドは劇中のように地面に突き刺して立てるかと思いきや、裏側にたたまれたスタンドを使って立たせる方式

Model Graphix
2017年4月号
掲載

陸戦型ジムがついにHGUC化された!!

ひと昔前は「ジムなんて5年に一度発売されたらいいほう」なんて言われていたけれど、最近はかなりハイペースで発売……ホントにいい時代になりました。そしてこのHGUC陸戦型ジム（以下陸ジム）はなんと完全新規設計！　文蔵も豊富に付属しちゃいます。バリエーションの陸戦ガンダムやブルーディスティニーにも心惹かれますが、まずは素の陸ジムをばっちり作り込んでみよう！

RGM-79[G] GM GROUND TYPE

E.F.S.F. FIRST PRODUCED MOBILE SUIT

ジム好きモデラーの意地!? 小森選手、陸ジムを自分好みに大・改・修（オトナゲネェ〜）

●陸ジムのHGUC化を熱望していた小森氏は、新製品なのに大人げなく自分好みに大改造。製品はメリハリのあるイマドキなアレンジなので、あえて設定画寄りにしHGUC陸戦型ガンダムと並べても違和感ないような保守的なバランス調整を施している。「HGUC陸戦型ガンダムから改造したほうが早いじゃん」は言わないお約束
●胴が小ぶりに感じるので各所にプラ板を貼って大型化。胸の左右も0.5㎜プラ板で肩幅を増した。胸ダクトは旧HG陸戦型ジムのパーツに変更。腹のA10パーツは側面に0.3㎜プラ板を貼ってやや寸胴に。またA10の底に1㎜プラ板を貼って胴を伸ばしている
●ヒザのスパイクはもっと張り出させたいところ。スパイクの部分を切除、裏からウェーブのテーパー丸棒を突っ込み、ほどよい位置でカットする方式が手軽にプリン状の円柱を再現できる早道かも
●下半身は足首アーマーが大きく足首が小さい印象なので、足首アーマーは接着面で約2㎜削って小型化。足首は全面に0.3㎜プラ板で大型化。これで足のスネから足首までのラインがきれいに収まる。足甲も1㎜プラを基部に貼ってかさ上げ。また足首アーマーの内側には1㎜径の丸棒とΦ2㎜真ちゅうパイプでシリンダーを追加した

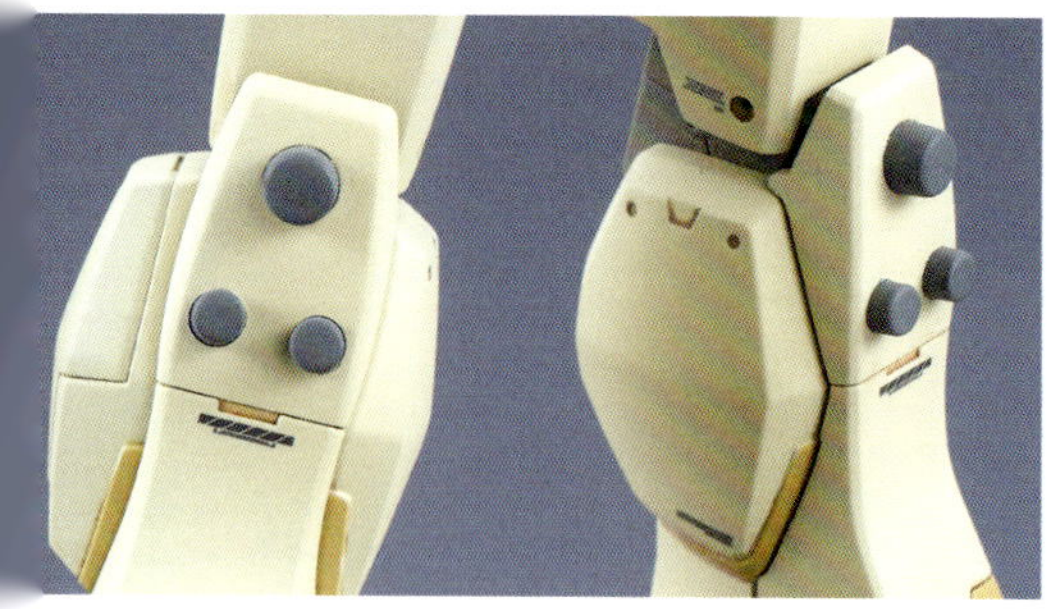

ＨＧＵＣ陸戦型ガンダムから早10年、待望の陸戦型ジムが発売されました。製品はイマドキのスタイリッシュなプロポーションとなっています。今回は劇中の印象を盛り込みつつ、ほかのジム系列機と並べても違和感ないプロポーションを目指します。

◆製作

いきなり「地上戦セット」の頭部を使っちゃいました。このオマケのジムヘッドの丸い造形が自分の好みです。耳が埋まり気味なのでキットから流用、バイザーの後ハメ加工を施してます。胴体は小さい！　腰のボリュームに釣り合っていないと感じたので、コクピット部分を前方へ突き出させ

他キットから武装をかき集めるのだ

製品に付属する装備だけでは物足りない！　陸ジムにはもっといろんな武器が似合うんじゃないか!?　というわけで、再販されたばかりのHGジムスナイパー（'99年発売、税込1080円）からミサイル・ランチャーやロケット・ランチャーを流用。また、HGUC陸戦型ガンダムやシステムウェポン004などからも武装をかき集めて、それら武装のフィッティングを検証してみましたぞ～。

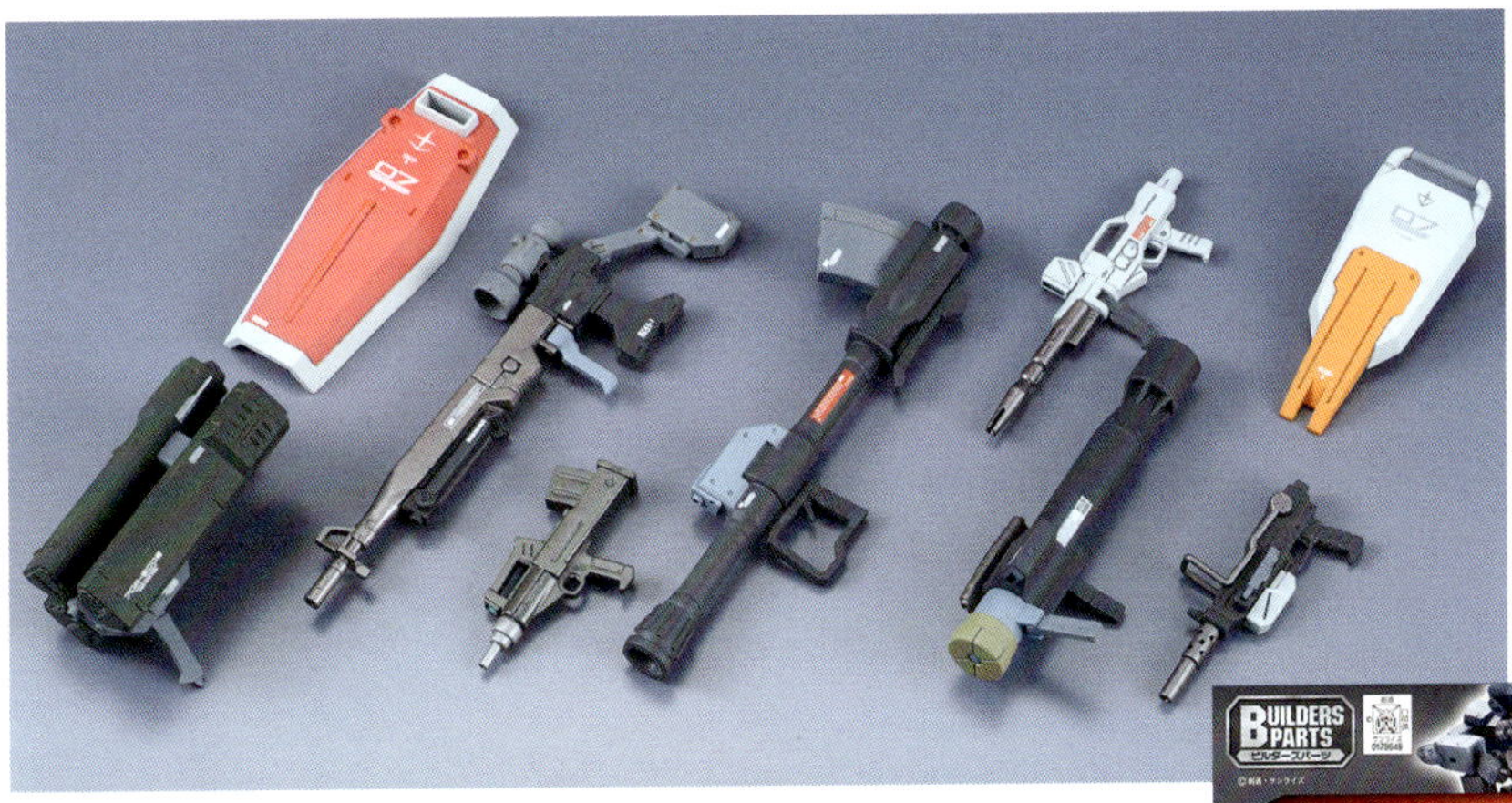

▼HGジムスナイパーを推奨したのは、HG陸戦型ジムについていた各種武装はそのままに、新たにロングレンジ・ビーム・ライフルが追加されているから（あとオマケの小さなアプサラスⅢも味わい深し）。システムウェポン004（税込1296円）は'12年発売、こちらのロングレンジ・ビーム・ライフルはバレルやスコープが分割されており、さまざまなバリエーションパーツに換装することができる

1ロングレンジ・ビーム・ライフルはシステムウェポン版の精密分割で造形されたものを用意。緑色じゃなくても似合ってくれるステキ装備
2写真上はHGジムスナイパーに付属するロケット・ランチャー。下はHGUC版の新造形のもの。HGUC版はパーツ分割がこまかいけれども、ちょっと小ぶりなのね。となるとここは迫力のある旧HG版をチョイスするとよりイイカンジかも

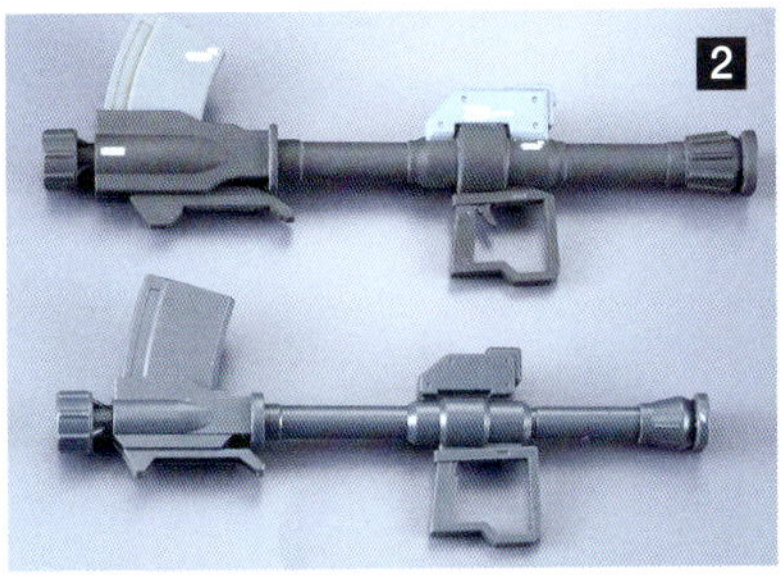

3『08MS小隊』第7話でオデッサ配備の陸ジムが登場したけれども、そいつは連邦マークなしの菱型シールドを持っていたっけ。つうことでHGUCジム改から盾を流用
4『08MS小隊』第10話で坑道に突入した07小隊の陸ジムは、ビーム・ライフル装備だった。そこでHGUC陸戦型ガンダムから流用。100㎜マシンガンも陸戦型ガンダムのものはトリガーガードが省略されていないのでオススメ

やっぱミサイル・ランチャーだよね!!

5劇中で陸ジムはネットガンを装備したことがないんだけど、もちろんなじんでくれる
6これこれ！　マスターグレード版の箱絵で陸ジムが持ってたミサイル・ランチャー。あのカッコイイ絵にしびれたジムスキーも多いのでは？　そこでHGジムスナイパーの付属品に市販パーツで少しディテールを足して、装備させてみた。カッコイイ（涙）

て大きくします。腹まわりも細すぎる気がしたのでプラ板を貼って太めに加工。

モモは全面に0・3㎜プラ板を使ってボリュームUP。HGUCの陸戦型ガンダムやEz-8に釣り合うレベルにまで太くしつつ、エッジを直線的に整形します。

前腕はC1-22のフレームパーツを中途で切断、前腕外装パーツのピン穴の上側を削ってやるとフレームを取り外せるようになり、外装を後ハメ加工できます。また前腕はちょっと短いのと手首部分がスカスカなので1㎜プラ板を貼り足して大型化。手首基部のカバーパーツは市販パーツを取り付けました。肩アーマーは横から接続ピンが丸見えなのでプラ板で塞いでます。

製品には設定画にはない独自のモールドが精密に施してありますが、バランスを考えながら陸ジムのイメージにそぐわないモノは埋めています。あくまで個人的にいらないと思ったところですよ、個人的にね。

最後に、いろんな武器を用意してみました。製品には手首パーツが穴の空いた一種類しか付属しないので、HGUCジム改のキットとかについてる汎用拳パーツを流用。ギュッと握った拳や、武器のトリガーに人差し指がかかってる拳がしっくりきますね。

◆塗装

以下が使用した色です（すべてGSIクレオスMrカラーを使用しました）。本体色／45番セールカラー＋クールホワイト＋58番黄橙色少量、オレンジ／58番黄橙色＋59番オレンジ、グレー／325番グレーFS16440＋316番ホワイトFS17875少量、関節カラー1／13番ニュートラルグレー＋22番ダークアース、関節カラー2／72番ミディアムブルー＋クールホワイト、武器類／ガンダムカラーファントムグレー＋クールホワイト。

デカールはガンダムデカール ボール用や市販のものを適当にチョイス。

スミ入れ／本体はタミヤスミ入れ塗料ブラウンにホワイトを混ぜたもの、オレンジにはクリアーオレンジ、グレー部分にはタミヤスミ入れ塗料グレーを使いました。■

戦慄の蒼(BLUE) 2度目のHGUC化

RX-79BD-1 ブルーディスティニー 1号機 “EXAM”
BANDAI SPIRITS 1/144 HGUCシリーズ
インジェクションプラスチックキット
発売中 税込1728円
出典／『機動戦士ガンダム外伝 THE BLUE DESTINY』
製作・文／**とも**

'96年に初登場して以来、ガンダムのゲームシーンを代表する機体として長らく親しまれてきたブルーディスティニー。初代HGUCは'07年に発売されましたが、すべてをリニューアルして2度目の1/144化を果たしました。先行するHGUC陸戦ジムと関節ランナーを共用しつつ、外装を新造形したこの製品、EXAMシステム発動時と通常時を個別再現できるようにクリアーパーツのバイザーが2種類付属するなど、バリューが大幅に向上しているのです！

Model Graphix 2017年11月号 掲載

▼左写真と見比べてほしいのだが、製品のランドセルは差し替えで上部カバーを展開することもできる。EXAMシステム発動時に使われるスラスターのようだ

2度目のHGUC化となる今回のブルーディスティニー。今回は『月刊ガンダムエース』（KADOKAWA）で連載中の漫画『機動戦士ガンダム外伝 ザ・ブルーディスティニー』で描き起こされた最新デザイン画のディテールやギミックが一部取り入れられている。たとえばEXAMシステム発動時にランドセルのカバーが展開したり、スネのスラスターがスライドするなどのギミックがそれ。モノクロページが主になる漫画において、EXAM発動の変化を読者が認識しやすくするための配慮として、わかりやすい外形上の変化が求められ再デザインに至ったそうだ。なるほど。もちろん往年のゲーム版設定画のとおりにも作れるようになっているので、古参ユーザーも安心してキットを手に取ってみてほしい。

「漫画版」のアレンジが選択式で導入されました

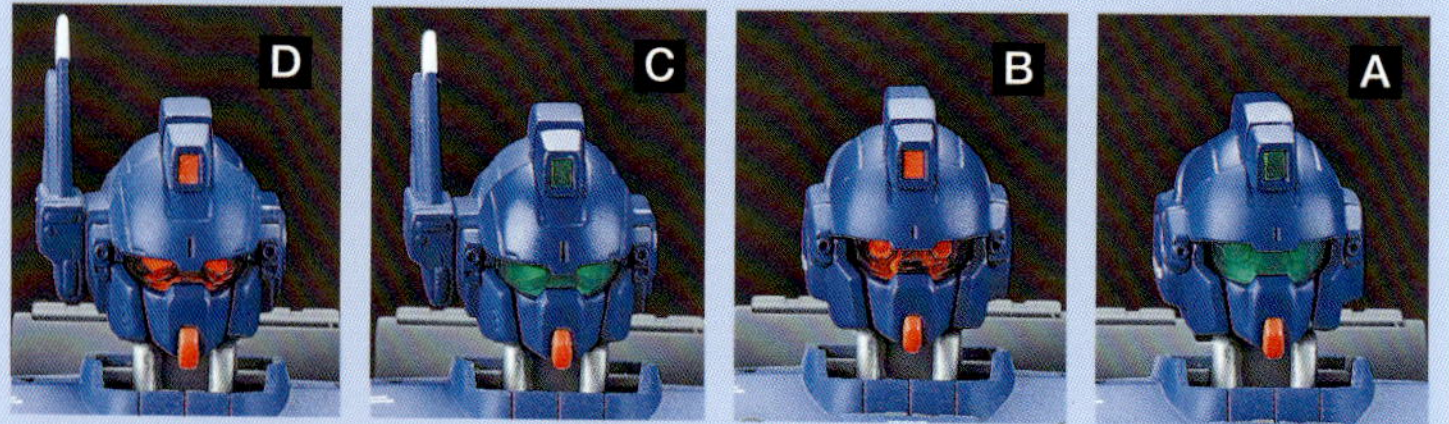

選べる頭部は4種類！

▲本製品には2種類の頭部と、2色のバイザーパーツが付属する。バイザーは通常時の緑色とEXAMシステム発動時の赤色を再現したもの。旧HGUCではシールでバイザーの色を表現していたので超ありがたい。なお頭部とバイザーは互換性があるので好きな頭部に好きな色のバイザーをはめ込めるぞ
ABはゲーム版頭部。バイザー奥の“目”が丸く不気味（だがそれがよい）。

CDが漫画版で設定された頭部。右側頭部にシステムモニタリング用のアンテナ状ユニットが取り付けられており、目もガンダムっぽい形状になっている

▶かつてのＨＧＵＣは腕部やヒザ関節がＡＢＳ製だったが、今回の製品はＫＰＳ樹脂に変更されており塗装の便が向上。また太ももに横ロール軸が追加されるなど、よりカッコよく立たせられるようになっている。作例は好みで太ももを延長し、足首は陸戦型ジムに変更（えっ？）。腹部の蛇腹状ブロックも旧ＨＧＵＣのものを移植（えー!?）して胴体の長さを延長。首も伸ばしている

1首は１㎜ほど上げつつ首ブロックにシリンダー状ディテールをプラ棒で追加。ボールジョイントは関節技に交換している。また延長にともない襟まわりが目立つので、プラ材でメカディテールを追加した
2肩も若干上げている。肩アーマーのボールジョイントを切除し、１㎜下げてから再接続すると肩を上げられる。右前腕には盾ジョイントのフタをプラ材ででっち上げ。拳はHGUCジム改の握りこぶしとHGUCジム・スナイパーⅡの銃持ち手に交換した
34脚は太ももの中心で2㎜延長。スネ先端は約2㎜プラ板を貼り足し、アンクルアーマーとの隙間をできるだけ見せないように調整。アキレス腱のスラスターも市販パーツに交換

RX-79BD-1 BLUEDESTINY UNIT 1 “EXAM”

◆戦慄のブルー

ブルーディスティニーを知ったのはセガサターンのゲーム。じつはブルーが登場する前にドムにやられて先に進めず、最後までブルーを見ることなく挫折した苦い記憶がありまして……。次にブルーを見たのがゲーム『戦場の絆』で、ようやく搭乗できたものの EXAMシステムを使いこなせずじまいという、自分には縁のない機体でした。ところが、今回なんの因果かリニューアルされたブルーを担当いたしました。

◆蒼を受け継ぐ者

頭部はキットそのままです。合わせ目が目立たないパーツ構成を見て、ＨＧシリーズもここまできたのかとちょい感動。首が短いと感じたので約１㎜伸ばしています。

腹の蛇腹パーツは、好みで旧ＨＧＵＣのもの引っ張り出してきてしまいました。現物合わせで擦り合わせて使っています。

脚はモモで２㎜延長。アンクルアーマーとスネのすき間が気になったのでプラ板で塞ぎつつ、アンクルアーマーは先端部を約１㎜カットして気持ち小型化しています。

足首は細く感じたのでＨＧＵＣ陸戦型ジムのものに交換。それでも物足りなかったのでつま先をプラ板で１㎜延長しました。

トリガーガードが省略されている１００㎜マシンガンは旧ＨＧＵＣのパーツに変更しています。

◆裁かれし者

塗装はＧＦＦ版を参考に、紺に近いブルーと薄いブルーのツートンで塗り分けてみました。

●濃いブルー１／ＧＳＩクレオスＭｒ.カラー322フタロシアニンブルー。
●ブルー２／ガイアノーツ ガイアカラーコバルトブルー＋Ｍｒ.カラー色の源マゼンダ少々。
●レッド／Ｍｒ.カラー79シャインレッド＋ＧＸ１クールホワイト少々。
●フレーム色／ＮＡＺＣＡメカサフヘヴィ
●武器／ＮＡＺＣＡメカサフ ライト

私自身がＥＸＡＭ発動してしまい、やらなくていいことを繰り返している感がありますが、少々の加工で電飾できそうなパーツ構成や色分けなどのガンプラ設計の進化には驚かされました。気軽に作って飾っても充分カッコいい製品だと思います。■

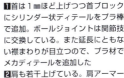

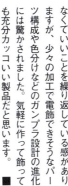

HG陸戦型ガンダム（パラシュート・パック仕様）

RX-79[G] GUNDAM GROUND TYPE w/PARACHUTE PACK

Model Graphix 2018年10月号 掲載

プレミアムバンダイで限定販売されたHG陸戦型ガンダム（パラシュート・パック仕様）。「パラシュート？　HGのEz-8についてたやつでしょ？」と思ったら、まさかオープニング映像にのみ登場するパラシュートを新造形するとは！　そんな気合い入りまくりのセット版を早速レビューします。併せて、本体のHG陸戦型ガンダムも随所にディテールを追加して精密感ある仕上げで製作。陸ガンファンはぜひ参考にしてみてください。

RX-79[G] 陸戦型ガンダム（パラシュート・パック仕様）
BANDAI SPIRITS　1/144　HGUC シリーズ
インジェクションプラスチックキット
税込2160円　プレミアムバンダイ限定販売
出典／『機動戦士ガンダム 08MS小隊』
製作・文／アーリーチョップ

プレバンのフル装備セットは魅力的なパーツだらけ!

◀'17年発売のHG陸戦型ジムに付属するネット・ガンや、HGジム・スナイパー('17年プレミアムバンダイ限定販売)に同梱されていたミサイル・ランチャーなど、ここ最近の『08』系アイテムから、陸戦型ガンダムが劇中で使用した武装をひとまとめにしている豪華セットなのだ

POINT 1
陸ジムの頭が新造形!

●本セットに付属する陸戦型ジムの頭はHG陸戦型ジムの流用ではなく、なんと新造形! 丸みを帯びたヘルメットや、どこか頼りなさげな表情のバイザーなどが設定画にそっくり。ガンダムの頭と交換するもよし、HG陸戦型ジムにすげ替えるもよし(成型色もHG陸ジムといっしょ)、ナイスなおまけなのだ

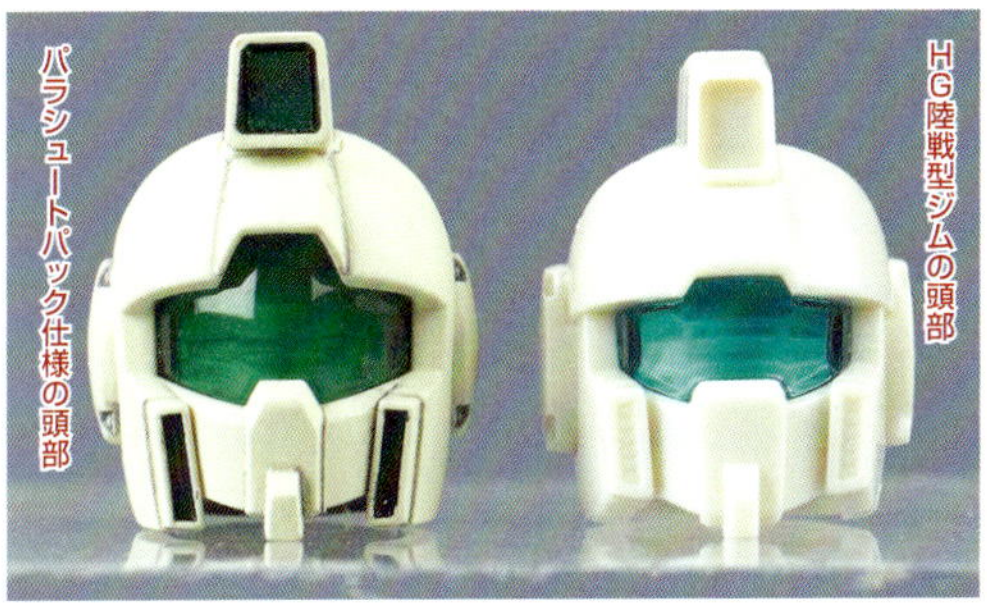

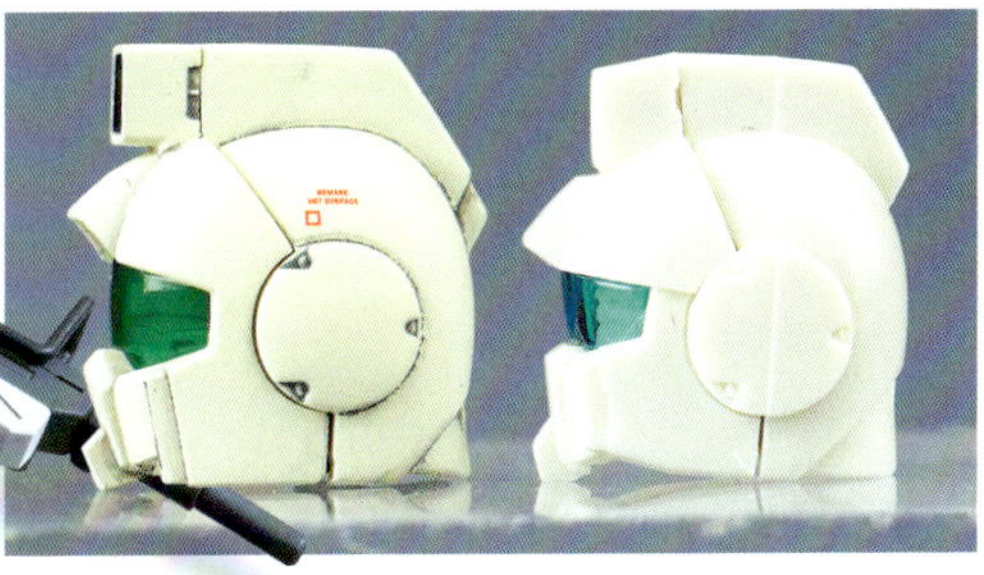

POINT 2
激レア装備・OP版パラシュートパック

●『08小隊』オープニング映像にて、ジャングルにカッコよく降下していく陸戦型ガンダム……。ここでガンダムが背負っているパラシュート・パックは、本編に登場しない"幻の装備"であった(本編では形状の異なるパラシュート装備が登場)。今回、この幻の大型装備が、プラモデルとしてははじめて立体化されることとなったのだ!

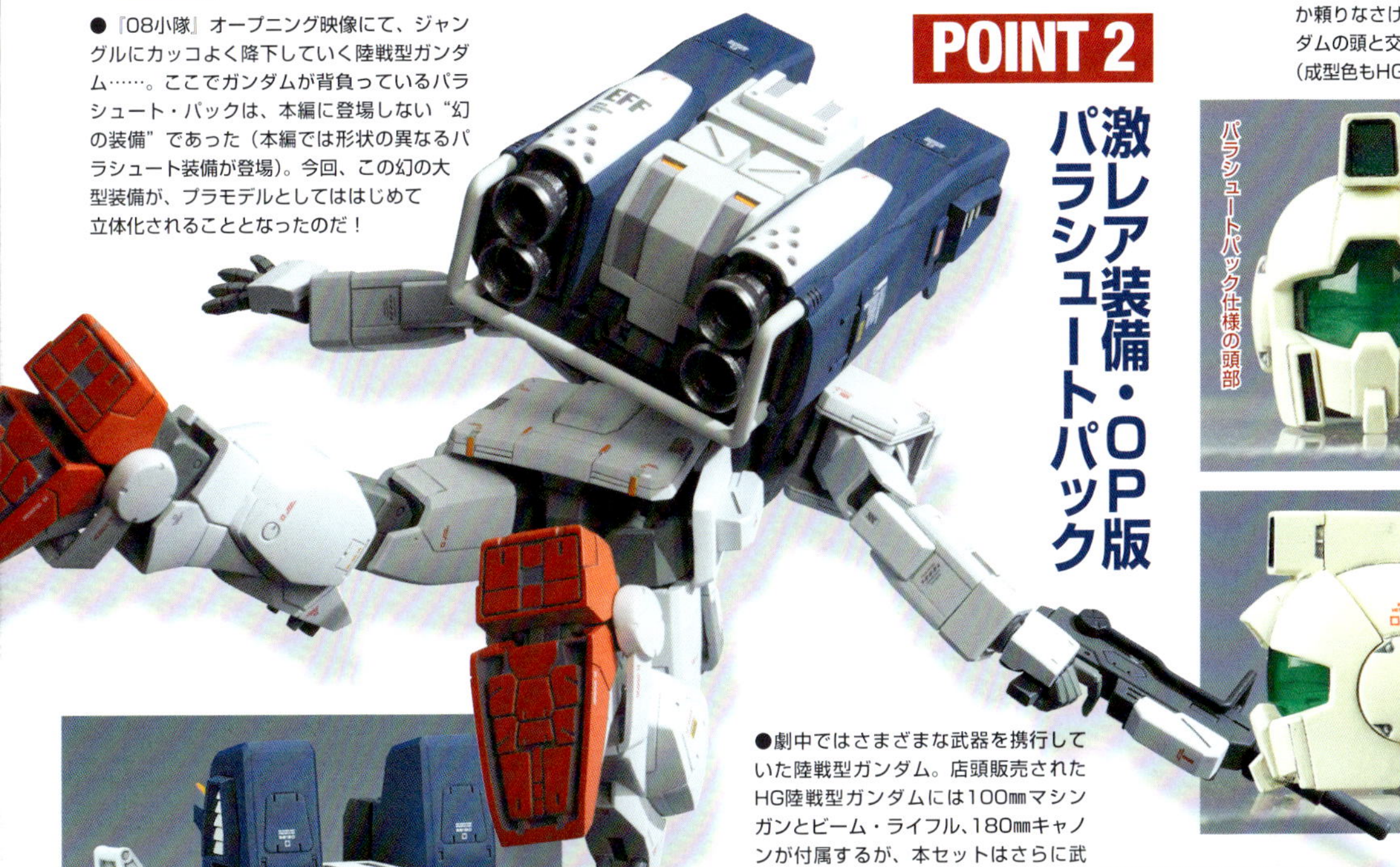

◀こちらはHG Ez8付属の劇中登場版パラシュート。ミリタリーっぽさはこちらに軍配が上がるが、OP版のシャープな造形も捨てがたい

●劇中ではさまざまな武器を携行していた陸戦型ガンダム。店頭販売されたHG陸戦型ガンダムには100㎜マシンガンとビーム・ライフル、180㎜キャノンが付属するが、本セットはさらに武装が充実しており、右写真のロケット・ランチャーや写真下のミサイル・ランチャーといった、HG陸戦型ガンダムに付属しなかった武器をまとめて入手することができる。あとは他小隊の機体が装備していたガンダム・ハンマーを別に用意すれば、陸戦型ガンダムの劇中装備武装がすべて揃うのだ

POINT 3 武器がもりだくさん!

RX-79[G] GUNDAM GROUND TYPE

●寸詰まり感のある胴体は上下に約２㎜延長。くびれが強いと感じた横腹は両側面にプラ板を貼って約１㎜ずつ幅増しした
●付属の180㎜キャノンは5つのパーツに分割し、背部コンテナに収納することができるようにした。じつはコンテナパーツは'07年発売版と同じものが使われている。しかし、180㎜キャノンは新造形になっており、組み立てたときの全長がより長く、砲身も太くなっているぞ

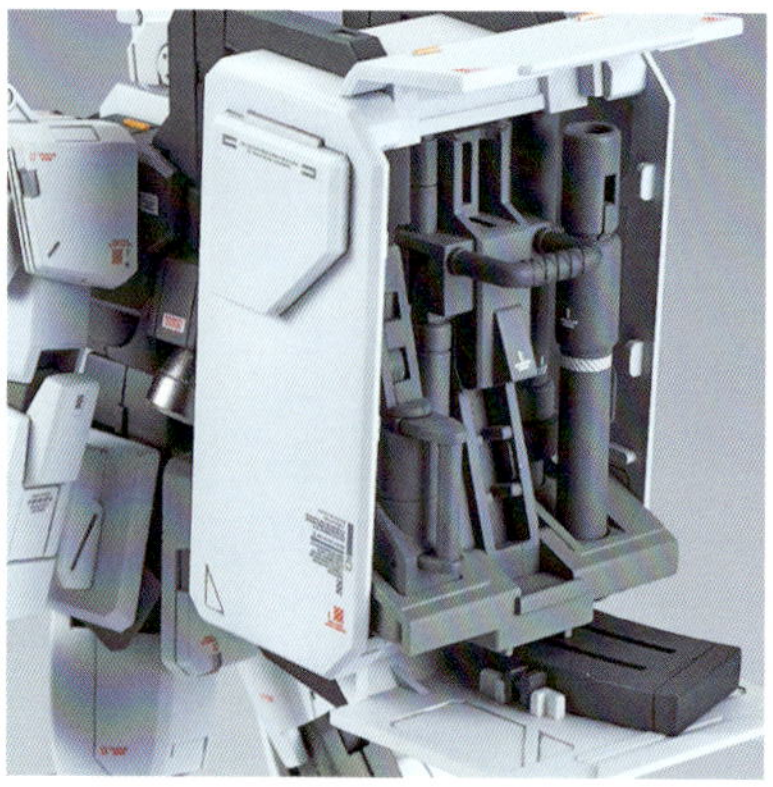

陸戦型ガンダムは、数あるガンダムのなかでもミリタリーっぽさを重視したデザインでとくに男心をくすぐる機体です。ＨＧとしては３度めの登場となる本製品は、可動性能やプロポーションを一新しより遊びやすくなりました。今回はプレミアムバンダイで発売されたパラシュート・パックや各種武装と合わせての製作です。

◆工作

いまどきのディテール表現を盛り込みつつ、劇中のマッチョなラインを同居させる方針で製作しました。キットそのままだとどうしても寸詰まり感のある胴体を伸ばし、ややくびれが過ぎる横腹を幅増しします。また、脚部の関節部分（太もも付け根、足首）で若干延長し、脚が長く見えるようにして全体のバランスを整えました。

通算三度目の「HG」ガンプラ化となった陸戦型ガンダム

●HGの陸戦型ガンダムは都合３度製品化されている。1996年発売の「HG RX-79[G]陸戦型ガンダム vs MS-06JザクⅡ」はザクⅡとのセット商品だった。はじめてHGUCとして発売されたのは2007年。肘膝のABS関節の塗装に思案したモデラーも多いだろう。3度目のHG陸戦型ガンダムは'18年発売。'17年発売の陸戦型ジムと関節ランナーを共通化させており、塗装できるKPS素材によってヒジ／ヒザの関節が成型されているほか、腰の関節が追加され屈んだポーズが取れるようになるなど可動性能が大幅進化。さらに胸のダクトパーツが白い部分と黄色い部分にあらかじめパーツ分けされているなど、塗装派にもありがたいパーツ設計がなされている。「そんなに何回も……」などと言わず、ぜひいちど作ってみてほしい逸品なのだ

HG陸ジムとのミキシングビルドで精密感を底上げする

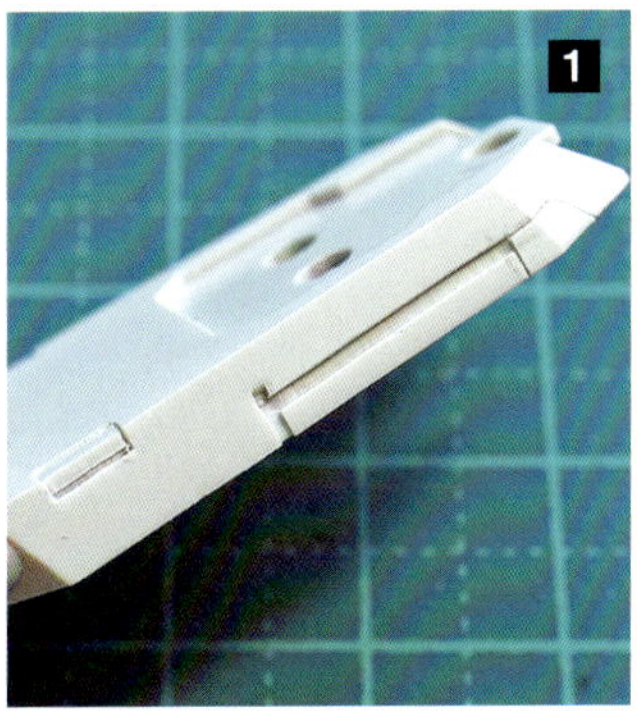

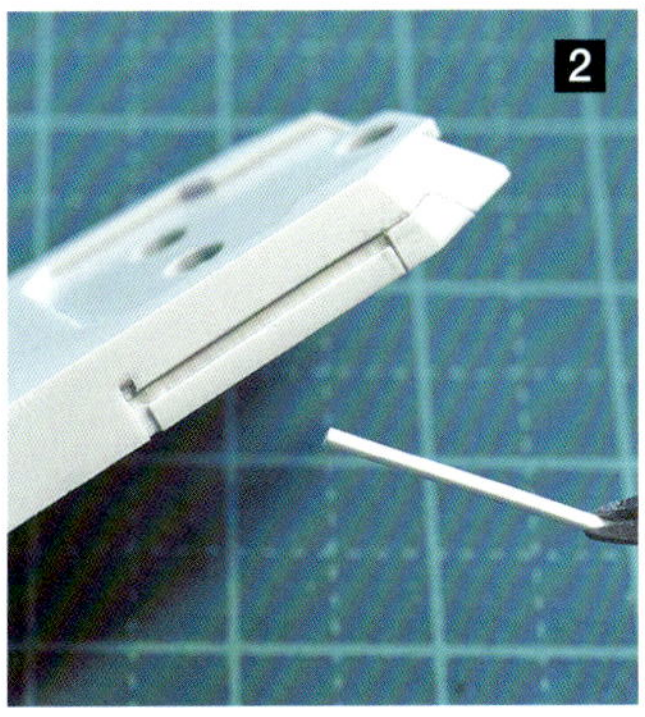

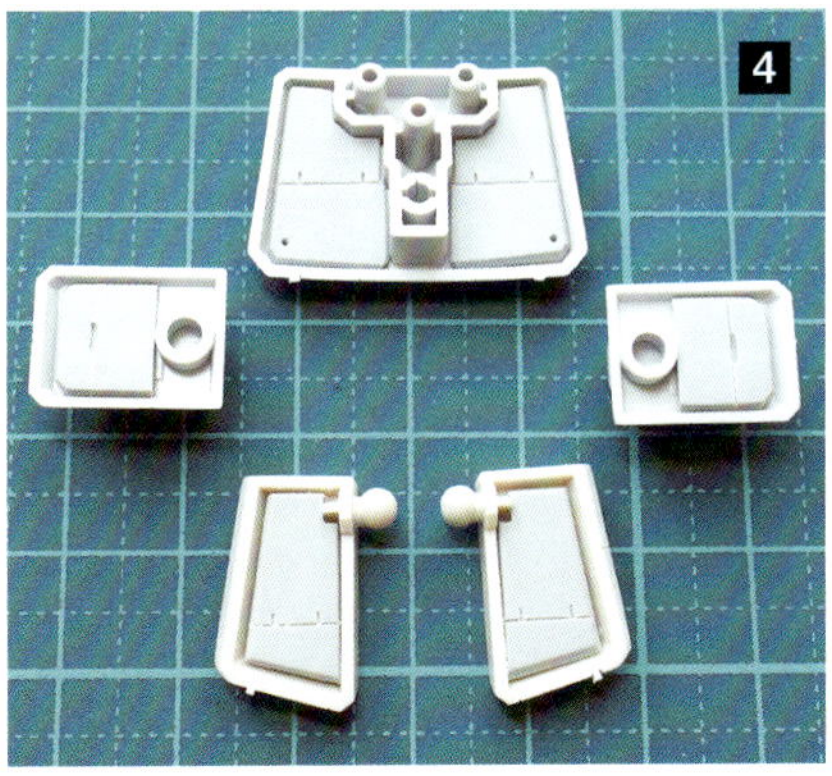

1装甲表面に施すリブ（補強材）を表現する方法を解説。まず0.7㎜幅のタガネでリブを埋め込む部分を浅く彫り込む。あらかじめ下書きをしておき、ガイドを貼るなどするとまっすぐ彫れる
2同じ長さに切り出した断面が角形の0.5㎜プラ棒を用意する。
3流し込み接着剤でプラ棒を接着。プラ棒をそのままパーツ表面に直接貼るよりも一段彫った溝に取り付けたほうが見映えがよくなる
4スカート裏はモールドを彫り込んだプラ板で裏打ちした
5分厚い装甲端部に平行に溝を彫ることで、数枚の装甲を貼り合わせた複合装甲のように見せられる

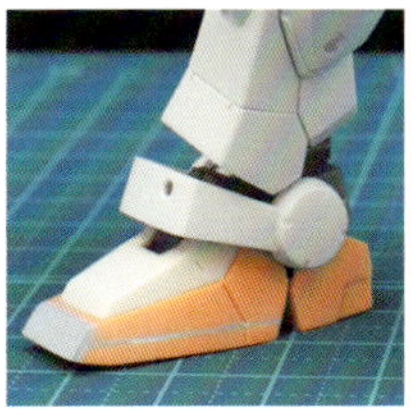

▲肩アーマー、前腕、フロントスカートなどのベージュ色の部分は、ほぼ同様の形でモールドがよりこまかく入っているHG陸戦型ジムのパーツに置き換えて密度を上げた。無改造で取り付けできる。▶足首も好みでHG陸ジムのものを使用

陸戦系ガンプラのディテール工作としてよく見る、表面にプラ板を貼り込んで増加装甲に仕上げる工作ですが、せっかくスタイルよく仕上げたボディバランスが損なわれてしまうと考えて今回は封印。代わりに、腰まわりや肩アーマー、シールドなどの装甲断面（B面）部分にスジ彫りやプラ棒の差込み工作を施し、装甲材の積層状態を表現してみました。また改修箇所に自然に視線が流れるように、アクセントとしてオレンジのチップを貼り込んでいます。

◆追加パーツ

新造形のパラシュートパックとジムヘッド、それに各種武装はどれも形状に文句のつけようがなく、合わせ目消しと曖昧だったディテールを彫り込んでクッキリさせた程度です。とくにジム頭の造形は非常にすばらしく、すでにノーマルの陸戦型ガンダムを組み立てている方でも、このジム頭だけで追加購入するに値すると思います。そしてぜひカレン機を再現してやりましょう。

◆塗装

今回はミリタリー的な汚しではなく、いっさい汚すことなくヒロイックなカラーリングで塗装してみました。前線に配備される直前の新品、といったカンジです。カラーレシピは以下のとおり。基本的にGSIクレオス Mr.カラーを使用しています。
●白／フィニッシャーズカラー ファンデーションホワイト+ジャーマングレー少々
●紺／ネイビーブルー+色ノ源 シアン少々+色ノ源 マゼンタ少々
●赤／シャインレッド+白少々
●黄／黄橙色+色ノ源 マゼンタ少々+白少々
●フレーム部／ニュートラルグレー+黄少々+黒少々
●武装／エンジングレー
●バーニア／ガイアカラー スターブライトアイアン
また、各色に黒または白を少量ずつ加えたもので各部塗り分けています（本体、パラシュート・パック共通）。■

RMS-179 ジムⅡ・セミストライカー
BANDAI SPIRITS　1/144 HGUCシリーズ
インジェクションプラスチックキット
税込1728円 プレミアムバンダイ限定販売
出典／『機動戦士ガンダムUC』
製作・文／**小野達矢**

Model Graphix
2017年10月号
掲載

『UC』で大活躍 ジムⅡ・セミストライカーを精悍に作ってみよう

『UC』劇中にてイフリート・シュナイドと激闘を見せたジムⅡ・セミストライカーを、HGUCを元に『UC』設定画に近づける改修を施して製作。工作ポイントも説明するので、あなたのおうちのHGUCジムⅡも作例を参考にアップデートしちゃいましょう！

●作例では各部を幅増しするなどの改修を施している（写真上右がパチ組で上左が作例製作途中）。太ももは４㎜伸ばし、頭部を若干小顔化。胴（腹部）を１㎜ほど伸ばすことで設定画に劇的に似てくる。腕部はHGUC №191のRX-78-2ガンダムに交換することでゴツさと関節の違和感が解消できる

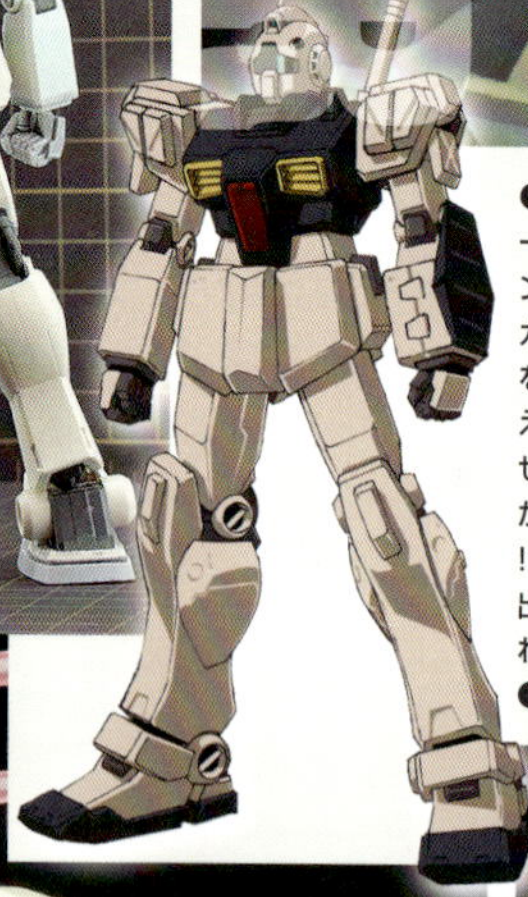

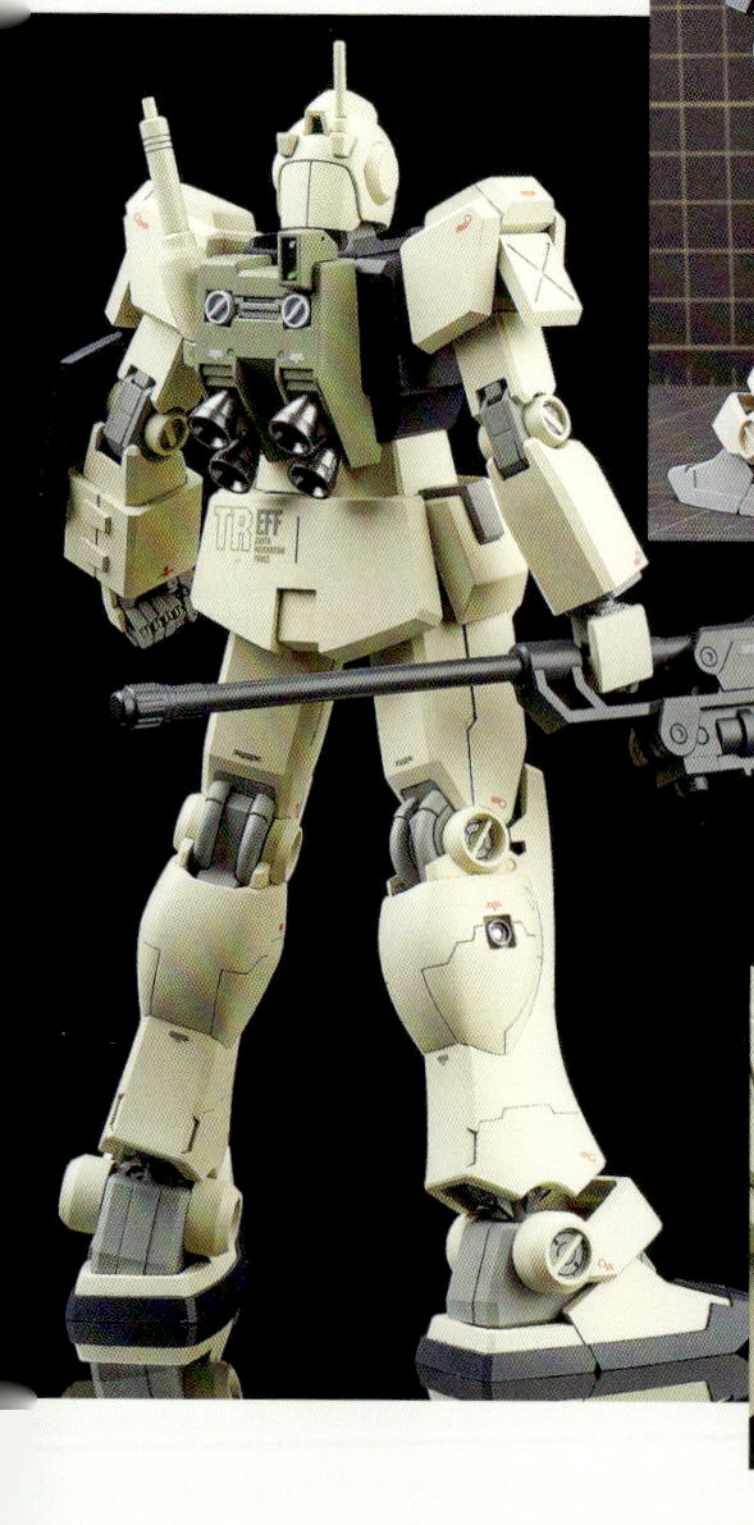

●本機はトリントン基地所属のジムⅡをベースとする現地改修機で、フルアーマーガンダムの左腕シールドと、ジム・ストライカーの肩装甲及びツイン・ビーム・スピアを装備。OSも近接戦闘に特化した書き換えを施すなど玄人臭を漂わせる機体だ。なぜわざわざ旧式のジムⅡをガチ改造したのか（ネモやジムⅢじゃダメなんですかっ!?）、どうしてそんなに尖った装備なのか？出番はまさに一瞬なれど、その謎に魅了されたRGMファンは数知れず……
●プレミアムバンダイで限定発売されたジムⅡ・セミストライカーのキットは、HGUCジムⅡをベースに肩や腕部、ふくらはぎなどを新たに造型。本機の特徴を再現するためのこだわりが随所に見られる。ただアニメ設定画とは頭身が違っているので作例では全体的に改修している
●ソールパーツ（いわゆるスリッパ）はつま先を伸ばすなどして全面的に改造。パーツを削り込むことで平たくし、つま先へと繋がるカトキ版RX-78-2的なアウトラインの流れを意識している。ヒジ関節も画稿寄りにディテールを改修している

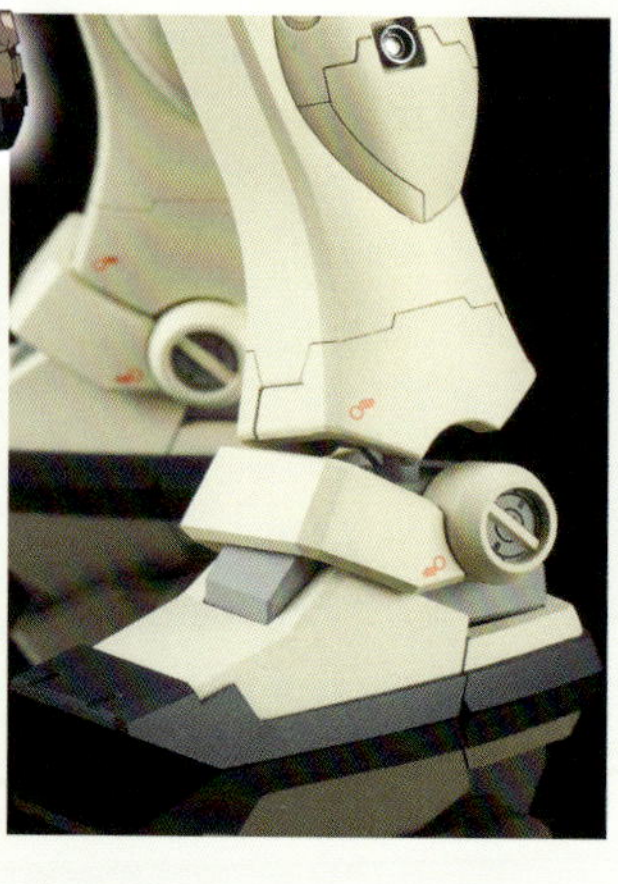

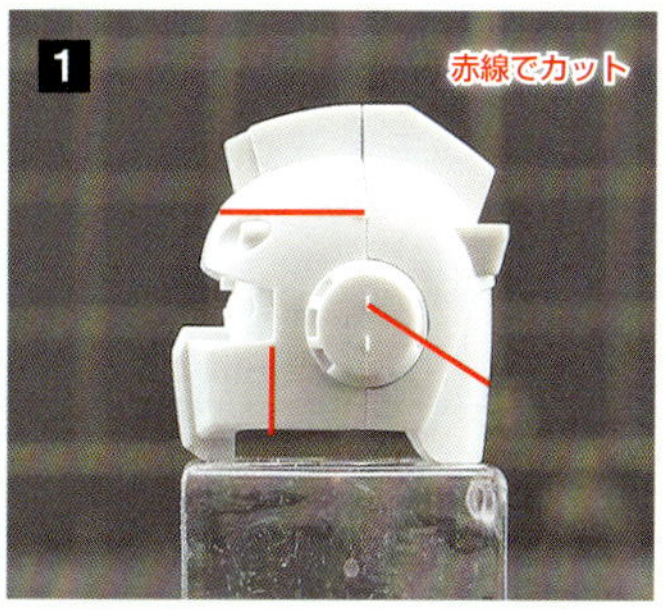

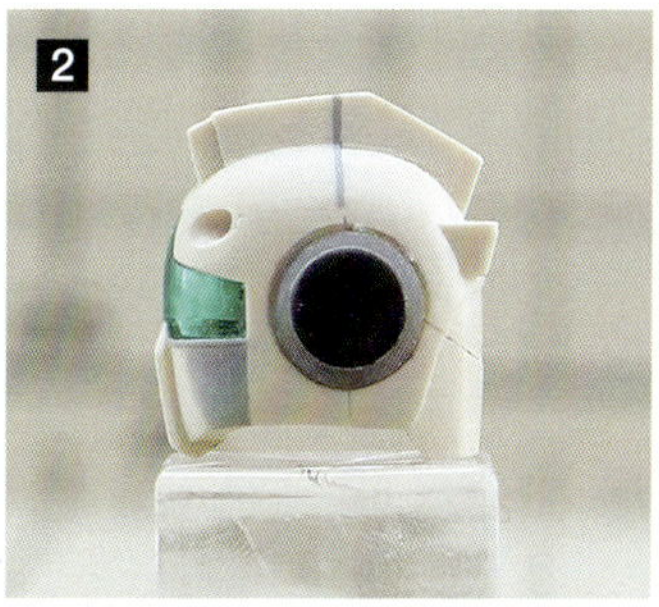

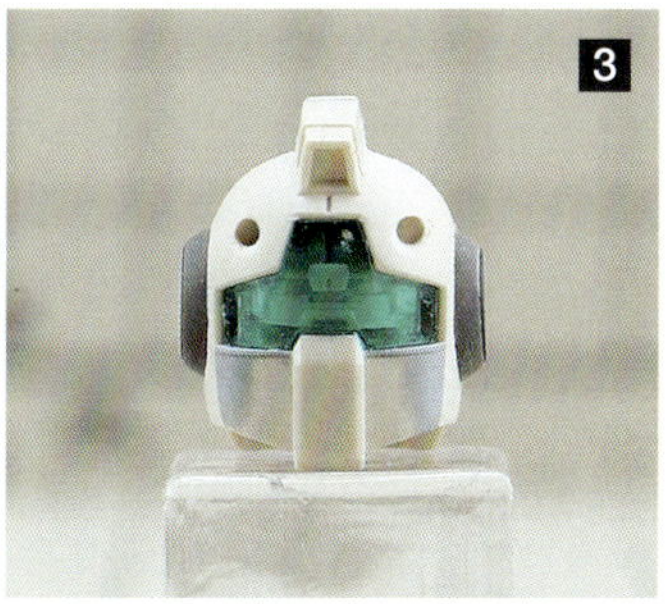

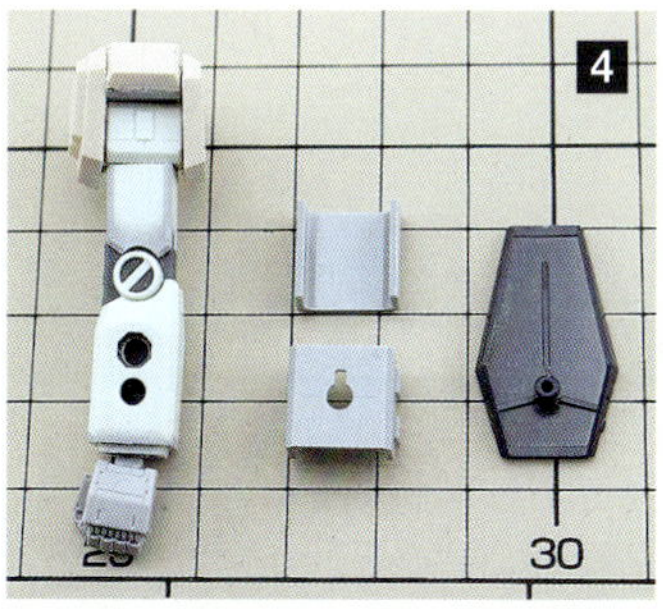

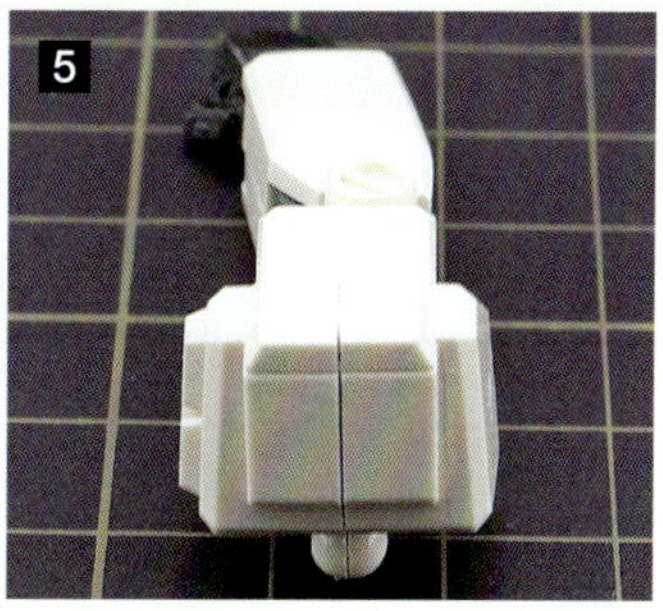

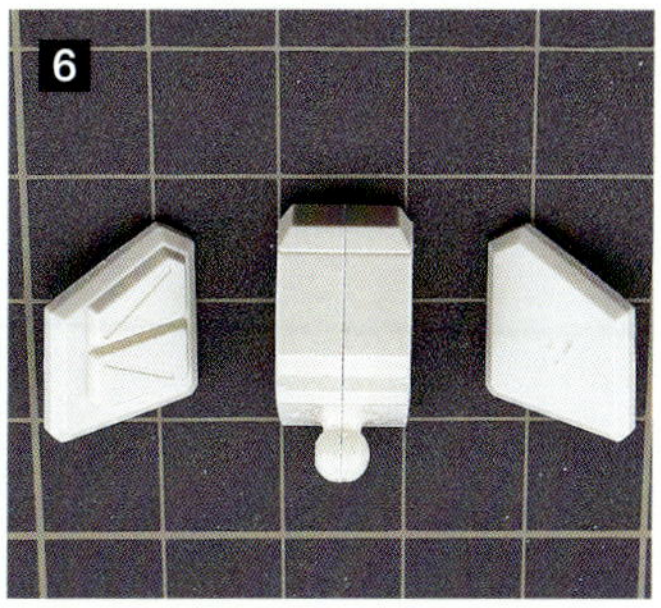

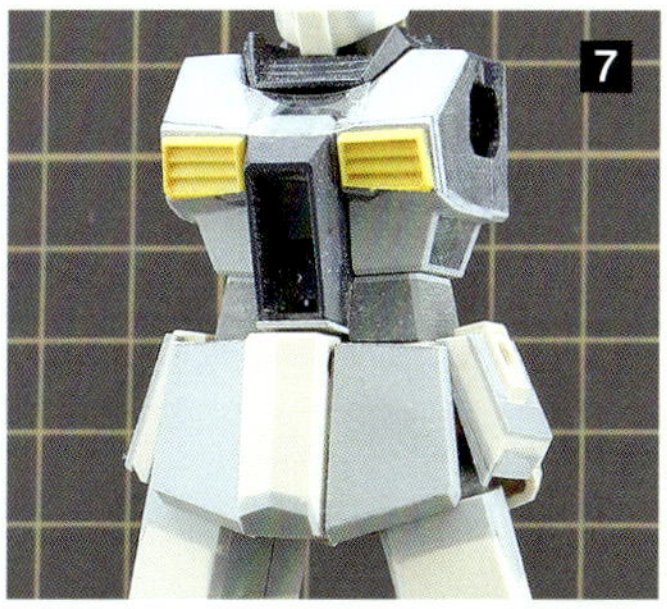

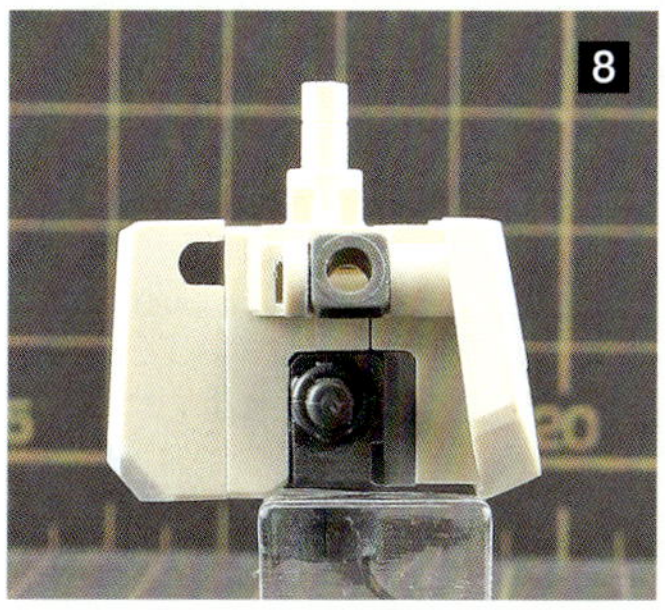

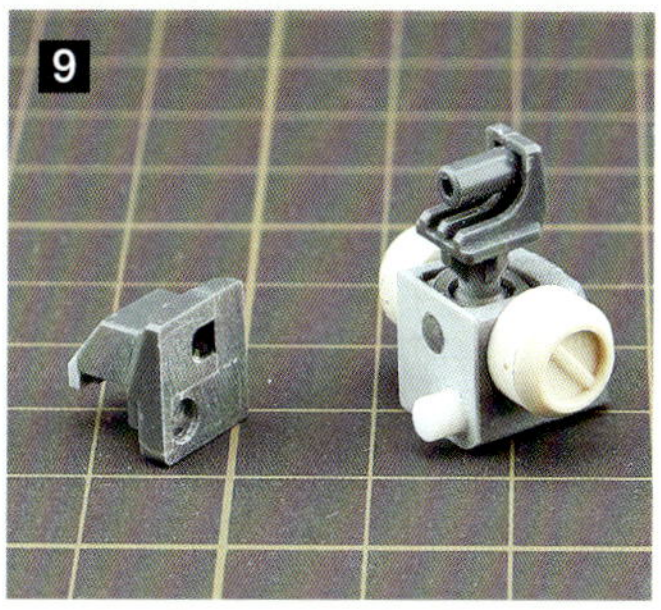

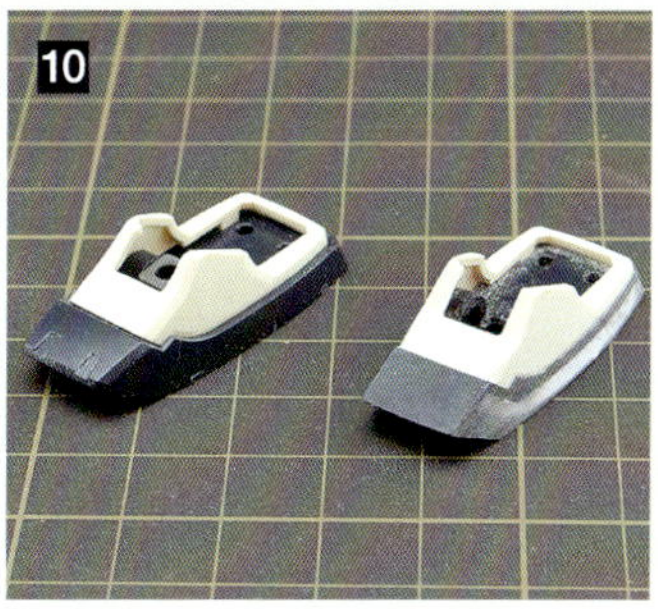

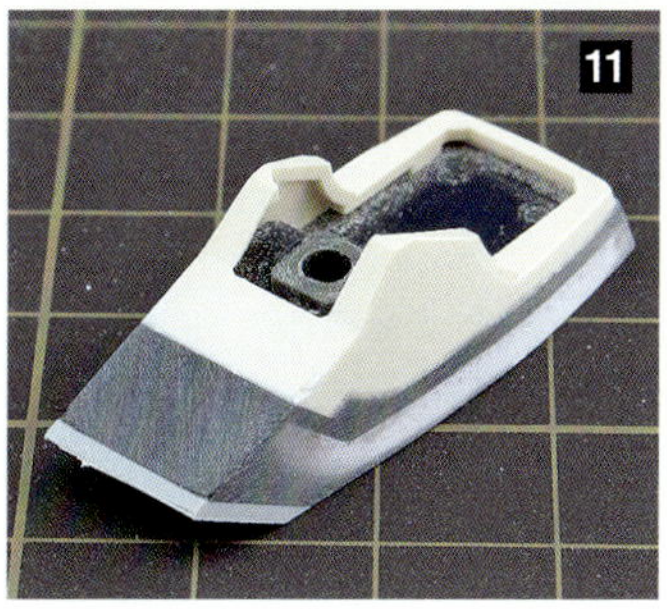

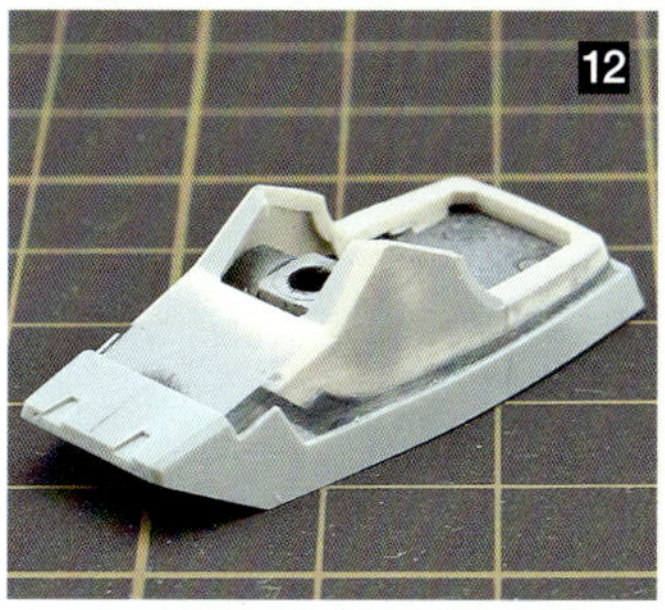

設定画の雰囲気で作るには？

123頭は大きいので小型化させたい。ゴーグルを避けて写真のように分割するとよい。切断面で0.5㎜～1㎜程度短縮してから接着。ゴーグルも削り込みで上下を詰め、頬を丸みのある形に整形しノーマルのジムに近い顔つきへ。耳は市販パーツの組み合わせで大型化

4上腕／前腕は、パーツ分割と可動範囲が優秀なHGUC No.191 RX-78-2 ガンダムのパーツを形状変更して使用。左腕のシールドを留めるバックル（覆い）は、交換した腕のサイズにあわせてプラ板で作り直した

56肩アーマーの形状は良好だが、前後に厚みがありすぎてバランスが悪いので、垂直に3分割。中央を切断面で1㎜ずつ幅詰めした

7キットの胴体は上下に短く、前後に薄い造形となっているのが気になる。外側に向かってカーブしている胸上面をプラ板でフラットに整形し、ダクト部前方にプラ板を貼って約2㎜突き出させる。腹部の上下分割面をそれぞれ0.5㎜延長し、腹部の上側は前後に0.5㎜ずつ幅増し。下腹部は両サイドを削り込んで「くびれ」を作ることでメリハリをつけて箱っぽさを消すとそれらしくなる。コクピットブロックは一度切り離して上面を六角形に整形し、腹部延長にあわせて下部を0.5㎜延長した。左胸のセンサーは整形時に削り取ったためプラ板で新造。フロント・サイドアーマーはHGUCジム改のものを小改造して使用

8股間軸が胴体の中心線より後ろに位置しているので、前方に2㎜ほど移動。この位置は腰の入った立ち姿を取る際に重要になる

9足首とスネのラインがキレイにつながるように、足首の関節を増やす。足首の関節ブロックを画像の位置で垂直にカット。断面にプラ棒で作った一軸関節を新造している

1011所謂カトキスリッパは数ある製品のなかでもクセがなく比較的よい印象なのだが……。まずソール部の両サイドを裏打ちしてからプラの肉厚ぶん削り込み段差をなくす

11ソール部の段差を削り、先端をプラ板で1㎜伸ばした状態

12ソール部に0.5㎜プラ板を貼り込み、つま先と両サイドの形状を復活させる

13モモを4㎜延長し、ヒザとヒザ関節にかけてのラインを絞るように削り込む。ヒザアーマーを薄くすべく瞬間接着パテで裏打ち後に削り込み、ヒザの盛り上がりの厚みを抑えた

14改造終了。スリムに仕上げることができた

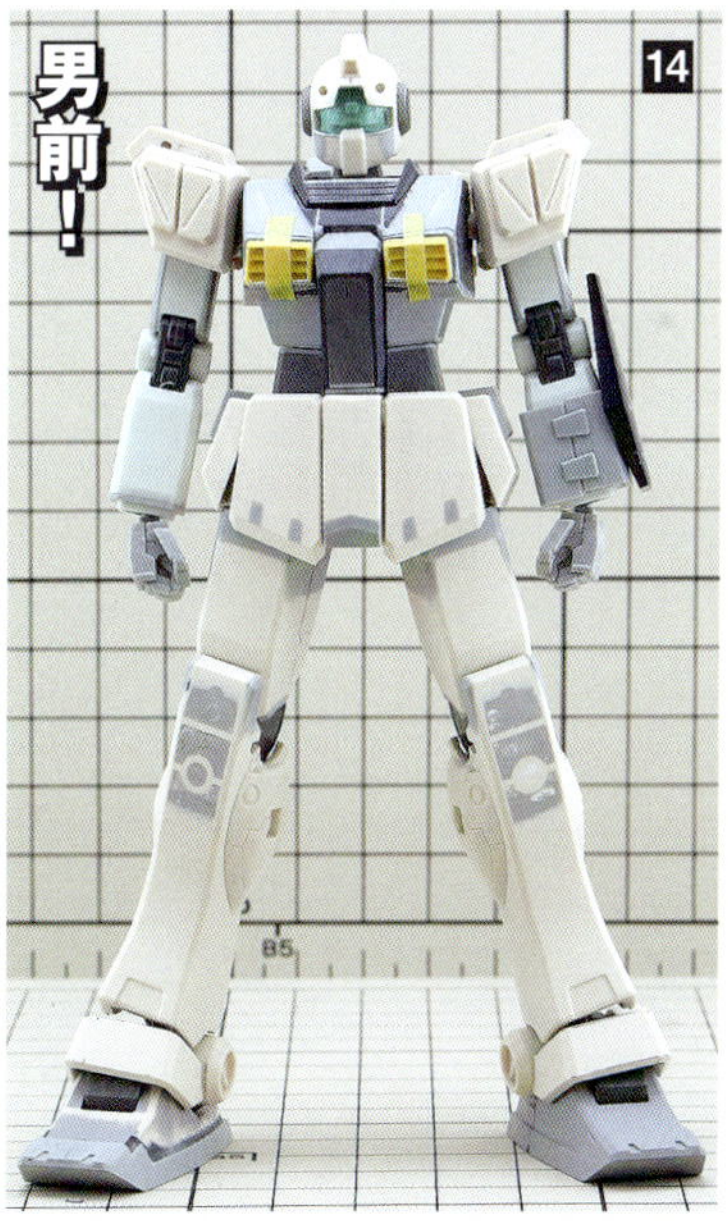

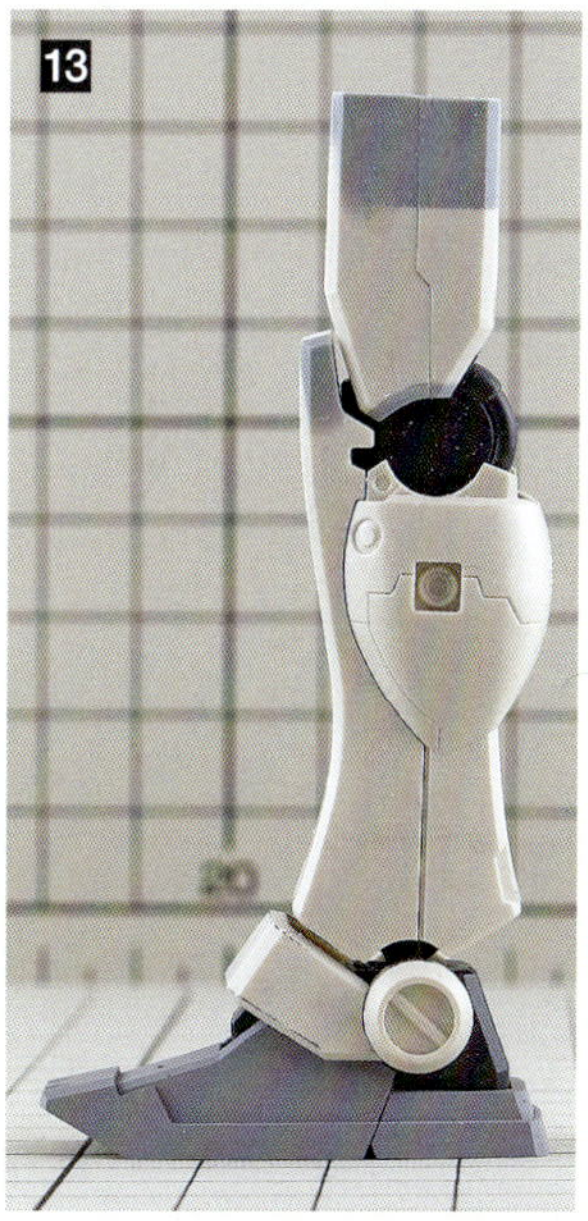

今回はイフリート・シュナイドの相手役としてジムⅡ・セミストライカーを作りました。劇中では数秒で撃破されてしまいましたが、映像作品に未登場な機体のパーツが付いていたりとストーリーを感じさせる現地改修チックな姿に心をくすぐられます。

さて、キットを組んでみると最新作のイフリート・シュナイドと並べるには少々物足りなさを感じてしまうのが正直なところ。そこで今回は『UC』版ジムⅡの設定画をベースとした、スマートなプロポーションを目指して全体のバランスを大幅に見直してみることにしました。

◆製作

設定画やカトキハジメ氏のイラストに近づけるためにかなり切った貼ったしましたので、工作の詳細上の写真とキャプションを参考にしてください。

拳はビルダーズパーツHD 1／144 MSハンド03（Sサイズ）を使用していますが、親指が人差し指にめり込んでいるのが嫌だったので切り離して整形しています。

バックパックは、好みでHGUCジム改のものにセンサーを追加してアレンジしました。トリントン基地にストックされていた備品をもとにジムⅡ仕様にアップデートされた、という妄想です。

◆塗装

塗装は基本的にGSIクレオス Mr.カラーを使い、（G）と記載した色はガイアノーツのガイアカラーを使いました。

●ベージュ／ピュアホワイト（G）＋セールカラー
●紺／ガンダムカラー EXAMブルー1＋ピュアブラック（G）
●バックパック／RLM02グレー
●武器／RL04 コバルトマリン＋ピュアブラック（G）

ヒザなど各マルイチモールドの内部には鋼魂というメーカーの丸ノズル（エッチングパーツ）を使用。測ったようにサイズがピッタリで、お手軽に連邦系MSをディテールアップできるのでおすすめです。■

RGM好きなら、コイツをカッコよく作らないとウソじゃない？

RGM-86R GMIII

RGM-86R ジムIII
BANDAISPIRITS　1/144　HGUCシリーズ
インジェクションプラスチックキット
発売中　税込1620円
出典／『機動戦士ガンダムZZ』
製作・文／**ken16w**

ジムIIIとヌーベルジムIIIを天秤にかけて「どっちを作りたい？」と聞かれたら、本誌読者ではヌーベルジムIIIを取る人が多い……のかもしれませんが、ここではあえて素のジムIIIを作ります。しかも徹底改修で。え？「HGUCジムIIIはそもそも出来がかなりいいからそのまま作ればいいじゃない」って？　いやいや、まだやり残したことはあるんです。そう、『UC』版のあのスマートなスタイルを再現するのです！　というわけでHGUCジムIII『UC』版大改修講座のはじまりはじまり。

GMⅢビフォー・アフター まずはポイントの脚を攻略

脚

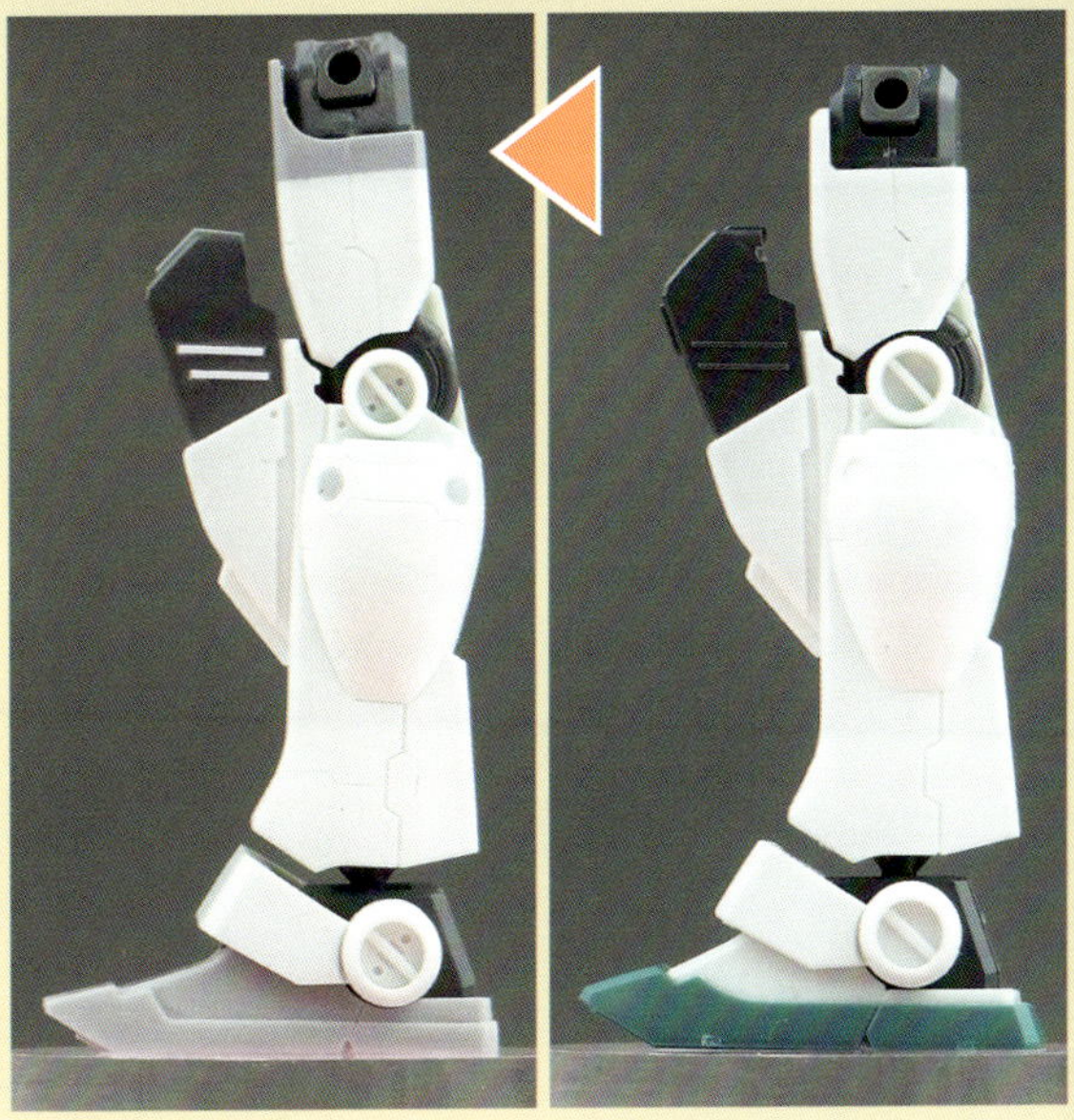

●ヒザ関節の干渉部を削り込み、膝が若干逆反り気味になるように可動範囲を調整、この改修はどのキットにも言えるポージングを決める為の重要なポイント。ヒザのグレー部分のモールドはすべて削り取りプラ板で形状を整えたものを貼り込んだ。太ももはプラ板で3㎜延長している

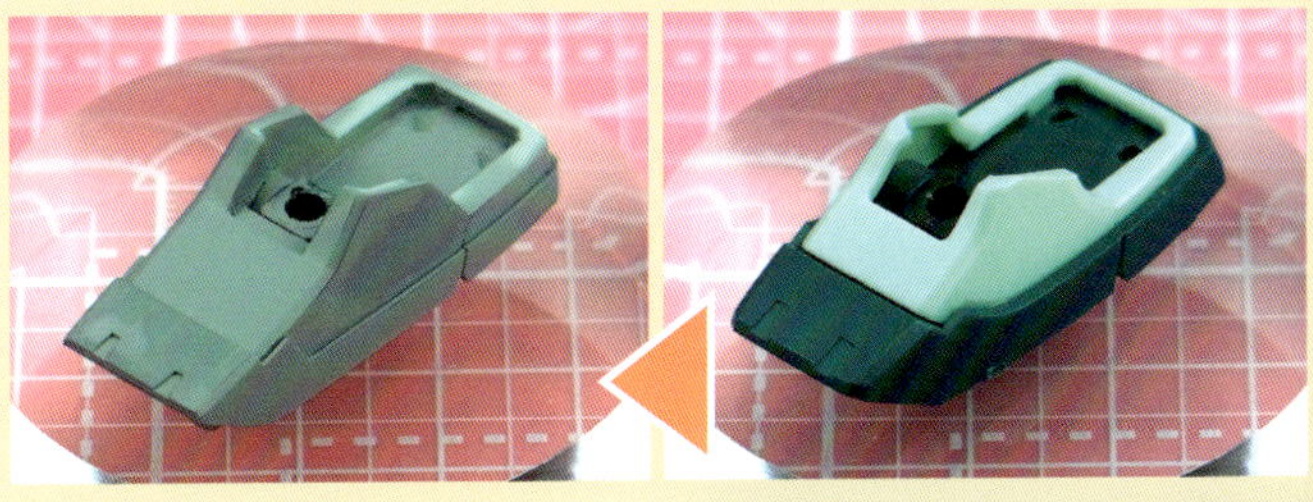

●スリッパは製品の足首ジョイント基部を流用しつつプラ板組み合わせで自作。先端を前方へ突きださせつつ、甲の角度とエッジをシャープにした自作パーツを複製して左右を揃えている。キットパーツも決して悪くない出来なので、気にならない人はそのままでもよいだろう
●脚を広げたときにアンクルアーマーとスネの角度がより自然に見えるように足首基部の関節を前後で分割し、角度を傾けて再固定した

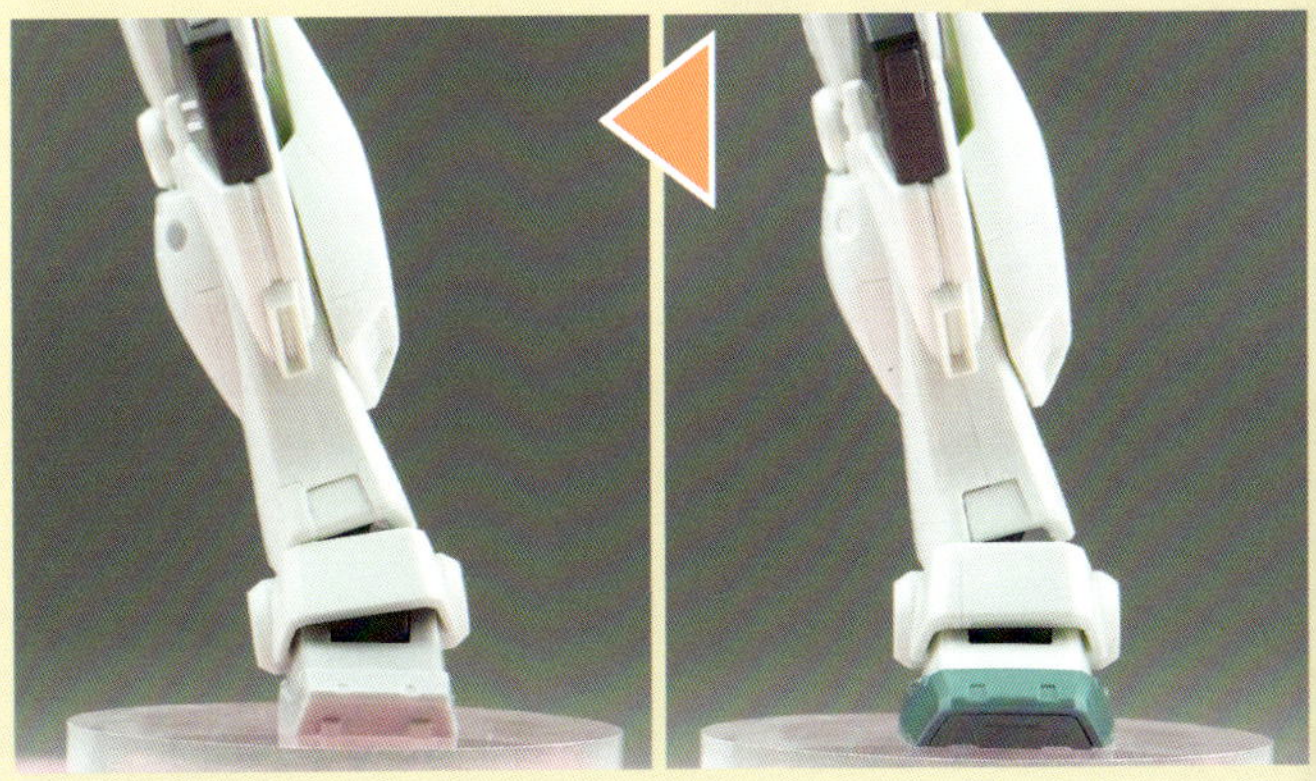

RGM-86R GMIII

●シールド、肩部ミサイルポッド、腰部の2連大型ミサイルランチャーといったオプション類はネオジム磁石で固定することでディテールを損なわないようにしている
●武装取り付け部のハードポイントとして、肩、腰、前腕部にプラ板積層で自作したラッチディテールを入れている。武装を外した際のアクセントとして非常に有効だ

そろそろジムⅢをそのまま作ってみようよ

本誌の熱心な読者諸兄なら、ジムⅢと聞くといきおいヌーベルジムⅢを思い浮かべる方も多いのではないだろうか。たしかに昔はジムⅢもちゃんとしたカトキ版ジム（ジム改）もガンプラ自体が存在しなかったので、いきおい「どうせ大改造して作るならアニメ版のジムⅢよりはヌーベルジムⅢじゃね？」的な発想になるのもいたしかたないところがあった。しかし、'11年にジムⅢ初のガンプラとなるHGUCが発売されて以降状況は大きく変わっている。

『機動戦士ガンダムUC』に登場したことを受けて発売されたHGUCジムⅢは、名目上はZZ版ということでUCの設定画のカトキ版を完全に再現しようとはしていないが、UC的にするにしろ別アレンジにするにしろ、工作する素体としては充分以上の出来だ。このHGUCの登場により、「ジムⅢをそのままジムⅢとして作る」という選択肢がはじめて現実的かつ魅力的なものになったのではなかろうか。もちろんヌーベルジムⅢに改造する素体としてもばっちりなので、結局、ついそっちを作ってしまいそうではあるけれど（笑）。■

▼ジムⅢ系は非常に手間がかかるわりにできあがるとジミ……ということでカトキ版RX-78ばかりが製作されてきた状況にケリをつけるべく東海村原八氏が製作した1/100ヌーベルジムⅢ（本誌'00年1月号）。その後この作例で採用されたドットマトリクス迷彩をマネるモデラーが続出する

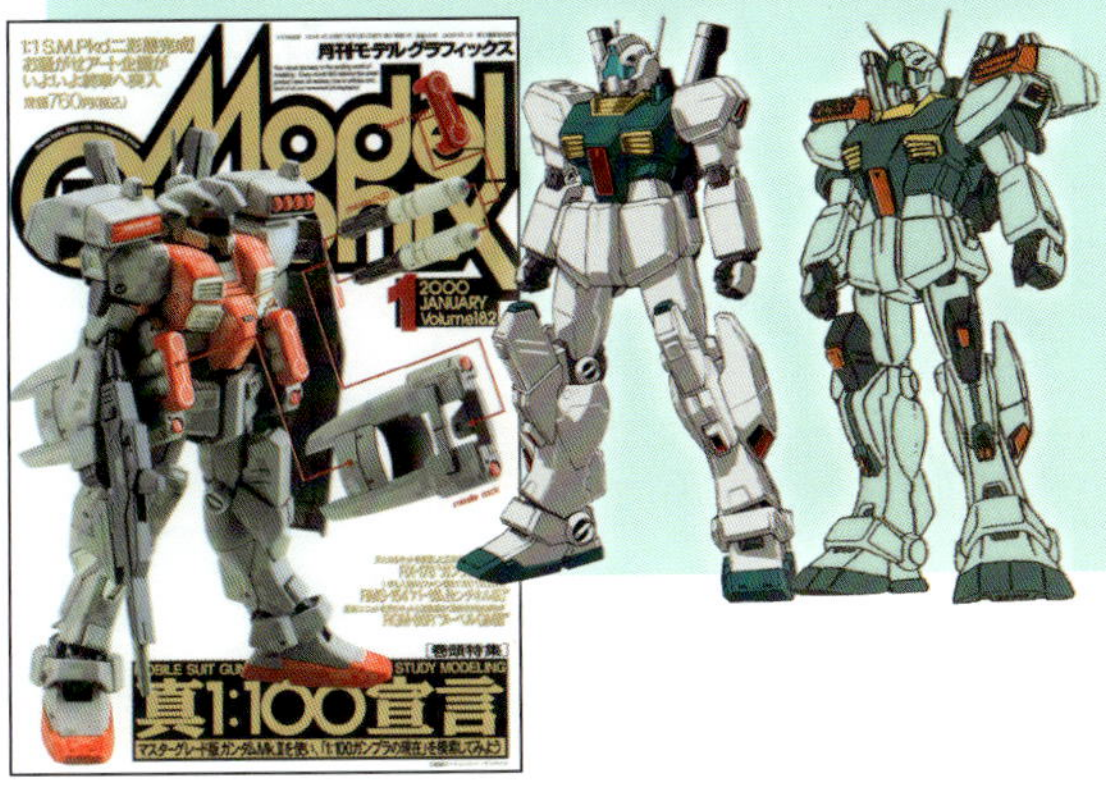

キットのままで本当に満足!?
ベストプロポーションのジムⅢがキミにもきっと作れるはず!!

●誤解なきよう言っておくと、HGUCジムⅢはとてもよくできたキット。可動性能は良好で武装も過不足なく揃う。別売のGディフェンサーを搭載できるバリューも盛り込まれるなどキットとしては至れり尽くせり。HGUCのラインナップを意識したオーソドックスなフォルムでまとめられているので『ZZ』版として作るなら鉄板のオススメアイテム……なのだが、それゆえに『UC』版設定画のスマートなフォルムとは別物になっている。モデラーとしては『UC』版のカッコよくて強そうなジムⅢもほしい!!　ということで大改修に踏み切ったのが本作例だ。解説を参考にぜひチャレンジしてみてね

HGUCジムⅢ、『ガンダムZZ』における連邦軍／カラバの量産型MSということでこの特集に参戦です。

とはいっても『ZZ』劇中ではあまり活躍しているイメージがなく、どちらかといえば『逆襲のシャア』にてνガンダムといっしょにアクシズを押し返そうとする姿や、『UC』ep4にてビーム・ジャベリンをブン回し勇敢にジュアッグに立ち向かう姿のほうが印象に残っています。今回はその『UC』版、カトキハジメ氏の描くジムⅢをイメージして製作します。

製品プロポーションはジム系のHGUC製品としては優秀な部類に入ると思われます。ですが、『ZZ』のアニメ設定画と比べると少し野暮ったく、どことなくコミカル感さえ漂っています。このキットを、延長工作や削り込みを施すことで、よりカッコイイと感じられるベストプロポーションを目指しました。

◆製作

キットの頭部はちょっとかわいいカンジなので、もっと精悍にしたいところです。今回はHGUCジム寒冷地仕様の顔が似ているのでそれを採用。前々から暖めていたアイディアでして、ジムⅢの耳当てを取り付けることにでそれらしい顔になりますよ。

胸部は前後に張り出させ、腹部を延長。襟と胸ダクトを小型化し、よりメリハリの利いたスタイルに改修しました。

腕部は肩アーマー以外をHGUC No.193ガンダムMk-Ⅱに交換、改修なしに取り付け可能です。拳はハイディテールマニュピレーターのジム寒冷地仕様用が形状的にもドンピシャでした。すでに絶版となっているのが残念でなりません。

膝は関節の干渉部を削り込み逆反り気味にすることでより立ちの姿勢が決まるようになります。少しの加工で見違えるように「ビシッ!」っとなること間違いなし。

デカールは、ガンダムデカール HGUCユニコーンガンダム用と、HGUCシナンジュ用をおもに使用。くどすぎないようにあっさり目なカンジで貼っています。■

意外な選択？寒冷地仕様ジムの頭が使えるのだ

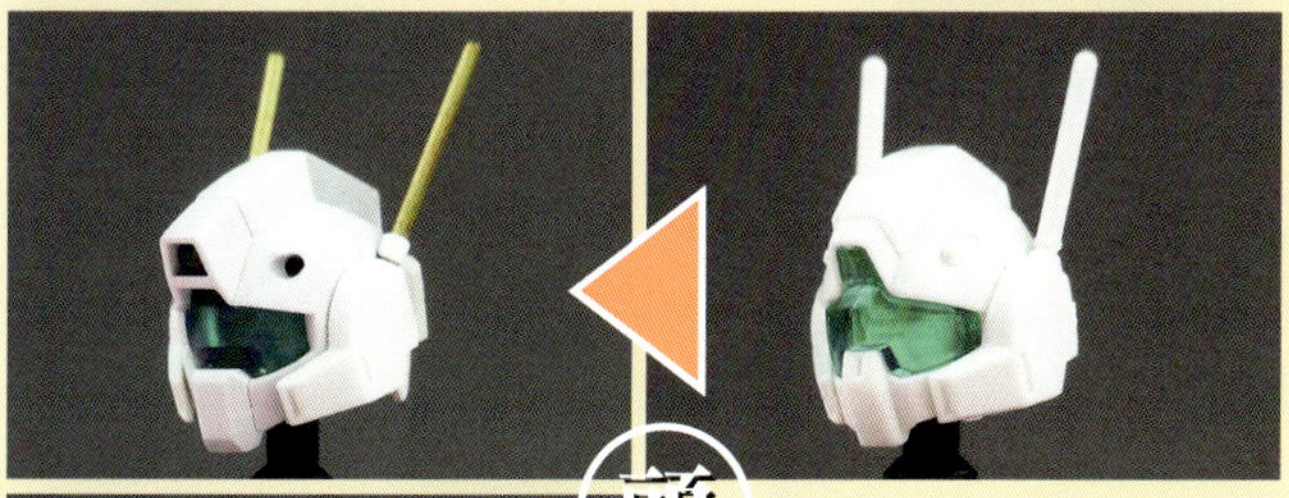

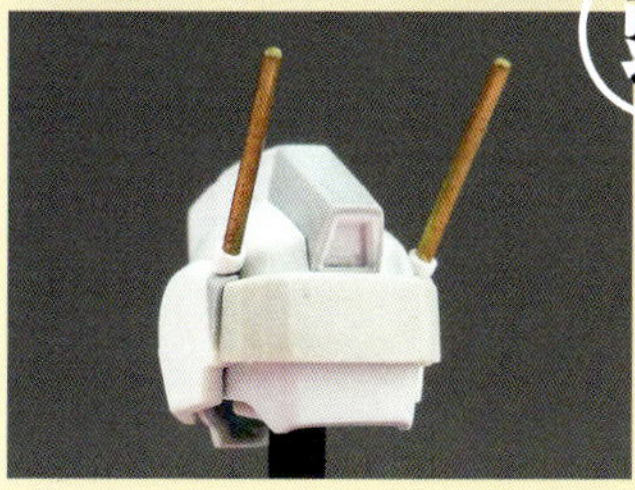

頭

●製品の顔は目が大きく、ちょっと頼りなさげなジムⅢの顔つきをよく再現しているが、精悍な顔にしたい場合はHGUC ジム寒冷地仕様を芯にするという手がある（こちらのほうがもう少しだけUC版に近い顔つきだ）。バルカン部は一度埋めて市販パーツの砲口に変更。後頭部はポリエステルパテで形状変更し大型化。耳当てはジムⅢから移植し、頭部側面とともにひとまわり削り込み、フィッティングを兼ねシャープなラインに調整している

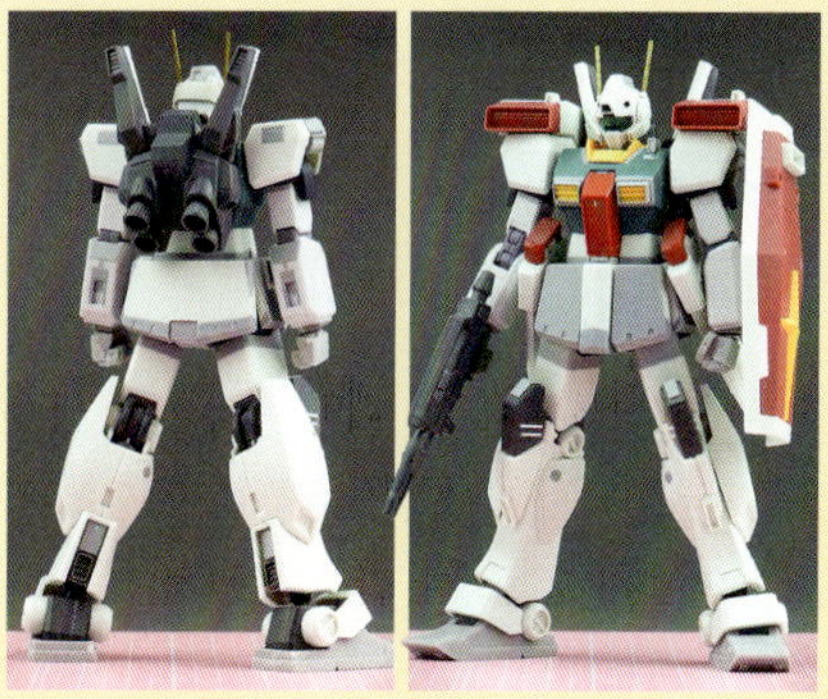

●作例は『UC』設定画や『機動戦士ガンダムUC カトキハジメ メカニカルアーカイヴス』（KADOKAWA）に収録されているカトキ氏のジムⅢ画稿を観察しながらプロポーションを調整した。ダイナミックな改造でなくとも、関節位置や各部の長さを最適化すればより精悍なイメージになるのだ

腰

●HGUCはおおむね『ZZ』の設定画イメージで設計されているようだが、足首がカトキスリッパだったり左胸にサブセンサーがあるなど、部分的に『UC』の記号が混ぜ込められているのが少々ややこしい。ただ、腰はパンツルックスタイルの『ZZ』設定画そのものなので、ここも『UC』風のスカートアーマーにしてしまおう！

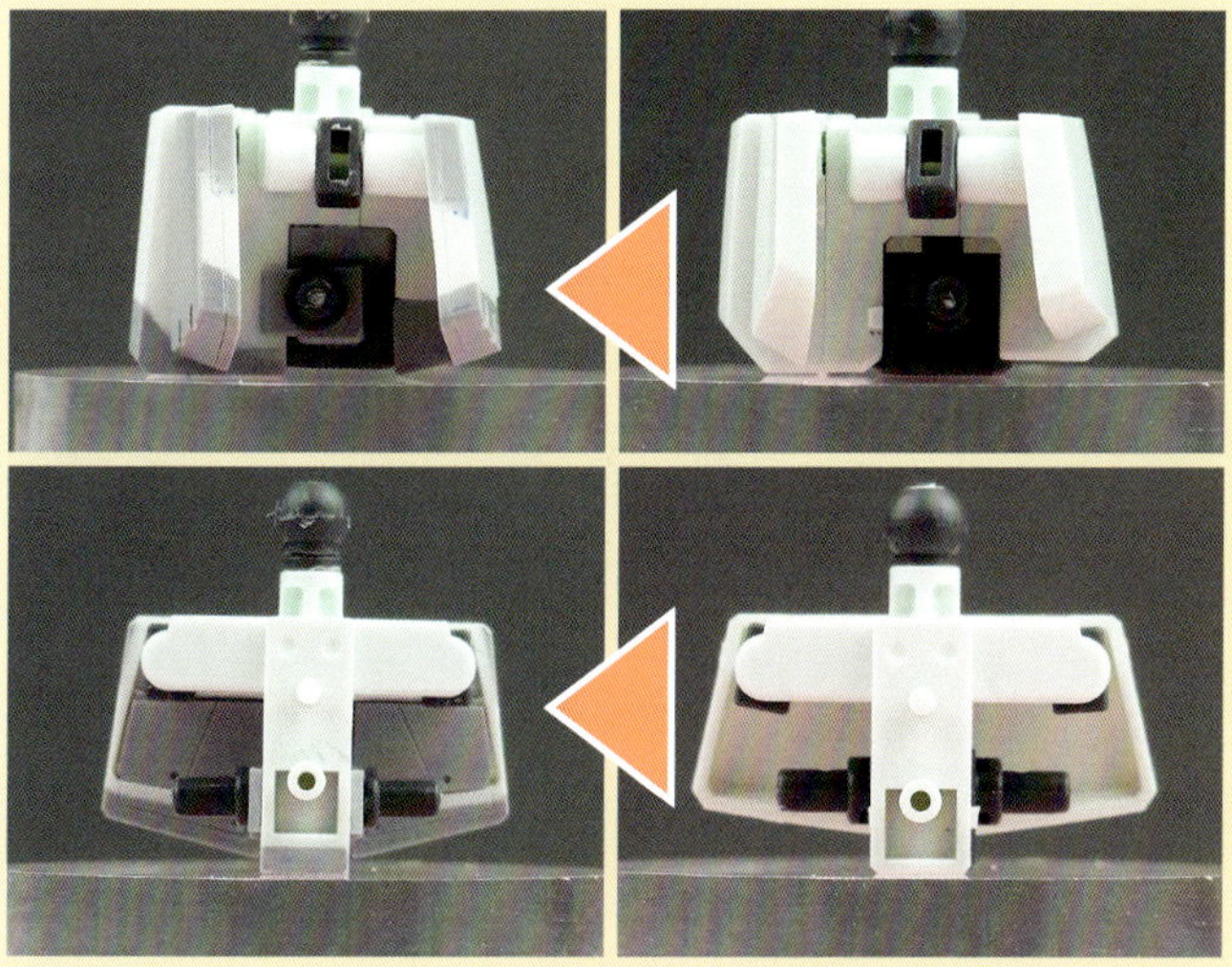

胴

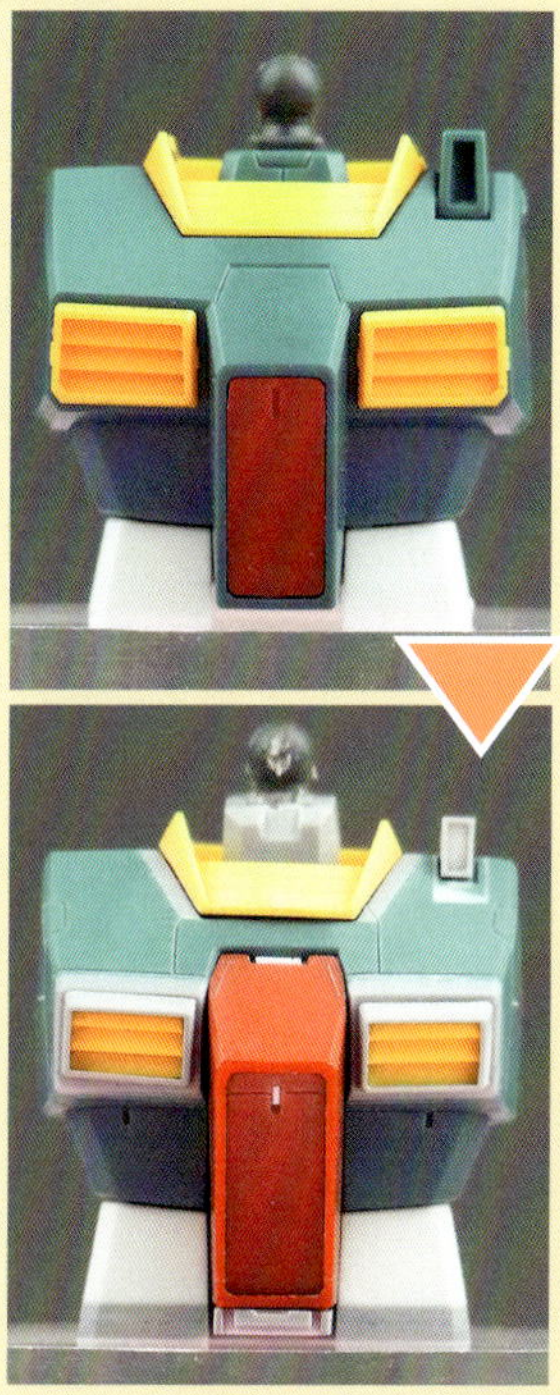

●胴体は上下に潰れて各部位が大きく間延びしている印象だ。胸側面は三次元的な曲面をしているため、パーツ肉厚のギリギリまで平面気味に削り込む。肩幅が少し狭まる程度だが効果的だ。胸ダクト基部はプラ板で1㎜前方に張り出させ、ダクトはキットのフィンを使いつつ外枠をカット、枠をプラ板で新造しひとまわり小型化した。襟は中央で分割し幅詰め。腹部は下面で2㎜延長、コクピットブロックは一度切り離し、取り付け位置と角度を変更。左胸センサーを切除し、プラ板で小型化したものに置きかえた

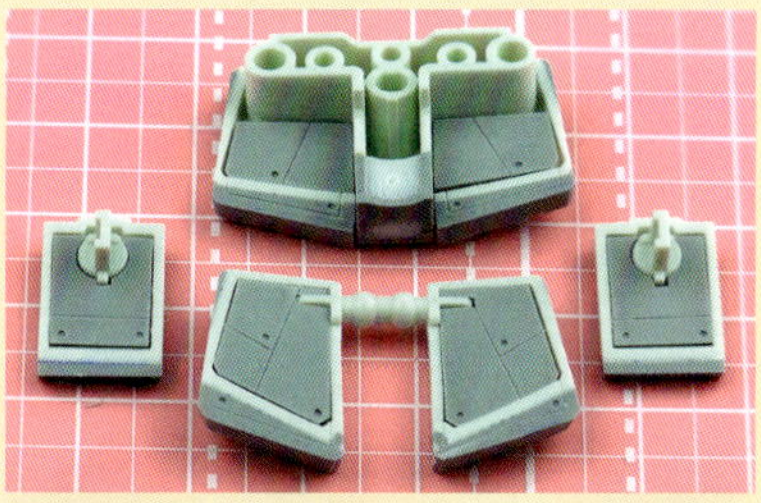

●フロント、リアアーマーは下端部の長さが短めなので、プラ板を貼り足して大型化する。HGUCということで各部アーマーの裏側は盛大に肉抜きがされているので、凹んだところにプラ板を貼って肉抜きを埋めつつディテールを追加している

●股間軸は一度根本で切り飛ばしたあと、片側1㎜ずつスペーサーを噛ませ左右で計2㎜幅増し。その際に取り付け位置を2㎜下、1.5㎜前に移動。股間軸を前方にもっていくと、腰を突き出すようなS字立ちに近いポージングがきれいに決まりやすくなる

●サイドアーマーもプラ板で大型化しつつ、2連大型ミサイルランチャーのマウントには市販ネオジム磁石を埋め込んだ。接続部表面には自作のウエポンラッチディテールでカバーしている。延長したフロント／リアアーマーにあわせて股間ブロックも下端部をプラ板で延長した

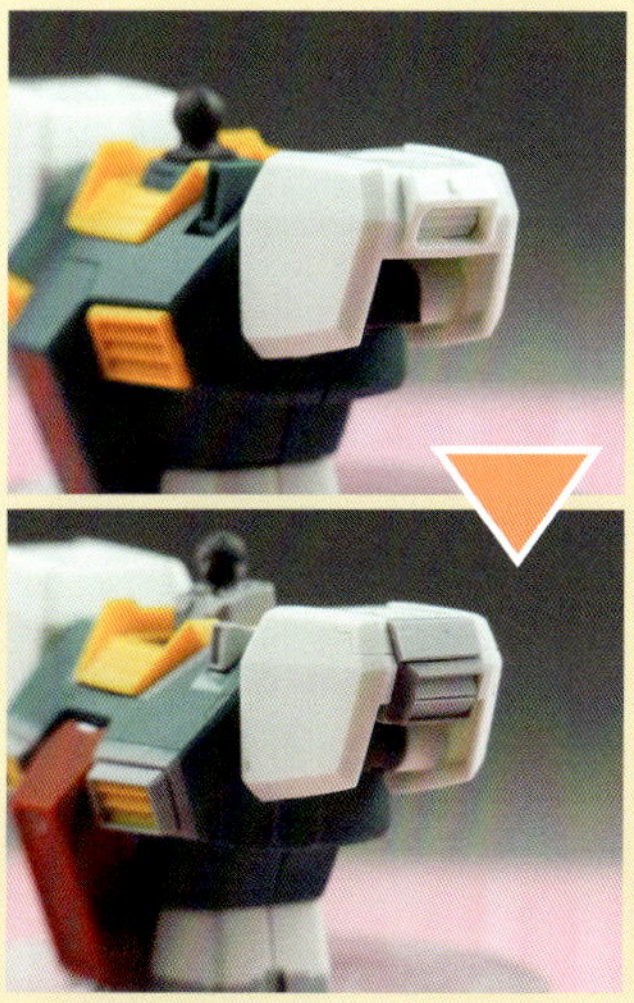

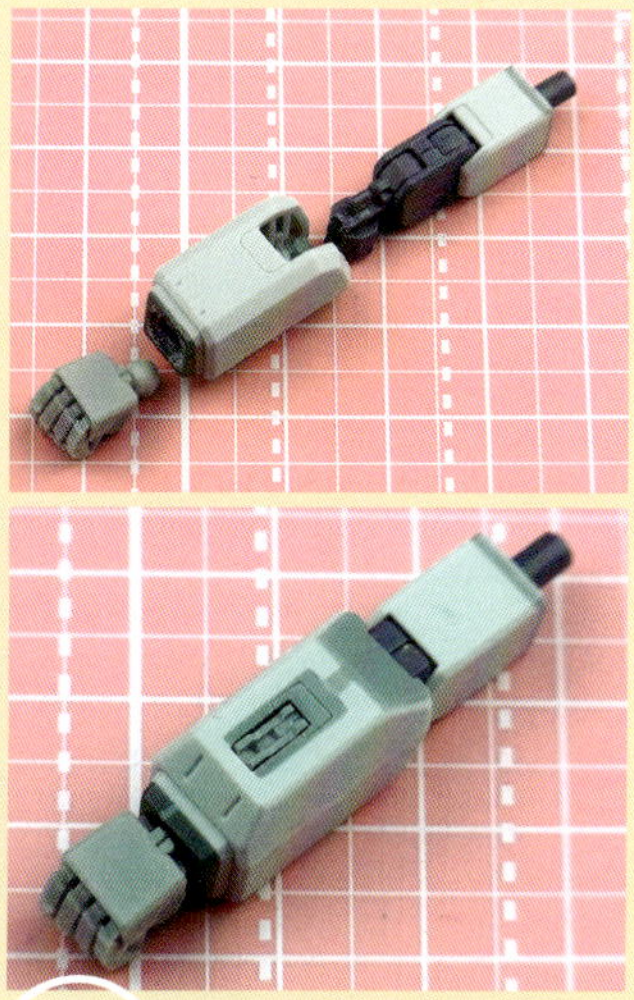

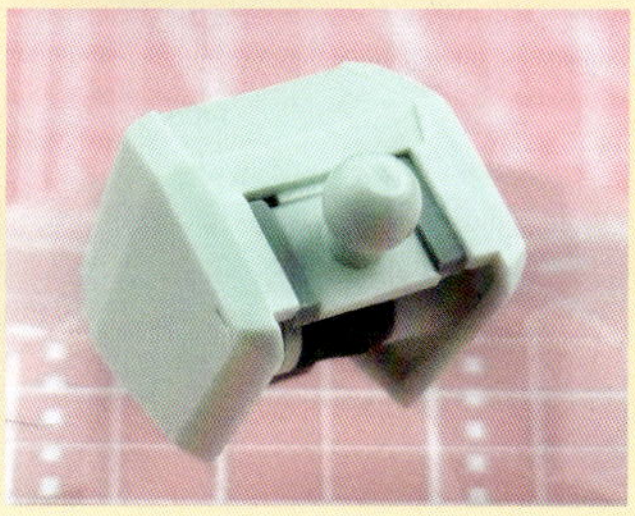

腕

●腕部はHGUC No.193 ガンダムMk-Ⅱを使う。上腕はプラ板で0.5㎜延長、前腕先端は手首関節カバー部で少し伸ばす。またシールドマウント部にネオジム磁石を埋め込んだ。拳はハイディテールマニピュレーター（ジム寒冷地仕様用）に置き換え。肩ミサイルポッドの固定用にネオジム磁石を内蔵。肩アーマー横のスラスターは市販パーツとプラ板でベーン状のディテールを新造。肩取り付け軸は一度軸を切り離し、1㎜縮めるように再接着。肩幅をコンパクトにしている

GMⅢ劇的ビフォー・アフター

スマートなジムⅢにするためにはどこに手を入れるべきか？ ジム派生型の改修ポイントを知り尽くしているken16w氏にポイントを詳しく解説してもらおう。

Model Graphix ガンダム アーカイヴス

I♥RGM

モデルグラフィックス編

編集●モデルグラフィックス編集部
撮影●ENTANIYA
装丁●横川 隆(九六式艦上デザイン)
レイアウト●横川 隆(九六式艦上デザイン)
丹羽和夫(九六式艦上デザイン)
SPECIAL THANKS●サンライズ
BANDAI SPIRITS

ガンダム アーカイヴス
I♥RGM

発行日 2019年2月28日 初版第1刷

発行人/小川光二
発行所/株式会社 大日本絵画
〒101-0054 東京都千代田区神田錦町1丁目7番地
URL; http://www.kaiga.co.jp

編集人/市村 弘
企画/編集 株式会社アートボックス
〒101-0054 東京都千代田区神田錦町1丁目7番地
錦町一丁目ビル4階
URL; http://www.modelkasten.com/

印刷/大日本印刷株式会社
製本/株式会社ブロケード

内容に関するお問い合わせ先: 03(6820)7000 (株)アートボックス
販売に関するお問い合わせ先: 03(3294)7861 (株)大日本絵画

Publisher/Dainippon Kaiga Co., Ltd.
Kanda Nishiki-cho 1-7, Chiyoda-ku, Tokyo 101-0054 Japan
Phone 03-3294-7861
Dainippon Kaiga URL; http://www.kaiga.co.jp
Editor/Artbox Co., Ltd.
Nishiki-cho 1-chome bldg., 4th Floor, Kanda
Nishiki-cho 1-7, Chiyoda-ku, Tokyo 101-0054 Japan
Phone 03-6820-7000
Artbox URL; http://www.modelkasten.com/

ISBN978-4-499-23255-5